De geheime liefde van Mrs Robinson

Tegen het einde van de jaren 1850 werd Gustave Flaubert in Frankrijk vervolgd om zijn *Madame Bovary*, wegens schending van de openbare eerbaarheid – het boek werd in Engeland beschouwd als 'te weerzinwekkend' voor uitgave. Met de wet op echtscheiding en huwelijkse zaken werd echtscheiding in Engeland voor het eerst een burgerlijke zaak (in plaats van een kerkelijke), die de middenklasse zich financieel kon veroorloven. De goddeloze ideeën over natuurlijke selectie die Charles Darwin onder woorden bracht, en waarvan de publicatie in 1859 aanleiding was tot beschuldigingen van ketterij, zouden de religieuze en morele leerstellingen van Victoriaans Engeland verder ondermijnen.

De geschiedenis van de val van Isabella Robinson speelt zich af tegen die achtergrond van precaire verschuivingen binnen de sociale zeden, waarbij gekoesterde ideeën over het huwelijk en de vrouwelijke seksualiteit in toenemende mate onder vuur kwamen te liggen. Voor een samenleving die op zulk radicaal gedachtegoed vooral reageerde met een krampachtig vasthouden aan haar traditionele waarden, waren het dagboek van mevrouw Robinson en de losbandige ideeën over liefde die erin werden uitgedrukt niet minder dan schandalig.

De geheime liefde van Mrs Robinson is een meeslepend verhaal over romantiek en trouw, krankzinnigheid, fantasie en de grenzen van het privéleven, en schildert op een schitterende manier het portret van een gecompliceerde en gefrustreerde Victoriaanse echtgenote die verlangde naar hartstocht en educatie, kameraadschap en liefde, in een onbestendige wereld die haar daarin – vooralsnog – niet tegemoetkwam.

Van dezelfde auteur:

De vermoedens van Mr Whicher

Kate Summerscale

De geheime liefde van Mrs Robinson

Vertaling David Orthel

Nieuw Amsterdam *Uitgevers*

Ter nagedachtenis aan mijn grootmoeders, Nelle en Doris,
en mijn oudtante Phyllis

De vertaler ontving voor deze vertaling een werkbeurs van het
Nederlands Letterenfonds

N **ederlands**
letterenfonds
dutch foundation
for literature

Oorspronkelijke titel *Mrs Robinson's Disgrace*. Bloomsbury
Publishing, Londen
© Kate Summerscale 2012
© Nederlandse vertaling David Orthel / Nieuw Amsterdam
Uitgevers 2012
Alle rechten voorbehouden
Omslagontwerp Nanja Toebak
Foto auteur © Mark Pringle
NUR 320
ISBN 978 90 468 1324 9
www.nieuwamsterdam.nl/katesummerscale

De vrouw zat peinzend te bladeren in
Een boek, beschreven met een meisjesnaam;
Een traan – één traan – viel warm op het omslag –
Daar kwam haar man. Snel legde ze het weg.

Hij kwam, hij ging weer weg – 't had geen belang –
Met koude, kalme woorden wederzijds;
Maar bij 't geluid van 't sluiten van de deur
Stond in haar ziel een schrikkelijke deur wijd open.

Ze kende liefde wel van zoete romantiek –
De liefde deed verdriet maar faalde niet,
Ze bouwde zich van edele fantasieën een paleis,
De hele wereld was een sprookje.

Bleek en bitter, in diepe treurnis, ontvouwt
Zich aan de vrouw haar leven als een landkaart;
Urenlang schouwt zij haar ziel, ontzet,
Vervuld van stormachtige strijd.

't Gezicht in beide handen knielt ze op het kleed;
De zwarte wolk breekt open, een stortbui valt:
Ach! Er is zoveel dat het leven verbijstert en vervormt –
Kan een dichter verhalen van het leed van een dag?

'Een echtgenote' door 'A' [William Allingham],
in *Once a Week*, 7 januari 1860

INHOUD

DE FAMILIE ROBINSON*

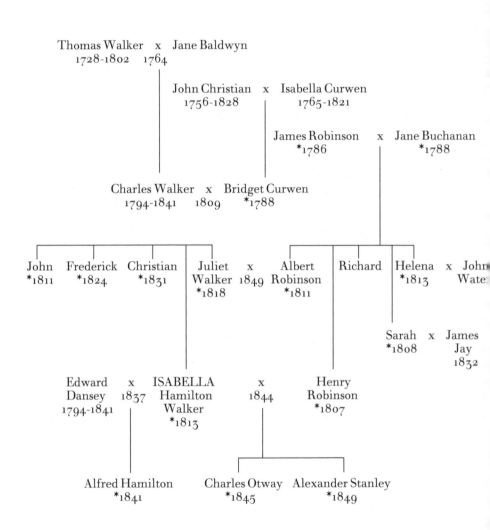

Thomas Walker   x   Jane Baldwyn
1728-1802   1764

John Christian   x   Isabella Curwen
1756-1828   1765-1821

James Robinson   x   Jane Buchanan
*1786   *1788

Charles Walker   x   Bridget Curwen
1794-1841   1809   *1788

John   Frederick   Christian   Juliet   x   Albert   Richard   Helena   x   John
*1811   *1824   *1831   Walker   1849   Robinson   *1813   Wate
                              *1818   *1811

Sarah   x   James
*1808   Jay
            1832

Edward   x   ISABELLA   x   Henry
Dansey   1837   Hamilton   1844   Robinson
1794-1841   Walker   *1807
              *1813

Alfred Hamilton   Charles Otway   Alexander Stanley
*1841   *1845   *1849

* situatie in 1858

DE FAMILIE LANE*

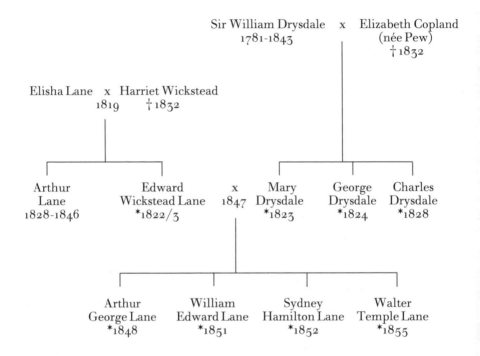

Sir William Drysdale   x   Elizabeth Copland
1781-1843   (née Pew)
                             † 1832

Elisha Lane   x   Harriet Wickstead
1819   † 1832

Arthur   Edward   x   Mary   George   Charles
Lane   Wickstead Lane   1847   Drysdale   Drysdale   Drysdale
1828-1846   *1822/3   *1823   *1824   *1828

Arthur   William   Sydney   Walter
George Lane   Edward Lane   Hamilton Lane   Temple Lane
*1848   *1851   *1852   *1855

* situatie in 1858

LIJST VAN JURISTEN BETROKKEN
BIJ HET PROCES ROBINSON IN
WESTMINSTER HALL

Rechters
Sir Alexander Cockburn, Bt [baronet], opperrechter van het Gerechtshof voor civiele zaken
Sir Cresswell Cresswell, rechter van het Gerechtshof voor echtscheiding en huwelijkse zaken
Sir William Wightman

Advocaten
Namens Henry Robinson
Montagu Chambers QC [raadsman voor de Kroon]
Jesse Addams QC, DCL [r.v.d.K., doctor in burgerlijk recht]
John Karslake

Namens Isabella Robinson
Robert Phillimore QC, DCL
John Duke Coleridge

Namens Edward Lane
William Forsyth QC
William Bovill QC
James Deane QC, DCL

PROLOOG

In de zomer van 1858 begon een rechtbank in Londen met het uitspreken van echtscheidingen voor de Engelse middenklasse. Tot die tijd kon een huwelijk alleen door een individuele wet van het parlement worden ontbonden, voor een bedrag dat vrijwel niemand zich kon veroorloven. Het nieuwe Gerechtshof voor echtscheiding en huwelijkse zaken kon de huwelijkse band veel goedkoper en sneller verbreken. Een scheiding verkrijgen bleef moeilijk – een man moest bewijzen dat zijn vrouw overspel had gepleegd, en een vrouw dat haar man schuldig was aan twee overtredingen binnen het huwelijk –, maar de verzoeken werden met honderden tegelijk ingediend, vergezeld van verhalen over twist en verraad, over liederlijke mannen en, vooral, over wellustige vrouwen.

Op maandag 14 juni, een maand na hun eerste echtscheidingszaak, kregen de rechters een bijzonder geval te behandelen. Henry Oliver Robinson, een civiel ingenieur, vroeg ontbinding van zijn huwelijk aan op grond van overspel door zijn vrouw Isabella en bracht als bewijs daarvoor haar dagboek in. In de vijf dagen die het proces duurde, werden duizenden geheime woorden van Isabella Robinson ter zitting voorgelezen, en de kranten publiceerden ze bijna allemaal. Haar dagboek stond vol details; het was zinnelijk en afwisselend gekweld of euforisch, goddelozer en zedelozer dan de hele Engelse literatuur van die tijd. In de geest leek het op Gustave Flauberts *Madame Bovary*, dat in 1857 in Frankrijk was uitgegeven maar tot 1880 te aanstootgevend werd gevonden om in het Engels te worden vertaald. Net als de roman van Flaubert beschreef het dagboek een nieuw en verontrustend personage: een rusteloze, ongelukkige vrouw uit de middenklasse die snakte naar opwinding. Tot verbazing van degenen die de samenvattingen in de krant lazen, leek mevrouw Robinson haar eigen val te hebben opgezocht en met tederheid op schrift te hebben gesteld.

DEEL EEN
DIE GEHEIME VRIEND

'Waarom ben ik teruggekeerd naar die geheime vriend uit mijn rampzaligste en zondigste uren? Omdat ik minder vrienden heb dan ooit; omdat ik eenzamer ben dan ooit, hoewel mijn man zit te schrijven in de kamer naast de mijne. Mijn verdriet is het verdriet van een vrouw en het zal zich uitspreken – liever hier dan nergens – tegen mijn tweede ik, in dit boek, als ik niemand anders heb die naar mij luistert'

Uit: Wilkie Collins, *Armadale* (1866)

HOOFDSTUK EEN

HIER MAG IK STAREN EN DROMEN

Edinburgh, 1850-1852

Op 15 november 1850, een zachte vrijdagavond, ging Isabella Robinson op weg naar een feestje in de buurt van haar huis in Edinburgh. Haar rijtuig hobbelde over de keien van de brede straten van de Georgiaanse wijk New Town en hield stil in een ring van grote, zandstenen huizen die door straatlantaarns werden verlicht. Ze stapte uit en liep de trap van 8 Royal Circus op; de enorme deur glom van het koper en werd bekroond met een stralende rechthoek van glas. Dit was het verblijf van lady Drysdale, een rijke weduwe van goede familie; Isabella en haar echtgenoot waren haar aanbevolen toen zij die herfst naar Edinburgh verhuisden.

Elizabeth Drysdale was een vermaarde gastvrouw: levendig, edelmoedig en wilskrachtig, en haar soirees trokken inventieve, vooruitstrevende figuren aan: romanciers als Charles Dickens, die in 1841 op een van haar feesten was geweest; wetenschappers als de verloskundige James Young Simpson, een van de eerste anesthesisten; uitgevers als Robert Chambers, de oprichter van *Chambers's Edinburgh Journal*; en een grote groep kunstenaars, essayisten, natuurhistorici, antiquairs en toneelspeelsters. Hoewel Edinburgh als middelpunt van de Schotse Verlichting zijn glorietijd reeds achter zich had liggen, kon de stad nog steeds bogen op actieve intellectuele en sociale kringen.

Een bediende liet Isabella binnen. De stenen vloer en het opgepoetste ijzer en hout van de trapleuning die langs de trap omhoog slingerde, werden verlicht door gas dat in een kroonluchter brandde. De gasten deden hun overkleren uit – kapothoeden, moffen en mantels, hoge hoeden en jassen – en liepen door naar boven. De dames droegen diep uitgesneden japonnen van glanzende zijde en satijn, met gladde lijfjes, strakgetrokken over gevoerde korsetten met baleinen. Onder hun rokken droegen ze petticoats in gelaagde stroken, afgezet met linten, ruches en galon. Ze droegen hun haar met een scheiding in het midden, strak over hun oren naar achteren getrokken in een opgerolde wrong, versierd met veren of kant. Ze hadden sieraden om hun hals en polsen en liepen op zijden laarsjes of satijnen muiltjes. De heren volgden hen, gekleed in rokkostuum, vest, das en een geplooid frontje, een nauwsluitende pantalon en glanzende schoenen.

Isabella was met een grote behoefte aan gezelschap naar het feestje gekomen. Haar man Henry was vaak op zakenreis en zelfs als hij thuis was voelde ze zich eenzaam. Hij was een 'ongezellige partner', schreef ze in haar dagboek: 'niet ontwikkeld, kortzichtig, nors, egoïstisch en trots'. Terwijl zij smachtte naar een goed gesprek over literatuur en politiek, gedichten wilde schrijven, talen wilde leren en de nieuwste essays over wetenschap en filosofie wilde lezen, was hij 'een man die alleen een commercieel leven leidde'.

In de hoge, luchtige salons op de eerste verdieping werd Isabella voorgesteld aan lady Drysdale en het jonge stel met wie zij samenwoonde: haar dochter Mary en haar schoonzoon Edward Lane. De laatste was een advocaat van zevenentwintig, geboren in Canada en opgeleid in Edinburgh; nu studeerde hij voor arts. Isabella was zeer van hem gecharmeerd. Hij was 'knap, vrolijk en goedgeluimd', vertrouwde ze haar dagboek toe; hij was 'betoverend'. Ze verweet zichzelf later, zoals ze dat vele malen eerder had gedaan, dat ze zo ontvankelijk was voor de charmes van een man. Maar er had een verlangen in haar postgevat, en daar zou ze niet zo makkelijk van afkomen.

In de maand waarin ze Edward Lane ontmoette, maakte Isabella een uitstapje naar de Noordzee, waar ze op het strand zat te peinzen over haar vele gebreken. Als vrouw van goede familie was ze er, naar eigen zeggen, volstrekt niet in geslaagd te beantwoorden aan de verwachtingen die aan een Victoriaanse dame van zevenendertig werden gesteld. In haar dagboek somde ze haar tekortkomingen op: 'mijn jeugdige onbezonnenheid, het tergen van mijn broers en zusters, mijn koppigheid tegenover mijn gouvernante, mijn ongehoorzaamheid en gebrek aan plichtsbesef tegenover mijn ouders, mijn gebrek aan een bestendig principe in het leven, de staat van mijn huwelijk en mijn houding daarbinnen, mijn partijdige en vaak gewelddadige houding tegenover mijn kinderen, mijn lichtzinnige gedrag als weduwe, mijn tweede huwelijk en alles wat daarna kwam'. Ze had zich schuldig gemaakt, zei ze, aan 'ongeduld bij beproevingen, dwalende genegenheden, gebrek aan zelfontkenning en besliste vasthoudendheid in rechtschapenheid; als moeder, als dochter, als zuster, als echtgenote, als leerlinge, als vriendin, als minnares'.

Ze citeerde een gedicht van Robert Burns:

Met hartstochten, dat weet ge,
Hebt ge mij wild en sterk gemaakt;
Al luisterend naar hun betovering
Ben ik vaak van 't goede pad geraakt.

Een paar feilen uit Isabella's onbarmhartige catalogus kunnen in verband worden gebracht met gegevens over haar leven die bewaard zijn gebleven. Ze werd geboren op 27 februari 1813 in de Londense wijk Bloomsbury. In mei van dat jaar werd ze Isabella Hamilton Walker gedoopt in de kerk van Sint Pancras. Haar vader Charles was de tweede zoon van een voormalige thesaurier van de kanselarij onder George III. Haar moeder Bridget was de oudste dochter van een Cumbrische erfgename van een kolenmijn en een parlementslid voor de Whigs. Toen Isabella nog een baby was, kocht haar vader een landgoed in het dorp Ashford Carbonel in Shropshire, vlak bij de grens met Wales. Daar groeide ze op, in een roodstenen landhuis aan de oever van de Teme; daar tartte ze de grote mensen en pestte ze haar broertjes en zusjes.

Later beschreef haar moeder het huis als een idyllische plek voor kinderen: 'er was een mooie grote tuin,' vertelde ze aan een kleinkind, 'met grasvelden & fijne wandelpaden & een lange rivier & een boot', en er waren ook 'jonge lammetjes & koeien & schapen & grote paarden; & kleine paarden; & honden & katten & jonge poesjes'. Het huis lag te midden van drieënnegentig hectare aan hooiland, al dan niet omheinde weiden, hopvelden en boomgaarden. Er was een gazon dat afliep tot aan de oever van de rivier en vanwaar je uitzicht had op heuvels met bomen. Isabella's vader, de plaatselijke landjonker en een kantonrechter, bezat al het land in het dorp; gaandeweg kocht en huurde hij nog meer land, waarvan hij veertig hectare zelf bebouwde en de rest verpachtte.

Isabella en haar zeven broertjes en zusjes werden verzorgd door een kindermeisje. Later kwam er voor de vier meisjes een gouvernante en werden hun broers naar een internaat gestuurd. Gewoonlijk gaf een gouvernante haar pupillen les in moderne talen, wiskunde en literatuur, maar haar belangrijkste taak was het afleveren van beschaafde jongedames die bekwaam waren in dansen, pianospelen, zingen en tekenen. Isabella, de oudste dochter, voelde zich beperkt door die opvoeding. Al in haar vroegste jeugd was ze 'een onafhankelijke & constante denker', zo herinnerde ze zich later.

In augustus 1837, enkele weken na de troonsbestijging van koningin Victoria, was Isabella de eerste van de zusjes Walker die trouwde. De plechtigheid werd gehouden in de St Mary's, een kerk op een krappe kilometer heuvelopwaarts vanaf haar huis. Isabella was vierentwintig; haar bruidegom, Edward Collins Dansey – weduwnaar en luitenant bij de Royal Navy – was drieënveertig. Haar neerbuigende opmerking over de 'staat' van haar huwelijk doet vermoeden dat ze niet uit liefde trouwden. Later schreef ze dat ze in een opwelling was getrouwd, gedreven door een 'koppige hartstocht'. Niettemin was de verbintenis voor beide partijen gunstig. Edward Dansey stamde uit een oude, plaatselijke familie, voormalige heren van het gebied waar Isabella's vader zijn landhuis had gekocht. Dansey bracht 6000 pond in, die Isabella bijna evenaarde met een bedrag van 5000 pond dat ze van haar vader kreeg. Dit kapitaal moet een gerieflijk inkomen hebben opgeleverd van zo'n 900 pond per jaar.

Na hun huwelijk verhuisde het paar naar het nabijgelegen marktstadje Ludlow, waar Isabella in februari 1841 het leven schonk aan een zoon, Alfred Hamilton Dansey. In het begin van de negentiende eeuw werden 'in de balzalen' van Ludlow 'danspartijen gehouden', zo vertelt Henry James. 'Mrs. Siddons kwam er optreden, Catalini kwam er zingen. De heldinnen van miss Burney en miss Austen zouden er zeer wel hun eerste affaires gehad kunnen hebben.' Het huis van de Danseys – dat in 1625 werd gebouwd en halverwege de achttiende eeuw werd voorzien van een nieuwe gevel met acht Venetiaanse ramen – stond vlak naast een danszaal in Broad Street, een pittoresk weggetje dat steil afliep naar de Teme. Isabella en haar gezin nestelden zich in het hart van de gemeenschap van Shropshire.

In december 1841 werd Edward Dansey echter plotseling krankzinnig. Isabella's moeder schreef aan een familielid dat 'de arme mijnheer Dansey volkomen in de war was' en 'steeds moest worden binnengehouden & voortdurende waakzaamheid vereiste'; Isabella's achttienjarige broer Frederick was bij het gezin Dansey in Ludlow ingetrokken 'om op de arme ziel te passen & zijn zuster te troosten bij deze pijnlijkste aller beproevingen'. Vijf maanden later stierf Dansey op zijn zevenenveertigste aan een 'hersenziekte'.

Edward had al geld op Alfreds naam gezet, maar alles wat hij ten tijde van zijn dood bezat, werd eigendom van Celestin, zijn zoon uit zijn eerste huwelijk, een jonge luitenant van de Royal Bombay fuseliers. Isabella erfde niets. Waarschijnlijk keerde ze met haar kind terug naar Ashford Court.

Isabella was twee jaar weduwe toen ze werd voorgesteld aan Henry Oliver Robinson, een Ierse protestant die zes jaar ouder was dan zij. Ze kunnen elkaar hebben ontmoet via Henry's zuster Sarah, wier echtgenoot advocaat was en gedeputeerde in Hereford, dertig kilometer ten zuiden van Ludlow. Henry kwam uit een familie van rondreizende ondernemers en fabrikanten.

In zijn jonge jaren had hij in Londonderry – waar hij was geboren – een brouwerij en distilleerderij gedreven die 36 duizend liter gedistilleerd per jaar produceerde. Inmiddels bouwde hij samen met een van zijn broers boten en suikermolens in Londen. Vanaf 1841 was Henry lid van het Institute of Civil Engineers, een orgaan dat een betrekkelijk nieuwe en snelgroeiende bedrijfstak reguleerde; in 1850 waren er ongeveer negenhonderd ingenieurs in Engeland.

Isabella weigerde tot twee keer toe een aanzoek van Henry, maar toen hij haar voor de derde keer vroeg, stemde ze in: 'ik heb mijn bezwaren en mijn afkeer door anderen laten wegpraten,' verklaarde ze later in een brief, '& met open ogen ging ik als een gedoemde die gevreesde huwelijkse verbintenis aan'. Als weduwe van eenendertig met een kind kon ze zich geen kieskeurigheid veroorloven. Dit huwelijk zou haar tenminste in de gelegenheid stellen om buiten de grenzen van haar deel van het land te reizen, om nieuwe plekken te zien en nieuwe mensen te ontmoeten.

Henry en Isabella trouwden op 29 februari 1844 in Hereford en verhuisden daarop naar Londen. Iets minder dan een jaar later werd in Camden Town hun eerste kind geboren, Charles Otway. Hij werd Charles gedoopt naar de vader van Isabella, maar voor de naam Otway lijkt in geen van beide families een precedent te bestaan. Het kan zijn dat Isabella de naam koos als eerbetoon aan de populaire toneelschrijver van de Restauratie Thomas Otway, die toneelstukken schreef – ook wel 'zij-tragedies' genoemd – over deugdzame en gekwelde dames. Haar koosnaam voor deze tweede zoon, haar lieveling, was Doatie; ze was dol op hem.

Niet lang na de geboorte van Otway verhuisde het gezin naar Blackheath Park, een duur, nieuw landgoed even buiten Londen. Het huis stond drie kilometer ten zuiden van Greenwich, vanwaar regelmatig een veerpont ging naar de ijzerwerken van Robinson op de noordelijke oever van de Theems. Henry en zijn broer Albert ontwierpen en bouwden stoomschepen en suikerrietmolens in Millwall, midden tussen de struiken en moerassen langs de rivier ten oosten van de stad. In hun fabriek produceerden ze plaatwerk, motoren en andere onderdelen, en ze hadden een paar honderd man in dienst die ter plaatse boten en molens bouwden. Albert ontwierp vijf schepen die op de Ganges zouden worden gebruikt ten behoeve van een project dat 100.000 pond opbracht; ze werden in Millwall gebouwd, vervolgens gedemonteerd en naar Calcutta verscheept (een reis van vier maanden), alwaar ze onder zijn toezicht weer in elkaar werden gezet. De gebroeders Robinson kochten de werf in 1848 voor slechts 12.000 pond (meer dan tien jaar eerder werd ze voor 50.000 pond verkocht). Ook hun jongere broer Richard nam deel in het bedrijf, evenals de pionierende scheepsbouwmeester en ingenieur John Scott Russell. Het bedrijf stond inmiddels bekend onder de naam Robinson & Russell en liet in de volgende drie jaar een tiental zeeschepen van stapel lopen. Het eerste was de *Taman*, een ijzeren pakketboot die door de Russische regering was besteld voor de dienst op de Zwarte Zee tussen Odessa en Tsjerkessië. Op de dag van de tewaterlating in november 1848 stond een groot aantal mensen – waarvan velen in stoomscheepjes en roeiboten – te kijken hoe het schip eerst langzaam de helling af liep en ten slotte met een plons in de rivier gleed.

Henry's huwelijk met Isabella leverde hem niet alleen prestige op, maar ook geld. Vlak voor hun huwelijk had Isabella's vader 5000 pond op haar naam gezet, 'voor haar persoonlijk gebruik', zoals hij ook bij haar eerste huwelijk had gedaan. Dit was een gebruikelijke manier om de wet te omzeilen volgens welke een man de beschikking kreeg over het volledige eigendom van zijn vrouw. De beheerders (haar vader en haar broer Frederick) stortten de rente van dit fonds – een bedrag van ongeveer 430 pond per jaar – op een rekening bij het bankkantoor van Gosling & Co. in Fleet Street in Londen die op naam stond van Isabella. Vrijwel meteen na hun huwelijk stelde Henry echter voor dat Isabella al haar cheques zou tekenen en aan hem zou geven; hij zou ze dan naar eigen goeddunken verzilveren en er hun huishoudelijke en persoonlijke uitgaven mee bekostigen. Isabella stemde toe. Hij was 'iemand met een erg heerszuchtige natuur', verklaarde ze achteraf, en 'om geschillen zo veel mogelijk te voorkomen' was ze bereid hem zijn zin te geven. Henry gaf Isabella contant geld waarmee ze leveranciers en hun vrouwelijk personeel kon betalen en waarmee ze huishoudelijke zaken en kleren voor zichzelf en de kinderen kon kopen. Hij voorzag haar van zakgeld en legde haar uit hoe ze moest boekhouden. De uitgaven van de Robinsons bedroegen ongeveer 1000 pond per jaar; daarmee behoorde het gezin tot het rijkste honderdste deel van de bevolking en bevond het zich in de hoogste regionen van de hogere middenklasse.

Henry eigende zich nog wel meer toe, zei Isabella. Toen haar vader eind 1847 stierf en haar nog 1000 pond naliet, nam Henry ogenblikkelijk het hele bedrag op met een van de blanco cheques die Isabella had getekend en investeerde het op zijn naam in aandelen van de London & North Western Railway. Hoewel hij ervoor zorgde dat de rente werd bijgeschreven op de rekening van Isabella – waar hij hoe dan ook als enige over beschikte –, behield hij het kapitaal. Isabella beweerde dat Henry ook probeerde de achternaam van zijn stiefzoon, Alfred Dansey, af te schaffen, opdat hij diens legaat kon erven en de 2000 pond kon inpikken die op Alfreds naam stonden. Geconfronteerd met Henry's hebzucht, zei Isabella, was ze 'besluiteloos'; 'inwendig kookte ze', maar 'ze bleef passief'. 'In het volledige besef dat mijn echtgenoot krenterig en inhalig was,' schreef ze, 'trad ik niet op tegen zijn beslagleggingen, maar duldde ik dat hij het ene na het andere van mij afnam.'

In februari 1849 baarde Isabella haar derde en laatste kind, Alexander Stanley. Ten tijde van zijn geboorte verbleef ze in een appartement aan de kust in Brighton, Sussex, met de snelste trein twee uur van Londen vandaan. Waarschijnlijk was ze daar om gezondheidsredenen naartoe gegaan. Datzelfde jaar viel ze ten prooi aan een hevige depressie die gepaard ging met zware hoofdpijnen en menstruatieproblemen; dokter Joseph Kidd stelde in Blackheath vast dat haar klachten duidden op een 'aandoening van de uterus'. Henry was in 1849 zes maanden op zakenreis in Noord-Amerika. Isabella begon een dagboek bij te houden: een vriend in tijden van eenzaamheid en ziekte, een metgezel en vertrouweling.

'Ik weet niet wie ik om hulp kan vragen,' vertelde ze haar dagboek, 'er drukt een loden last van neerslachtigheid en onuitsprekelijke benauwdheid op mijn gemoed. Ik ondervind geen medelijden, geen liefde, want die verdien ik niet. Mijn lieve jongens zijn mijn enige troost.' Hoewel ze zich soms misdroeg tegenover haar zoons – ze sloeg ze uit woede en trok Doatie voor – hielp de liefde voor de jongens haar door de zwaarmoedigste buien heen. Ze zei dat ze een band 'van *ongewone* sterkte' met hen deelde.

Zoals veel negentiende-eeuwse vrouwen gebruikte Isabella haar dagboek als een manier om haar zwakten, haar verdriet en haar zonden uit te spreken. Ze legde er rekenschap in af van haar gedrag en haar gedachten; ze worstelde met haar fouten en probeerde een pad naar een deugdzaam leven uit te stippelen. Maar terwijl ze in haar dagboek over haar heftige en onstuimige gevoelens schreef, maakte Isabella ook een verslag, haar memoires van die gevoelens. Ze merkte dat ze een verhaal vertelde, een feuilleton met dagelijkse afleveringen, waarin zij de wanhopige heldin was wie onrecht was gedaan.

🌺

Na Henry's terugkeer uit Amerika verhuisden de Robinsons naar Edinburgh omdat die stad bekendstond om zijn vrijzinnige en betaalbare scholen. Hun jongens konden er een goede opleiding krijgen zonder dat ze ergens in de kost zouden moeten gaan. Voor zo'n 150 pond per jaar huurde Henry voor zijn gezin op 11 Moray Place een granieten huis van zes verdiepingen. Moray Place was een twaalfhoekig plein met huizen op hellende grond; het was de meest luxueuze uitbreiding van New Town. Aan de noordzijde liep het terrein af naar het Water van Leith, met parken waar rododendrons en hazelaars waren geplant. De gewichtige grandeur van Moray Place viel niet bij iedereen in de smaak. 'Er is tegen ingebracht,' schreef de *Black's Guide Through Edinburgh* in 1851, 'dat de eenvoudige stijl en de massieve bouwwijze die deze gebouwen in het bijzonder kenmerken, er een aspect van plechtigheid en somberheid aan verlenen dat op gespannen voet staat met het karakter van de huiselijke architectuur.' De Robinsons hadden vier bedienden: een huisknecht, een kok, een kamermeisje en een kindermeisje.

Een brede trap leidde naar de woonvertrekken op de eerste verdieping en de slaapkamers daarboven. De woonkamers waren breed en diep en voorzien van lambrisering, en ze hadden grote ramen die aan de voorkant uitzagen op een rond, groen plantsoen en aan de achterkant op een driehoekige tuin. Boven in het trappenhuis was een koepelvormig daklicht met een gepleisterd fries eromheen; sommige cherubijnen op het fries dartelden door het gestileerde loof, andere zaten braaf op de bladeren een boekje te lezen.

Een smallere trap leidde verder omhoog naar de kinderkamers op de bovenste verdieping. Vanuit de ramen aan de achterzijde kon Isabella het dak van 8 Royal Circus zien en daarachter de toren van de St Stephen's, de kerk waar Edward Lane drie jaar eerder was getrouwd met Mary, de dochter van lady Drysdale.

Isabella werd een regelmatige gast van de Lanes en lady Drysdale. Hun huis lag een paar honderd meter ten noordoosten van het hare, een paar minuten lopen of rijden. Ze werd uitgenodigd op de feesten van het gezin – in het eerste jaar dat Isabella in de stad woonde gaf lady Drysdale op een avond een groots kinderfeest, en op een andere avond een 'aardbeienfeest' – en maakte kennis met mensen uit hun kringen: succesvolle schrijfsters als Susan Stirling en invloedrijke denkers als de frenoloog George Combe. Volgens Charles Piazzi Smyth, directeur van de sterrenwacht in Schotland, was lady Drysdale 'een groot beschermvrouwe van de wetenschap en de literatuur'; een ander, kunstcritica Elizabeth Rigby, beschreef haar als 'naar mijn idee uniek in het verspreiden van geluk... Ik ben nog nooit een vrouw tegengekomen die zo veel warmte en onbaatzuchtigheid bezat'. Lady Drysdale was een hartstochtelijke filantrope die dolgraag ontheemden onder haar hoede nam – Italiaanse revolutionairen, Poolse vluchtelingen, en nu dan Isabella, bannelinge van haar eigen huwelijk.

Isabella had nooit van haar echtgenoot gehouden. Tegen de tijd dat ze naar Edinburgh verhuisden, verachtte ze hem. Een foto van Henry uit die tijd bevestigt haar beschrijving van een bekrompen, hoogmoedige man: hij zit stijf rechtop, gekleed in een kostuum, vest, overhemd en das, en houdt een wandelstok met een zilveren knop in zijn rechterhand. Hij heeft een kippenborst en een smal middel, en ziet eruit als een zelfverzekerde man met een lange neus in een lang gezicht. Isabella zei dat ze zich niet met Henry's privéleven probeerde te bemoeien, maar ze was er inmiddels achter dat hij er een maîtresse op na hield en dat hij twee buitenechtelijke dochters had. Ze was tot de slotsom gekomen dat hij haar alleen maar om haar geld had getrouwd.

Binnen een paar maanden bezocht Isabella de Lanes en de Drysdales vrijwel dagelijks. Ze nodigde de oudste zoon van het gezin Lane, Arthur, regelmatig uit om met haar zoons te komen spelen, vooral nadat Mary begin 1851 een tweede kind had gebaard, William geheten. Ze praatte met Edward Lane over poëzie en filosofie, discussieerde met hem over nieuwe denkbeelden en moedigde hem aan essays te schrijven en te publiceren. Henry had daarentegen geen belangstelling voor literatuur, zo klaagde Isabella in een brief aan een vriend: 'Welke versregel ik ook citeer, hij is volstrekt niet in staat die te ontleden & interpreteren – of het er nu een van mij is of van iemand anders!' Edward nodigde Isabella en haar zoons vaak uit voor ritjes naar de kust met zijn zoon Arthur; 'Atty' was een breekbaar knaapje en Edward probeerde hem te laten aansterken door regelmatige tochten naar de zee te maken in een faëton, een snel, open rijtuig met een verend koetswerk en vier hoge wielen. Een paar kilometer ten noordwesten van de stad zaten Isabella en Edward dan aan het strand in Granton over poëzie te praten, terwijl ze een oogje hielden op hun kinderen die op de rotsen en in het zand speelden.

*

In de grijze middag van zondag 14 maart 1852 maakte Isabella een wandelingetje door New Town. Stanley was nu drie jaar en waarschijnlijk thuis bij het kindermeisje – een Ierse die Eliza Power heette –, maar Otway en Alfred, die nu zeven en elf waren, gingen met hun moeder mee. Het groepje liep achter Moray Place de heuvel over en kwam aan de andere kant uit op Princes Street, een brede boulevard aan de zuidelijke rand van New Town. Aan één kant van de straat stond een rij gelijkvormige huizen. Het trottoir aan de overkant werd slechts begrensd door een ijzeren hek, daarachter was een steile helling en had je een weids uitzicht over het diepe ravijn en de zwart geworden huizen van de Old Town op de heuvel aan de overkant: 'de stad lag voor ons, vaag zichtbaar,' schreef Isabella in haar dagboek, 'torenspitsen, monumenten, straten, de haven van Leith, de Frith, en recht tegenover ons kleine, ongeventileerde woningen en gebouwen van tien verdiepingen'.

Isabella aanschouwde een kloof tussen rijk en arm, tussen de dunbevolkte, schone straten van het moderne Edinburgh en de drukke, verticale sloppen van de oude stad. In het begin van de eeuw was het gebied tussen New Town en Old Town drooggelegd en genivelleerd, en in 1842 was er in het ravijn een spoorlijn aangelegd. Hoewel er in Princes Street een paar winkels waren gevestigd, lag er een verlaten weelderigheid over de straten waar Isabella met haar zoontjes wandelde. Op zondag was het er uitgestorven; de winkels waren gesloten en de luiken van de huizen waren dicht. Isabella verlangde ernaar de krottenwijk aan de andere kant van de spoorbaan te bezoeken. 'O, dacht ik, onder ieder dak gaat daar een leven schuil met al zijn mysterieuze vreugden en verdriet. Zonder twijfel heeft menige gast in die woningen een persoonlijke geschiedenis – ontroerend, opwindend en vreemd. Als ik hen leerde kennen, zou ik misschien minder verdrietig en eenzaam zijn. Wellicht zijn daar harten die even ontevreden zijn met hun lot als het mijne; weinigen zijn meer levensmoe, denk ik.'

'Ik liep met mijn kinderen terug naar huis,' ging ze verder. 'Diep vanbinnen heb ik hen lief en zijn ze me veel waard, en als mijn lieve Otway me niet zou worden afgenomen, zou ik mijn man voor altijd verlaten.' Als Henry en zij uit elkaar gingen, zou ze wel de voogdij behouden over Alfred, haar zoon van haar eerste echtgenoot, en misschien ook over Stanley – de wet op de voogdij over minderjarigen uit 1839 gaf een vrouw voor het eerst de gelegenheid te verzoeken om de voogdij over kinderen onder de zeven jaar, als ze maar een goede reputatie had. Maar Doatie zou zeker bij zijn vader moeten blijven.

Isabella kwam om half zes thuis en probeerde haar gekwelde

gemoed tot rust te brengen: 'ik speelde psalmen, schreef in mijn dagboek, las, rookte een sigaar; ik was tot negen uur bij de jongens. Voelde me al minder verdrietig'. Lezen, pianospelen en tijd met de kinderen doorbrengen vormden een normaal tijdverdrijf voor een Victoriaanse vrouw uit de middenklasse; sigaren roken was echter beslist opstandig en onvrouwelijk.

⁂

Op zaterdag 27 maart 1852 organiseerde Isabella een uitje voor zichzelf en haar kinderen. Ze nodigde Edward uit om hen te vergezellen en huurde een rijtuig met koetsier om de twee gezinnen na de lunch op te halen. Henry was van huis.

De morgen was koud en helder. 'Ben vastbesloten vroeg klaar te zijn voor de rit,' schreef Isabella, 'waar ik me wel op moest verheugen, zij het met een gevoel van *vrees* dat iets het plezier zou vergallen dat ik mezelf in het vooruitzicht had gesteld, zoals het bij mij bijna altijd gaat.' De dag begon slecht: ze stond laat op en miste daardoor een afspraak; een glaasje sherry voor de lunch bezorgde haar een 'verwarde hoofdpijn'. Het ruwe gedrag van haar zoons in de tuin irriteerde haar. 'Ik lunchte in haast,' vertelde ze haar dagboek, 'en ging meteen van huis om de schoonheid van de dag niet te verliezen.'

Toen ze aankwam op 8 Royal Circus ontdekte Isabella dat haar vrees gerechtvaardigd was: 'na enige vertraging en verwarring hoorde ik dat mevrouw L. ook mee zou gaan, en ik begreep dat alle hoop op een plezierig tête-à-tête vandaag ijdel zou zijn. Ik was nauwelijks in staat om haar en Atty te begroeten en een goed humeur voor te wenden, laat staan vrolijk te zijn'. Isabella was eraan gewend geraakt dat ze Edward voor zichzelf had.

De twee gezinnen gingen per rijtuig op weg, de drie volwassenen in de koets en de drie jongens op de bok. Ze reden naar het noorden, richting zee, en daarna westwaarts langs de kust, waarbij ze de nieuwe haven van Granton passeerden. In het rijtuig 'was het gesprek formeel en warrig. Mijnheer L. las stukjes Coleridge en Tennyson voor'. Ze praatten over een essay dat Edward op instigatie van Isabella had geschreven – 'over de vergissing van overijlde oordelen die niet stoelen op kennis' – en dat die morgen was geplaatst in *Chambers's Edinburgh Journal*. Na acht kilometer stopte het rijtuig bij een rijtje witgekalkte boerderijtjes in Cramond, een dorpje aan de monding van de Almond, waar het gezelschap een steil pad afdaalde naar een zonnig, beschut plekje aan de oever. Daar spreidden ze hun plaids uit en sloegen ze hun boeken open. In het noorden lag het rotsige grasland van Cramond Island, waar dagjesmensen bij laagwater over het wad naartoe konden wandelen.

Mary Lane nam de jongetjes mee om gaspeldoorn te verzamelen en Isabella en Edward bleven alleen achter, maar 'er was geen echte opgeruimdheid in mijn hart,' zei Isabella. Edward en zij praatten met elkaar – 'over het leven, over Kana, over eigendom, rijkdom, geboorte... over neerslachtigheid, opvoeding, armoede, etc.' en lazen elkaar 'een paar uit hun verband gerukte passages van onze eigen dichters' voor, waaronder Samuel Taylor Coleridges 'Dejection: an ode', zo herinnerde Isabella zich. Het gedicht beschreef een gemoedsgesteldheid die op de hare leek: een 'verstikkend gewicht', 'Een verdriet zonder plotselinge steken, leeg, donker en somber, / Een gesmoord, slaperig, nuchter verdriet'.

'We stonden op om terug te gaan toen de zon onderging,' schreef Isabella. 'We klommen in het rijtuig en hielden het gesprek gaande... van mijn kant zonder enige belangstelling; bewonderde plichtsgetrouw het uitzicht, dat mooi was.'

Eenmaal terug in de stad zette de koetsier de familie Lane af op Royal Circus; Isabella's 'uitgehongerde' kinderen klommen van de bok en in het rijtuig. Om half zeven waren ze terug op Moray Place en voelde Isabella zich 'meer gekweld, ontmoedigd, geërgerd en terneergeslagen dan ik ooit was geweest, voor zover ik me kon herinneren'.

Isabella verweet zichzelf dat ze een slechte indruk op de Lanes had gemaakt. 'Mevrouw Lane zag er meerdere malen koel uit, en in de war,' schreef ze. 'Hij was gesloten, het kind was moe, niemand voelde zich tevreden of op zijn gemak.' Gewoonlijk beheerste ze zich in bijzijn van haar vrienden en stortte ze haar hart uit in haar dagboek, maar deze keer was haar ontevredenheid maar al te zichtbaar geweest. 'Ik had acht shilling uitgegeven aan minder dan niets,' schreef ze, gevangen tussen zelfmedelijden en zelfverachting. 'Goeie hemel! Waarom leidt alles wat ik me voorneem of waar ik naar verlang tot verbittering? Het zal wel weer mijn eigen schuld zijn. Ik verlang naar dingen die ik niet zou moeten waarderen. Ik merk dat het onmogelijk is om lief te hebben als het gepast is, of mezelf ervan te weerhouden als het ongepast is.'

'In mijn hoofd is het een rommeltje,' bekende ze, 'een verward mengsel van goed en kwaad. Ik word zo moe van mezelf, er komt maar geen eind aan.'

Daarop kreeg Isabella een briefje – een 'kil schrijven' – van Edward. Ze was van plan geweest de volgende morgen met zijn gezin naar een preek van dominee Thomas Guthrie te gaan luisteren, een van de leiders van de Free Church of Scotland; Edward liet haar echter weten dat de dienst was afgelast. Isabella trok zich tegen middernacht terug 'op een verdrietige en eenzame divan, met treurnis en neerslachtigheid in mijn hart'. Het dagboek gaf haar in elk geval enige troost en redde nog iets uit de wrakstukken van haar expeditie: 'Voelde een trieste opluchting bij het optekenen van de geschiedenis van een verloren dag.' Terwijl ze haar ontevredenheid onder woorden bracht, viel die van haar af. De heldin uit *The Tenant of Wildfell Hall* van Anne Brontë, een roman uit 1848, beschrijft hetzelfde verschijnsel: 'Ik vond verlichting in de beschrijving van juist die omstandigheden die mijn rust verstoorden.'

Twee weken na het tripje naar Cramond werd Isabella weer gekweld door haar gevoelens voor Edward Lane. 'Prachtige, heldere, prettige dag,' schreef ze op woensdag 7 april. 'Doodongelukkig en ongewoon terneergeslagen.'

Isabella stond laat op. Henry was lomp en in een slechte bui, en ze schreef een brief aan haar moeder om over hem te klagen. Daarna ging ze langs bij Mary Lane op Royal Circus. 'Mevrouw L. was erg aardig; ze heeft zo'n lieve, beminnelijke natuur en is op haar best als er leed moet worden verzacht.' Nadat ze zich bij de rest van het gezin had gevoegd, werd Isabella echter gekwetst door Edwards ogenschijnlijke onverschilligheid. Hij 'kletste met iedereen en was vrolijker en spraakzamer dan anders' maar 'onverschillig in zijn manier van doen, en hij had nauwelijks oog voor mij'. De Lanes brachten haar thuis met een huurrijtuig. 'Ik voelde me ellendig; en toen ik uit het rijtuig stapte en hun een hand gaf die zo koud was als marmer, had ik het gevoel dat ik niet tegen hun gezelschap was opgewassen.' Ze glipte haar huis binnen, ontweek Henry en ging naar haar kamer. Zoals veel stellen uit de hogere middenklasse hadden ze aparte slaapkamers. Isabella hoorde van Eliza, het kindermeisje, dat met de kinderen alles goed was en 'legde zich volkomen vernederd ter ruste'.

Na deze teleurstellingen werd Isabella des te meer aangegrepen door de hernieuwde aandacht van Edward Lane. Op 13 april stond ze om elf uur op. Het was een mooie, warme dinsdagmorgen en ze ging in de tuin zitten met een boek van een der gebroeders Schlegel, de grondleggers van de Duitse Romantiek en pleitbezorgers van liefde en vrijheid. Alfred zat op school maar Otway voelde zich niet lekker; Stanley en hij bleven thuis. Om vier uur ging Isabella winkelen, om vijf uur haalde ze Atty Lane op van Royal Circus en nam hem mee naar haar huis. 'Kinderen speelden in de tuin,' schreef ze. 'St. zoekt steeds ruzie; hij is opgewonden en driftig van aard.' Ze bracht Atty om acht uur 's avonds terug naar lady Drysdale en ging toen met Edward, Mary en 'Miss R.', een andere vriendin, naar een lezing over Homerus. Het was een causerie uit een reeks die in de maand april werd gehouden in het Philosophical Institution in Queen Street door John Stuart Blackie, een nieuwe hoogleraar Grieks aan universiteit van Edinburgh. Blackie was naar eigen zeggen een 'opgewekte en levendige' spreker die zijn gehoor 'niet slechts in een toestand van verrukte aandacht, maar zelfs van overduidelijke vrolijkheid' bracht. Tijdens de lezing zat Isabella aan Edwards ene zijde en Mary aan zijn andere. De causerie van de hoogleraar was 'vermakelijk en origineel', schreef Isabella. Edward en zij zaten voor en na de lezing te babbelen. 'We hadden het over bijnamen en sombere karakters, en ik was vrolijk en erg opgewonden door zijn aanwezigheid. We hebben veel gelachen.'

Ze praatten verder tijdens het wandelingetje terug naar huis. 'Mevrouw L. en juffrouw R. liepen buiten gehoorsafstand voor ons uit. We praatten over het weer, haalden poëzie over dat onderwerp aan en hadden het over Homerus, Shakespeare, talent, enzovoort.' Isabella kwam thuis in een toestand van groot plezier en opwinding. 'Die wandelingen in het donker zijn erg spannend,' schreef ze, 'en toen ik eenmaal alleen in bed lag, was ik veel te opgewonden om te slapen en lag ik nog uren te woelen.'

Tijdens het feest op Royal Circus op 15 november 1850 werd Isabella voorgesteld aan de uitgever en schrijver Robert Chambers, een man zo groot als een beer met lang, golvend haar. Ze waren buren; de achterkant van het huis van de Robinsons keek uit op de achterkant van het huis van Robert en Anne Chambers aan Doune Terrace. Robert was een toonaangevende figuur in de literaire kringen van de stad; zijn broer William en hij gaven het populaire, vooruitstrevende tijdschrift *Chambers's Edinburgh Journal* uit, waarvan wekelijks meer dan tachtigduizend exemplaren werden verkocht. In de twee maanden na zijn kennismaking met de Robinsons was Chambers al twee keer op Moray Place komen dineren en waren de Robinsons twee keer op een feestje op Doune Terrace geweest. In mei, toen Henry van huis was, ging Isabella naar een etentje bij de Chambers; eveneens te gast waren de goedverkopende schrijfster Catherine Crowe, die ook in de buurt woonde, en de jonge actrice Isabella Glyn. Ongeveer in deze periode begon Isabella gedichten op te sturen naar *Chambers's Edinburgh Journal*.

Het enige gedicht dat met zekerheid van haar hand is, 'Regels aan een miniatuur, door een dame', verscheen met de initialen IHR in het nummer van 2 augustus 1851. Het beschrijft het geheime verlangen van een vrouw naar een man die aan een ander toebehoort. Omdat ze niet openlijk naar hem kan kijken, stelt ze zich tevreden met een miniatuur van hem. En omdat ze haar ge-

voelens niet kan tonen, verklaart ze haar liefde aan zijn beelte-
nis. Ze zegt tegen het portretje: 'Vergeefs ontmoette ik, kende ik,
waardeerde en had ik lief/ degene wiens gelijkenis ge draagt.'
Ondanks de hoogromantische toon van het gedicht is het lichamelijke verlangen van de vertelster niet mis te verstaan: 'Zo zoet
op die gesloten, mannelijke lippen/ houden vastberadenheid en
liefde hun macht!/ Uw gestalte zie ik, met kracht en moed gesterkt./ Uw blik met al zijn natuurlijke energie!' Haar geliefde is
zich even onbewust van haar verlangen als zijn miniatuur —
'kalm en onbewogen, onkundig van mijn blik' — en ze brandt
van jaloezie jegens de vrouw die hij boven haar heeft verkozen.
'Mijn hart verscheurd,' schrijft de verliefde dame, 'mijn diepste
geest verzengd.'

Isabella's dagboek was het equivalent van deze miniatuur, een
aandenken aan de man van wie ze hield, een plaats waar ze zich
in beslotenheid uitsprak opdat ze in het openbaar haar stilzwijgen kon bewaren. De dame in het gedicht belooft haar gevoelens
te verbergen — 'alleen gebed en stilte zullen mij toebehoren' —,
hoewel ze haar belofte al half gebroken heeft door haar gedachten onder woorden te brengen. Net als het gedicht openbaarde
én verborg Isabella's dagboek haar geheimen. Ze stond echter op
haar privacy: 'Híér mag ik staren en dromen, zonder vrees voor
schuld,' zegt haar gedicht. 'Dít mag ik liefhebben en koesteren —
alleen.'

HOOFDSTUK TWEE

ARME, LIEVE DODDY

Edinburgh, 1840-1852

Edward Wickstead Lane, het voorwerp van Isabella's liefde, werd in 1823 geboren in een presbyteriaanse familie op het Franstalige eiland Terrebonne in Quebec. Kort na Edwards geboorte verhuisde het gezin naar het naburige Montreal, waar zijn vader Elisha werk vond als klerk bij een grossier uit Schotland. Toen Edward negen was stierf zijn moeder. Samen met zijn broer, die vier jaar ouder was, kwam hij onder de hoede van hun vader. Elisha Lane en zijn baas bouwden in Montreal met de invoer van drank, vlees en graan een zaak op, en eind jaren 1830 was Elisha rijk genoeg om zijn zoons voor hun opleiding naar Edinburgh te sturen. Binnen tien jaar beschikte zijn bedrijf over activa ter waarde van zo'n 70.000 pond.

De broertjes Lane woonden bij familie in New Town en bezochten de gerenommeerde academie van Edinburgh, waar Edward een goede vriend werd van George, de zoon van lady Drysdale. Edward was een gezellige, open jongen, maar George was emotioneel en verlegen van aard. Ze waren allebei uitstekende leerlingen. In 1840 werd Edward benoemd tot 'Dux of the Academy', de grootste eer die er op school te behalen viel, en het jaar daarna ging de titel naar George. Edward won prijzen met zijn prestaties in het Frans en Engels, als schrijver en als spreker, en George met zijn prestaties in het Latijn, Engels, Frans, wiskunde en rekenkunde. Later studeerde George klassieke talen in Glasgow, waar hij in zijn eerste jaar zes prijzen won. Edward studeerde rechten aan de universiteit van Edinburgh, waar men hem bleef prijzen om zijn welbespraaktheid. In 1842 werd hij gekozen voor de Speculative Society, een beroemd dispuutgezelschap. In zijn studententijd woonde Edward op kamers op 30 Royal Circus, een paar deuren van het huis van de Drysdales, die er al woonden sinds het begin jaren 1820 was gebouwd. Hij stond op goede voet met verscheidene leden van het gezin: de ouders van George, sir William en lady Drysdale, George' jongere broer Charles en – in het bijzonder – diens oudere zuster Mary.

Mary was een kleine, gevoelige jonge vrouw, slim, hartelijk en goed van vertrouwen. In Isabella's dagboek komt ze regelmatig voor als een onschuldig personage dat zich schijnbaar onbewust is van de hartstochtelijke belangstelling die haar vriendin voor haar echtgenoot heeft. Mary en Edward waren echter zeer met elkaar verbonden om redenen die Isabella, in haar verontrustende egocentrisme, wellicht niet in de gaten heeft gehad. Zij deelden een gemeenschappelijk verdriet om George, Mary's geliefde broer en Edwards beste vriend, en dat begon in 1843, toen George negentien was.

In juni van dat jaar zat George op de universiteit van Glasgow toen zijn vader, sir William, stierf aan cholera; twee weken later stierf George' oudere halfbroer William Drysdale in India aan dezelfde ziekte. George kreeg een zenuwinzinking, gaf zijn studie op en ging terug naar het huis van zijn moeder op Royal Circus.

George' familie en vrienden schaarden zich rondom hem. Zijn broer Charles en zijn beste vriend Edward, die net zijn graad in de rechten had gehaald, wilden hem helpen er weer bovenop te komen; in 1844 vergezelden zij hem op een wandeltocht door Europa. Maar tijdens hun verblijf in Wenen verdween George. Op hun wanhopige zoektocht ontdekten Charles en Edward alleen George' kleren aan de oever van de Donau. Zijn lichaam werd niet gevonden en de twee vrienden keerden terug naar Schotland met het bericht van zijn dood. 'De moeder van de overledene en zijn vrienden verkeerden in diepe smart,' vertelde lord Cockburn, een vooraanstaand rechter uit Edinburgh die ook op Royal Circus woonde. George, zei hij, was 'de knapste en vriendelijkste jongen die ik ooit heb gekend'. De kranten schreven dat George was verdronken tijdens het baden in de Donau en zijn tragische dood werd dat jaar onderwerp van bekroonde gedichten van studenten aan de academie van Edinburgh.

Bijna twee jaar later, in maart 1846, daagde George weer op. Hij vroeg zijn familie om vergeving en bekende dat hij geen zelfmoord had gepleegd, maar zijn dood in scène had gezet. In een brief aan een vriend vertelde lord Cockburn dat George 'in een toestand van diepe wanhoop verkeerde vanwege de verwachtingen die hij had gewekt, en dacht dat zijn vrienden minder zouden treuren om zijn dood dan om zijn falen; en dat hij dit in overeenstemming had gebracht met het vermijden van zelfmoord, door voor te wenden dat hij was verdronken'. Wolfgang von Goethes laatachttiende-eeuwse roman *Die Leiden des jungen Werthers* had naar verluidt een golf van zelfmoorden teweeggebracht onder jonge mannen die zich spiegelden aan de held, en Cockburn kon zich voorstellen dat George een 'plotselinge germanisering van zijn bovenkamer' had opgelopen. Hij stond er echter van versteld dat zo'n geliefde jongen zich zo irrationeel en wreed kon hebben gedragen: 'de harteloosheid van zijn gedrag is het onbegrijpelijke deel'. De 'schrik vanwege zijn wederopstanding' was 'wellicht groter dan het verdriet om zijn dood'.

George had geprobeerd een vreemd soort vernietiging te bewerkstelligen waarbij hij niet zijn leven beëindigde, maar wel zijn identiteit en verleden aflegde. Tegelijk met de vreugde om zijn terugkeer moeten zijn moeder, broer en zus ook iets hebben gevoeld van de pijn en verwarring die Cockburn hun toeschreef. Maar in een brief aan een vriendin in Tasmanië verwoordde Mary slechts medelijden met haar verloren broertje: 'onze liefste, onze aanbeden jongen is niet in de Donau omgekomen, hij is *springlevend* & op dit ogenblik bij ons, sinds afgelopen donderdag... Och, die arme jongen, die lieve Doddy, hij heeft zo geleden sinds we in den vleze en in de geest uit elkaar gingen. Maar nu is hij dankzij de genade van onze almachtige Vader veilig teruggekeerd naar dit gelukkige gezin.' Hoewel hij nog niet geheel de oude was, zei ze, herstelde hij snel en was zijn geest 'gezuiverd en verdeemoedigd, maar ook gesterkt door de beproevingen die hij heeft ondergaan'.

John James Drysdale, een zoon van sir William uit een eerder huwelijk, kwam vanuit Liverpool naar Edinburgh om George op te zoeken. Op zijn veertigste was John een toonaangevende homeopaat in Engeland en uitgever van zowel het homeopathische handboek *Materia Medica* als van het *British Journal of Homeopathy*. Volgens de theorie achter de geneeskundige richting die zijn voorkeur had – zelfs onder liberale doktoren in Edinburgh een twistpunt – kon genezing worden bewerkstelligd door het toedienen van medicinale stoffen in een zodanig verdunde oplossing dat die stoffen nauwelijks nog aantoonbaar waren. Nadat hij zijn halfbroer had onderzocht, stelde John Drysdale een zenuwinzinking vast die het gevolg was van overmatig hard studeren, en hij gaf het gezin opdracht George niet aan boeken bloot te stellen.

Mary schreef aan haar vriendin dat George de afgelopen twee jaar had 'geleden aan een tijdelijke druk op zijn hersenen – veroorzaakt door overmatig studeren – die enige reflectie ten aanzien van de stap die hij van plan was te zetten *onmogelijk* maakte; & slechts gedreven door een gevoel van lijden reisde hij naar Hongarije, waar hij al die tijd werkte als leraar Engels van de enige zoon van een edelman, door wiens familie hij met de grootste vriendelijkheid werd behandeld, ja zelfs met genegenheid en vertrouwen'. Uiteindelijk week de druk op George' hersenen '& daarna had hij geen rust voor hij ons weer terug had gezien'.

Het duizelde de familie van geluk toen George terugkeerde. 'Wij kunnen niet genoeg naar hem kijken en luisteren, de arme ziel,' schreef Mary. 'Het verleden komt hem & ons voor als een boze droom waaruit we net wakker zijn geworden opdat we geluk & dankbaarheid zullen leren kennen.' Ze vond hem aardiger, vriendelijker en hartelijker dan ooit. 'Onze lieve moeder ziet er in haar blijdschap vele jaren jonger uit sinds onze lieveling is teruggekeerd & Charlies trieste gezicht is opgeklaard & we zijn allemaal zó blij dat we met geen mens van plaats zouden willen ruilen.' Hun homeopathische broer John verzekerde hen ervan dat George' gezondheid zou verbeteren en dat hij op een dag zelfs weer in staat zou zijn een vak uit te oefenen. In de tussentijd dienden ze hem 'zorgvuldig te behoeden voor enigerlei verleiding tot studeren'.

Het gezin Drysdale en Edward Lane moeten iets hebben geweten van de waarheid. George' toestand was niet zozeer te wijten aan intellectuele druk, als wel aan wat hij zijn 'heimelijke zonde' noemde: een seksuele neurose. In een anoniem boek dat hij later publiceerde, beschreef hij zichzelf als een jonge man 'met een actieve, leergierige en erotische belangstelling, maar van een bijna vrouwelijke verlegenheid'. 'In Schotland,' verklaarde hij, 'waar een striktere seksuele code bestaat dan wellicht in ieder ander land, en waar de lusten des vlezes, zoals ze heten, zo veel mogelijk worden gestigmatiseerd en gecontroleerd, vormen seksuele schuwheid en schroom een ziekte van nationale omvang, en zij veroorzaken meer verdriet onder jonge mensen dan men zich kan voorstellen.' Op zijn vijftiende ontdekte hij bij toeval masturbatie en hij merkte dat de beoefening daarvan 'een gemakkelijke manier [was] om zijn driften te bevredigen, die al langere tijd een bron van onrust en marteling waren geweest voor zijn levendige verbeelding'. Ongeveer een jaar lang masturbeerde George twee of drie keer per dag. Toen hij op zijn zeventiende verder studeerde aan de universiteit van Glasgow, kreeg hij 's nachts onwillekeurige zaadlozingen: hij was doodsbang dat zijn dwangmatigheid hem begon te beheersen, zijn krachten uitputte en hem tot waanzin dreef. Op dat moment stierven zijn vader en zijn halfbroer en keerde hij in wanhoop terug naar huis.

Op zijn reis door Europa met Edward en Charles merkte George dat hij nog steeds een slaaf van zijn verdorvenheid was. Hij was daar zo door van streek, dat hij besloot zijn eigen dood in scène te zetten. Toen hij later in het geheim in Hongarije woonde, onderging hij een reeks operaties waarbij zijn penis werd dichtgebrand – men doodde of vernietigde de uiteinden van de zenuwen door een dun metalen staafje in de urinebuis in te brengen dat met een bijtende stof was bedekt. Hij onderwierp zich zeven of acht keer aan die procedure.

Zelfs nadat hij in 1846 was teruggekeerd naar zijn familie in Schotland bleef George naar genezing zoeken. In mei reisde hij voor behandeling naar het vasteland. In de zomer schreef Mary een brief aan de uitgever John Murray, een kennis van de familie, waarin ze hem dringend verzocht George te helpen; haar broer was alleen in Parijs, legde ze uit, in afwachting van een consult bij de Franse dokter Claude François Lallemand. Ze vermeldde niet dat Lallemand onlangs een boek had gepubliceerd waarin dwangmatige aandrang tot masturbatie werd geïdentificeerd als symptoom van een gevaarlijke ziekte. In zijn onderzoek naar onwillekeurige ejaculatie, dat in 1842 in het Frans werd gepubliceerd en in 1847 in het Engels, beweerde de dokter dat lichaam én geest werden besmet door de overmatige uitstorting van sperma. Het werk van Lallemand en andere Franse onderzoekers bracht een morele en geneeskundige paniek omtrent zelfbevrediging teweeg die tot het einde van de eeuw zou aanhouden. Masturbatie was het duistere gevolg van het individualisme dat zo door de Victoriaanse samenleving werd geprezen, een belichaming van de gevaren die privacy en zelfvertrouwen veroorzaakten: een man als George Drysdale zou zichzelf kunnen verliezen in boeken en dromen, zich in zichzelf kunnen keren in een denkbeeldig liederlijk rijk.

Mary legde Murray uit dat Edward Lane met George naar Frankrijk was gereisd, maar 'zich gedwongen zag snel naar huis terug te keren'. Ze vroeg of Murray een vriend kon aansporen George op te zoeken in zijn hotel en zo te 'voorkomen dat de arme ziel zich eenzaam zou voelen, wat tegenwoordig zo vaak gebeurt'. Zij en haar familie vreesden 'de kwade invloeden die zo veel eenzaamheid op het gemoed en de gezondheid van de lieve George zou kunnen uitoefenen'. Haar verwijzing naar de 'kwade invloeden' van eenzaamheid zou een toespeling kunnen zijn op de zelfmoordneigingen waar George aan onderhevig was; misschien wist Murray van George' dwangmatige seksuele gedrag. Mary voegde een postscriptum toe waarin ze bij de uitgever aandrong op discretie: 'vertel uw vriend alstublieft niet over enigerlei omstandigheid met betrekking tot zijn verleden, daar we vurig hopen dat hij er zelf niet meer aan zal denken, de goede jongen'.

De reden waarom Edward Lane die zomer halsoverkop uit Parijs vertrok, was waarschijnlijk een tragedie in zijn eigen familie. Zijn jongere broer Arthur was in 1845 afgestudeerd aan de academie van Edinburgh en keerde daarna terug naar het huis van hun vader in Canada. Op 26 juni 1846 ging hij naar het Theatre Royal in Quebec om een chemisch diorama te zien – een show waarin op enorme linnen doeken, die achter elkaar hingen, geschilderde taferelen werden verlicht zodat ze op magische wijze leken te vervloeien en veranderen. Toen het doek aan het eind van de avond viel, streek het langs de vlam van een omgevallen kamferlamp; vrijwel ogenblikkelijk stonden toneel en auditorium in lichtelaaie. Het publiek haastte zich naar de uitgang, maar de doorgang was smal en het vuur te snel: binnen een paar minuten waren zesenveertig mannen, vrouwen en kinderen omgekomen. Een voorbijganger maakte de laatste ogenblikken van de achttienjarige Arthur mee, 'omvergeworpen, in een half liggende houding, met zijn voeten stevig bekneld in de verwrongen hoop mensen onder hem'. Hij 'leek zich uit alle macht te ontworstelen; algauw werd hij door het vuur dat hem omringde aan het gezicht onttrokken'.

Een jaar na de dood van Arthur Lane en George Drysdales wederopstanding traden Edward Lane en Mary Drysdale in het huwelijk. De plechtigheid had plaats in juni 1847, toen bruid en bruidegom allebei vierentwintig waren. George kwam naar de trouwerij in Edinburgh maar ging daarna weer terug naar het vasteland, en Edward en Mary brachten hem in Straatsburg een bezoek tijdens hun huwelijksreis. Mary vond dat haar broer er nog nooit zo goed had uitgezien: 'hij was monter', 'bepaald verrukt' haar te zien, 'want tegen die tijd was hij de eenzaamheid werkelijk moe'. In het boek dat hij later publiceerde, vertelde George dat hij de raad van Lallemand had opgevolgd en de bijslaap had geprobeerd, met verbazend goed gevolg. Gemeenschap met prostituees, zo ontdekte hij, genas hem volledig van zijn drang tot masturberen.

Tegenover anderen bleef George onhandig en gereserveerd. Een jonge vrouw die hij had leren kennen herinnerde zich hem als 'vriendelijk maar verlegen, aardig maar dwingend; hij had een hard, Schots gezicht en was zwijgzaam, somber, ernstig, geleerd, en moreel en mentaal zo ondoordringbaar als een reusachtige berg of een muur van graniet'. Na zijn crisis bleef zijn familie bij hem in de buurt. Hoewel Edward in 1847 zijn juridische opleiding voltooide en werd toegelaten tot de prestigieuze Faculty of Advocates, verhuisden hij en het gezin Drysdale datzelfde jaar naar Dublin, waar George had besloten geneeskunde te studeren. Charles Drysdale, die een jaar wiskunde had gestudeerd in Edinburgh en nog een jaar in Cambridge, schreef zich in bij Trinity College in Dublin voor een opleiding tot ingenieur. Het was een vreemde tijd om naar Dublin te verhuizen: Ierland leed hevig onder een grote hongersnood die veroorzaakt werd door de aardappelziekte: honderdduizenden Ieren stierven van honger en ziekte of vluchtten het land uit.

In Dublin raakte Mary zwanger en lady Drysdale vroeg James Young Simpson, haar vriend uit Edinburgh, of hij een plaatselijke dokter kon aanbevelen die chloroform kon toedienen tijdens de bevalling; Simpson had datzelfde jaar de verdovende eigenschappen van de stof ontdekt tijdens een experiment dat hij thuis in New Town had gedaan. In 1848 bracht Mary in Dublin een jongetje ter wereld. Edward en zij noemden hem Arthur George, als eerbetoon aan hun beider broers.

Het gezin verhuisde in 1849 terug naar Edinburgh. Edward, die zijn moeder had verloren toen hij negen was, onderwierp zich blijmoedig aan de goedaardige heerschappij van lady Drysdale op 8 Royal Circus. Hij besloot het beroep waarop hij zich de afgelopen zeven jaar had voorbereid op te geven en George na te volgen in de geneeskunde. Misschien werd hij tot de artsenij geïnspireerd door het lijden van zijn zwager — en door zijn belangstelling voor de nieuwe wetenschappen. Destijds vormde een medische opleiding het enige wetenschappelijke onderwijs dat er in Engeland bestond, en de universiteit in Edinburgh stond erom bekend dat zij zowel voorzag in een praktische als in een intellectueel gedegen opleiding. In de herfst van 1849 schreven de beide jongeheren zich in aan de universiteit.

Edward werkte als student medicijnen in de Royal Infirmary in Edinburgh, waar vooral patiënten uit de arbeidersklasse werden opgenomen. Hij was ontzet door wat hij zag op de afdelingen en raakte ervan overtuigd dat conventionele medische behandelingen – met bloedzuigers, klysma's, laxeermiddelen en kwikzilver – meestal nutteloos waren en soms regelrecht schadelijk voor de gezondheid. De Royal Infirmary, zo toonde hij aan in zijn dissertatie, stelde de zieken zelfs bloot aan infectie door besmette patiënten op algemene zalen te leggen; hij zei dat hij van twee mensen wist dat ze als gevolg daarvan waren gestorven. Hoewel hij er niet uitvoerig op inging, was hij getuige van talloze ondoelmatige en pijnlijke behandelingen die door de artsen van het ziekenhuis werden uitgevoerd. Eén patiënt, een zeeman van een jaar of vijfendertig, werd in 1849 opgenomen met een aneurysma in zijn buik en vier jaar lang onderworpen aan aderlatingen, koppen zetten en behandeling met bloedzuigers (tot veertien stuks tegelijk), tot hij zichzelf uiteindelijk uit zijn lijden verloste met een overdosis akoniet.

Edward merkte op de afdelingen van de Royal Infirmary tevens op dat er 'een volslagen gebrek [heerste] aan *boeken* van welke aard ook', en hij betreurde 'de volslagen wezenloosheid' waar de patiënten dientengevolge aan onderhevig waren: 'Het effect op de levenslust, dat is duidelijk, is zo slecht als maar kan... En die neerslachtigheid heeft haar invloed op de gezondheid.' Om dit kwaad te bestrijden vroeg hij Charles Dickens om gratis nummers van diens weekblad *Household Words* en Robert Chambers om exemplaren van *Chambers's Edinburgh Journal.* Ze stemden allebei toe. Ook de nieuwe bestseller *Uncle Tom's Cabin* (*De negerhut van oom Tom*) van Harriet Beecher Stowe was populair onder de patiënten.

In de loop van de tijd die hij op de afdelingen doorbracht, ontwikkelde Edward menslievender en natuurlijker manieren om ziekten te behandelen, methoden om lichaam en geest samen te genezen. Hij raakte ervan overtuigd dat de omgeving van de patiënt de kans op herstel volledig kon veranderen. Zieken genazen waarschijnlijk veel eerder, beweerde hij in zijn dissertatie, als ze werden opgenomen in ziekenhuizen in de voorsteden of op het platteland, waar ze rustig bij daglicht en in de frisse lucht beweging konden nemen, omringd door het uitzicht op en de geluiden en geuren van de natuur. De bewoners van de Royal Infirmary hadden uitsluitend toegang tot 'de somberte van een gevangenis op een vochtig veldje, aan alle kanten door hoog gras overgroeid en door een vieze muur gescheiden van het geratel van een drukke doorgangsweg'. Hij vroeg zijn collega's 'de gigantische hulpbronnen [te erkennen] waarover de natuur beschikt, en die zij aanwendt tot haar eigen genezing – vergeleken met de nietige, onzekere en al te vaak slechts lukrake middelen waarin de beste menselijke bekwaamheid kan voorzien'.

Edwards zwagers waren al even sceptisch over de traditionele geneeskunde. John, de homeopaat, werd in 1849 van het Liverpool Medical Institute verbannen omdat hij vasthield aan het toedienen van homeopathische remedies aan choleraslachtoffers – met groot succes, naar hij zelf beweerde. George had ontdekt dat medische ingrepen er niet in waren geslaagd zijn onanisme te genezen; alleen het natuurlijke geneesmiddel van geslachtsgemeenschap had hem gered. In 1851 verliet hij de universiteit opnieuw, deze keer om een geheim project te beginnen, zijn boek over seks.

⁂

Net als George Drysdale was Isabella Robinson prikkelbaar en neerslachtig, ambitieus en bang. Net als hij werd ze geteisterd door haar seksuele begeerte. Daardoor was ze twee keer ongelukkig getrouwd en met haar verlangens naar Edward Lane liep ze nu opnieuw in de val. Hij was overigens niet het enige object van haar genegenheid: een andere – ongeïdentificeerde – getrouwde heer uit hun kringen beweerde dat Isabella hem bestookte met brieven om hem te verleiden en dat hij zich uiteindelijk losmaakte uit haar greep door zijn vrouw te smeken Isabella nooit meer tot hun huis toe te laten. Isabella leerde in Edinburgh in elk geval dat ze haar erotische driften ook op een andere manier kon beschouwen. Haar leraar was George Combe, een van de sterren uit de kring van de Drysdales en in Engeland een pionier in de frenologie. Mijnheer Combe was lang en mager, met een brede mond, krachtige jukbeenderen en een enorm, hoog voorhoofd. Hij was tweeënzestig jaar oud en woonde in New Town met zijn vrouw Cecilia, een dochter van de actrice Sarah Siddons.

Isabella leerde Combe in 1850 kennen en aanvaardde hem als een plaatsvervangende vader – haar achting voor hem was 'tamelijk kinderlijk van aard', zoals ze zelf zei. In hem zag ze 'de exponent van een helderder & spiritueler geloof dan er ooit onder de mensheid werd gepredikt'. Fanny Kemble, een nicht van mevrouw Combe, beaamde dat hij 'een man [was] van bijzondere integriteit, rechtschapenheid, zuiverheid van geest en karakter, en van grote rechtvaardigheid en onpartijdigheid in zijn oordeel; hij was zeer vrijgevig en humaan en een van de redelijkste mensen die ik ooit heb ontmoet'. Marian Evans, die later beroemd zou worden onder het pseudoniem George Eliot, was eveneens een vriend en bewonderaar: 'Ik denk vaak aan je,' schreef ze hem, 'als ik iemand nodig heb met wie ik mijn moeilijkheden en worstelingen met mijn eigen wezen kan bespreken.'

Van Combes boek *The Constitution of Man in Relation to External Objects* (1828) waren in 1851 negentigduizend exemplaren verkocht, waarvan de meeste in een uitgave van Robert Chambers. Het was een zeer controversieel werk, waarin Combe stelde dat de mens zijn onderworpenheid aan de wetten van de natuur diende te aanvaarden; het impliceerde dat het geheim van gezondheid en geluk besloten lag in de wetenschap en niet in religie. In *A System of Phrenology* (1843) beweerde Combe expliciet dat het gevoel bij mensen zetelde in hun hoofd en dat hun karakter kon worden afgeleid uit de contouren van hun schedel. Het lezen van knobbels volgens de frenologie werd regelmatig belachelijk gemaakt, maar de beginselen van de nieuwe wetenschap waren radicaal en invloedrijk: Combe beweerde dat het bewustzijn in het brein zetelde, dat lichaam en geest ondeelbaar waren, dat verschillende delen van de hersenen verschillende functies hadden en dat het menselijk karakter stoelde op de materie en niet op de geest. Het bepalende beeld van de theorie – in genummerde segmenten verdeelde hersenen – was het model voor een nieuwe wetenschap van het brein.

Kort nadat ze in Edinburgh hadden kennisgemaakt, onderzocht

Combe de schedel van Isabella. Hij zei dat ze een ongewoon groot cerebellum had, een orgaan dat zich vlak boven de holte boven aan de nek bevindt. Het cerebellum, zei hij, was de zetel van de geslachtsdrift, de seksuele liefde – voor mannen was het kenmerkend dat ze een groter cerebellum hadden dan vrouwen, wat men kon zien aan hun dikkere nek; sterk geseksualiseerde dieren, zoals rammen, stieren en duiven, hadden bijvoorbeeld een dikkere nek dan andere wezens. Een andere proefpersoon van Combe, de negen jaar oude Prince of Wales, had een vergelijkbaar gevormde schedel; toen koningin Victoria en prins Albert de frenoloog raadpleegden over de opvoeding van hun kinderen, merkte hij op: 'de Zinnelijkheid [van de jonge prins] is groot en ik verwacht dat die binnenkort moeilijkheden gaat opleveren'. Combes eigen geslachtelijke gebied was klein, zei hij – hij had de 'wilde frisheid van de morgen' niet gekend, zelfs niet toen hij jong was.

De Weense geneesheer Josef Franz Gall, die de frenologie rond 1800 uitvond, beweerde dat hij de geslachtelijke zone had vastgesteld bij de behandeling van een nymfomane weduwe. 'In de hevigheid van een aanval,' legde George Combe uit in *A System of Phrenology*, 'ondersteunde ik haar hoofd en werd ik getroffen door de grote hitte en afmetingen van haar nek.' Voor de gewone lezer weigerde Combe in zijn boek tot in detail op het onderwerp in te gaan, maar 'medische studenten' wees hij op zijn vertaling van Galls *Sur les fonctions du cerveau et sur celles de chacun de ses parties...* (*On the Functions of the Cerebellum*, 1838), waarin hij inging op het verhaal van de sidderende weduwe: 'ze viel op de grond in een dermate verstijfde toestand dat de bovenkant van haar nek en wervelkolom sterk naar achteren waren gebogen. De crisis eindigde onvermijdelijk met een lediging [een orgastische emissie], begeleid door een convulsieve wellust en een waarachtige extase'. Het cerebellum was sindsdien de meest benoemde frenologische functie. In *On the Management and Disorders of Infancy and Childhood* (1853), een algemeen aanvaard medisch handboek, beweerde Thomas John Graham: 'De honger naar liefde zetelt in het cerebellum, aan de basis van de hersenen; en als dit cerebellum door wat dan ook wordt geprikkeld, wordt het onder bepaalde omstandigheden, indien het niet wordt bevredigd, groter en groter tot het een verstoring van uiteenlopende functies teweegbrengt; ook hypochondriasis, stuipen, hysterie en zelfs krankzinnigheid kunnen daaruit voortkomen.'

Combe liet zien dat Isabella's grote Zinnelijkheid des te gevaarlijker was vanwege haar geringe vermogen wat betreft Voorzichtigheid en Geheimhouding, functies die vlak boven haar oren zaten, aan de zijkant van haar schedel; dat wees erop dat ze onderhevig was aan impulsiviteit en indiscretie. Het zorgwekkendste was misschien wel haar kleine orgaan van Eerbied: op haar kruin bevond zich een holte, hetgeen wees op een gebrek aan respect voor aards en hemels gezag. Isabella was dus niet alleen seksueel geestdriftig, ze stond ook onverschillig tegenover wetten, religie en moraal.

Combe stelde echter twee gebieden op het hoofd van Isabella vast die duidden op een smachten naar goedkeuring van anderen: haar Liefde voor Goedkeuring en haar Aanhankelijkheid waren allebei groter dan normaal. De Liefde voor Goedkeuring was te zien aan de volle, brede golvingen op de achterkant van haar schedeldak. Combe beweerde dat deze eigenschap vaak groter was bij vrouwen en bij Fransen, en ook bij honden, muilezels en apen. Het wees erop dat Isabella anderen graag behaagde en dat ze moest waken voor ijdelheid, ambitie en zucht naar lof. Haar goed ontwikkelde Aanhankelijkheid – pal onder haar Liefde voor Goedkeuring en eveneens meestal groter bij vrouwen dan bij mannen – duidde op haar neiging om sterke verbintenissen aan te gaan, soms met ongeschikte objecten of mensen. Om de eigenschappen van dit deel van het brein toe te lichten, haalde Combe een gedicht van Thomas Moore aan:

Alleen kan het hart, gewend zich te klampen
als een hechtrank, niet bloeien, waar het ook groeit;
maar het zal steunen op het dichtstbijzijnde en lieftalligste
waarmee het kan vervlechten
en dat het tot het zijne kan maken

Van de frenologie leerde Isabella dat de conflicterende kamers van haar brein haar stormachtige temperament veroorzaakten –

haar vlagen van verlangen en haar wanhopige inzinkingen. De frenologie bood een wetenschappelijke verklaring voor haar emotionele moeilijkheden en een plan om zich te verbeteren. Josef Gall had beloofd dat zijn nieuwe wetenschap 'de dubbele mens in u zal verklaren, en de reden waarom uw neigingen en uw intellect (...) zo vaak tegenover elkaar staan'. Door haar constitutie te ontcijferen, hoopte Isabella dat ze die zou kunnen aanpassen, waarbij de hogere vermogens – de intellectuele en morele gevoelens – te hulp werden geroepen bij het bedwingen en in toom houden van de opstandige delen van haar hersenen. Ze besloot zichzelf te bevrijden van de 'eigenliefde' die haar in haar jeugd was ingeboezemd, en 'redelijk' te worden, 'gematigd, bedaard'.

'Ik kan alleen maar verlangen en streven naar genezing,' schreef Isabella in februari 1852 in haar dagboek, hoewel ze toegaf dat dit 'ongewoon lastig' was 'met zulke vurige gevoelens, met een liefde voor goedkeuring die het normale niveau ontstijgt, met een onevenwichtig bewustzijn en het vroegtijdig malheur van een slechte opvoeding'. Aan de ene kant suggereerde de frenologie dat mensen ertoe in staat waren hun eigenzinnige Ik te besturen; aan de andere kant zag ze hen als machteloze, dierlijke organismen, overgeleverd aan de genade van hun fysiologie. Isabella viel vaak ten prooi aan haar misvormde brein. 'Ik weet niet hoe ik mezelf in enig opzicht kan veranderen,' schreef ze. 'Mijn hart klampt zich vast aan mensen die me niet kunnen helpen en wijst mensen af die ik zou moeten liefhebben. God sta me bij! Wat is mijn leven toch nutteloos en ongelukkig; ik ben zó ontevreden met mezelf en toch volhard ik in het kwade.'

De schrijfsters Anne en Charlotte Brontë deelden Isabella's geloof in de frenologie. De heldin van *The Tenant of Wildfell Hall* merkt op dat haar promiscue en drankzuchtige echtgenoot een kuiltje op zijn kruin heeft waar het orgaan der Eerbiedigheid zou liggen: 'Zijn hoofd zag er goed uit, maar toen hij mijn hand erbovenop legde, zonk die weg in een bed van krullen, tamelijk verontrustend diep, vooral in het midden.' De heldin in Charlottes *Jane Eyre: an autobiography* (1848) beweert dat alle menselijke wezens 'oefening nodig hebben voor hun vermogens'. Net als Isabella wordt Jane gedreven door hartstocht. 'Wie spreekt er schande van?' vraagt ze zich af. 'Velen, zonder twijfel; en men zal mij ontevreden noemen. Ik kon er niets aan doen. De rusteloosheid lag in mijn aard; en schudde mij somtijds dooreen tot het pijn deed.'

In tegenstelling tot de meeste wetenschappelijke denkers geloofden frenologen dat de emoties en driften van mannen en vrouwen in essentie vergelijkbaar waren. 'Van vrouwen wordt in het algemeen verwacht dat ze kalm zijn,' zegt Jane Eyre, 'maar vrouwen hebben dezelfde gevoelens als mannen.'

⁂

George Drysdale en Edward Lane bleven goede vrienden in de tijd dat Isabella in Edinburgh woonde. Ze wandelden door de stad of naar zee, met zijn tweeën of in gezelschap van hun vriend Robert Chambers. In de zomer van 1851 voer het drietal in een vliegende storm van Hull naar Zweden om daar een totale zonsverduistering mee te maken. 'Het was een ijzingwekkend schouwspel,' vertelde een van hen, 'een zwarte zon die omringd werd door een bleke halo, hangend in een sombere, loodkleurig getinte lucht.' Edward Lane mat de precieze duur van de verduistering met een draagbare chronometer; de duisternis was zo diep dat hij een kaars moest aansteken om de tijd af te lezen.

De vrienden deelden een vurige belangstelling voor wetenschappelijke verschijnselen. Robert Chambers was niet alleen een succesvol uitgever en journalist, maar ook de anonieme auteur van het goedverkopende *Vestiges of the Natural History of Creation*, een proto-evolutionair, gewaagd materialistisch verslag van het ontstaan van de aarde. *Vestiges* werd door velen veroordeeld: de *Edinburgh Review* ging tekeer tegen de auteur, die 'gelooft (...) dat lichaam en ziel (...) slechts een droom zijn – dat er alleen stoffelijke organen zijn – dat hij de geest kan wegen zoals een slager een schenkel... Hij gelooft dat de menselijke familie (...) uit vele soorten zou kunnen bestaan, en dat ze allemaal van de apen afstammen.'

Het auteurschap van *Vestiges* was al vanaf de publicatie in 1844 onderwerp van speculatie geweest. George Combe, de beroemdste van de groep, werd ervan verdacht het boek te hebben geschreven, evenals Catherine Crowe, die in *The Night Side of Nature* (1848) een natuurkundige verklaring zocht voor ogenschijnlijk bovennatuurlijke verschijnselen. Mevrouw Crowe stond erom bekend dat ze deelnam aan buitenissige wetenschappelijke experimenten waarbij de verbanden tussen lichaam en geest, en tussen zichtbare en onzichtbare krachten, werden verkend. Hans Christian Andersen zag haar in 1847 ether inhaleren ten huize van dr. Simpson. 'Mejuffrouw [sic] Crowe en een andere dichteres dronken ether; ik had het gevoel dat ik in gezelschap van twee krankzinnige wezens verkeerde – ze zaten met wijdopen, dode ogen te grijnzen.'

George Combes frenologie, Edward Lanes medische theorie, Robert Chambers' geologie, Catherine Crowes psychische onderzoekingen en George Drysdales seksuele filosofie kwamen allemaal uit dezelfde koker. Ze draaiden om het idee dat de wereld en haar bewoners niet onveranderlijk maar dynamisch waren, dat ze door natuurlijke krachten werden geregeerd en niet door bovennatuurlijke. En dat ze in de loop der tijd veranderden.

In zijn journaal van 1839 beschreef Combe dat hij in New York zijn hand op de kloppende hersenen van een achtjarig meisje legde. Ze was vier jaar eerder het slachtoffer geweest van een ongeluk, waarbij haar schedel was gebroken en de inhoud aan de lucht was blootgesteld. Terwijl hij verschillende gevoelens in het kind opriep – verlegenheid, trots, plezier – voelde Combe de verschillende vermogens onder zijn handen zwellen, 'wat mij, als ik mijn hand op de huid legde, een gevoel [gaf] alsof je door een zijden zakdoekje de bewegingen van een opgesloten bloedzuiger voelt'. Het leek alsof hij de gedachten van het kind aanraakte, haar gevoelens betastte, alsof haar emotionele wereld vlees was geworden.

Combes pogingen de schedel te onderzoeken op aanwijzingen omtrent het leven dat erin zat, waren verwant aan Isabella's pogingen haar leven te ontcijferen door in een dagboek haar ervaringen op te schrijven. Net als de econoom en filosoof Herbert Spencer, die zijn memoires beschreef als 'een natuurlijke historie van mijzelf', bracht ze haar persoonlijke ontwikkeling in kaart. Door haar dagboek te schrijven en te lezen hoopte Isabella haar vervreemde, conflicterende Ik van buitenaf gezien te begrijpen; ze hoopte door te dringen tot haar eigen hoofd en vat op zichzelf te krijgen.

HOOFDSTUK DRIE

DE STILLE SPIN

Berkshire, 1852-1854

Een crisis in de zaken van Henry Robinson dwong het gezin in de lente van 1852 Edinburgh te verlaten, waardoor Isabella ver verwijderd raakte van de vrienden die haar hadden gesteund. Albert en Richard Robinson trokken zich terug uit de Londense ijzerfabriek. Henry was gedwongen een deel van zijn aandeel in het bedrijf te aanvaarden in de vorm van machines en de rest op te geven. Daar kwam nog bij dat hij hun vader de 3000 pond moest terugbetalen die deze in de zaak had gestoken. Om zijn verlies goed te maken begon Henry voor zichzelf in een kantoor in Moorgate Street, in de Londense City, waar hij onderhandelde over de verkoop van suikermolens aan plantages in de koloniën.

Henry's vader James had in 1840 een patent verkregen op zijn eerste molen. In zijn advertenties beloofde hij de planters dat zijn molens het suikerriet efficiënter zouden pletten en koken dan de 'slordige (...) zwarte bedienden', die de stengels er 'bij tussenpozen en in ongeordende bundels in stopten, nu eens te veel, dan weer te weinig'. Sinds de afschaffing van de slavernij in het Britse Rijk in 1830 waren planters gretig op zoek naar alternatieven voor betaalde arbeid. De molens van de Robinsons werden uitgevoerd naar Java, Cuba, Mauritius, Bourbon, Barbados, Bermuda en Natal; in Tirhoot in India gaven de arbeiders hun drie zware machines de bijnamen Rammelkast, Bluffer en Goliath van Gath. Henry verbeterde zijn vaders ontwerp. In 1844, het jaar waarin hij met Isabella trouwde, werd hem een patent verleend op een ontwerp voor het monteren van de onderdelen van de molen op een ijzeren bodemplaat; het aantal rollers waarmee het sap uit het gekneusde riet werd geperst werd vergroot en de afdichting van de vacuumketel waarin het sap tot siroop werd gekookt werd verbeterd.

In 1852 verhuisden Isabella en haar zoons drie maanden lang van de ene plaats naar de andere terwijl Henry in Londen een zelfstandig bedrijf aan het oprichten was. Ze reisden door de Schotse Hooglanden en verbleven een tijdje in een hotel in Scarborough, een deftige badplaats aan de kust van Yorkshire. Isabella was graag in de buurt van de zee en rivieren. Ze gaf de voorkeur aan de Hooglanden boven de 'ruige, mooie' dalen van Zuid-Wales, schreef ze in een brief aan Combe, vanwege 'de algehele afwezigheid van water in de Welshe landschappen'.

Isabella en haar jongens brachten een bezoek aan haar ouderlijk huis in Shropshire, dat ze aan Schotse vrienden opgaf als correspondentieadres. In april van dat jaar was er een treinstation geopend in Ashford Bowdler, ongeveer een kilometer van Ashford Carbonel, wat het gaan en komen voor gezin en gasten gemakkelijker maakte. Het aantal bewoners op Ashford Court was behoorlijk uitgedund. Een jonger zusje en een jonger broertje van Isabella waren in de jaren 1830 gestorven, haar oudere broer John was kort na 1840 geëmigreerd naar Tasmanië, en haar zuster Julia was naar Londen verhuisd nadat ze in 1849 was getrouwd met Henry Robinsons jongere broer Albert. De weduwe Bridget deelde haar huis in Shropshire op haar drieënzestigste met haar zoons Christian van twintig en Frederick van negenentwintig. De laatste was sinds november 1847 beëdigd als advocaat. Toen zijn vader een maand later stierf, was het echter zijn plicht het beheer van het landgoed op zich te nemen, daar hij de oudste zoon was die zich nog in Engeland bevond.

Vroeg in de zomer maakte Isabella in haar dagboek melding van een dag waarop de Lanes in een huis op het platteland bij haar te gast waren. Dat huis kan Ashford Court zijn geweest, aangezien Isabella er trots op leek te zijn, als ware zij zelf de eigenaar, om haar bezoek rond te leiden over het terrein en het omringende land. Maar ze vermeldt in haar dagboek niets over haar moeder en haar broers, dus het is mogelijk dat de Lanes haar kwamen opzoeken op een elders gehuurd landgoed.

Op 30 mei, 's morgens om elf uur – Pinksterzondag – kwamen Mary en haar kinderen Isabella's slaapkamer binnen. Mevrouw Lane was 'erg vriendelijk', schreef Isabella, 'en terwijl het groepje aan mijn bed kwam staan (vergezeld van mijn spaniël), merkte ik hoezeer hun vrolijke, hartelijke aard me bekoorde en hoe ik ernaar verlangde het leven net zo lief te hebben en er evenzeer van te genieten als zij'. De Lanes hadden besloten die dag niet naar de kerk te gaan. Edward zat op zijn kamer te schrijven, maar later op de dag ging hij met zijn gezin naar buiten. Isabella stond op om een uur of twaalf en voegde zich bij hen in de tuin, waar ze 'bescheid gaf op hun geestige condoleances inzake mijn ongesteldheid'. Ze leek een kater te hebben gehad, gezien het plagerige medelijden van haar vrienden en het gesprek dat volgde: 'keuvelden over egoïsme, uitspattingen en gewoonten'.

Terwijl de jongens speelden nam Isabella Edward en Mary mee de tuin in om een 'bloemenheuveltje' te bewonderen. Daarna praatten ze over 'grote mannen' als Samuel Taylor Coleridge en George Combe. Ze bespraken de kwesties die Edward jongstleden maart had aangeroerd in zijn artikel in *Chambers's Edinburgh Journal*: 'plooibaarheid van karakter, besliste meningen, wettelijke voorzichtigheid en de twee kanten van elke willekeurige kwestie'. In zijn essay drong hij er bij de lezer op aan zorgvuldig naar alle versies van een verhaal te luisteren. 'Er is zo veel vooringenomenheid uit eigenliefde,' schreef hij, 'zo veel ondoordachtheid inzake de waarheid in het algemeen, en zo veel van een zelfs oprecht gemeend maar bedrieglijke vertelling, dat men geen enkel partijdig verslag van wat dan ook kan vertrouwen.' Hij wees erop dat mensen zelfs zichzelf voor de gek konden houden; dat ze oprecht konden zijn in hun misvattingen.

'Mijnheer L. was niet in hetzelfde opgewekte humeur als gisteren,' vond Isabella, 'maar hij was erg aardig en charmant. Na een korte klim liepen we over de weg en verder naar boven, een steile weide op. Daar pauzeerden we om het prachtige uitzicht te bewonderen.'

Ze gingen algauw terug naar huis, waar Edward Isabella een stukje voorlas uit een essay van de dichter Percy Bysshe Shelley over de verbeelding – datzelfde jaar was er een nieuwe uitgave van diens proza verschenen. Isabella was niet overtuigd door het betoog van het essay; 'als frenoloog' had ze een andere verklaring van de menselijke psyche, schreef ze in haar dagboek. Toen Mary thuiskwam met de jongens gingen ze gezamenlijk aan tafel. Veel gezinnen uit de hogere middenklasse lunchten rond twaalf uur, dronken later op de middag thee en aten 's avonds warm, maar de Robinsons hielden vast aan de oudere gewoonte om 's middags een stevig maal te nuttigen en 's avonds 'thee'. Vooral op zondag was het middagmaal een overdadige aangelegenheid, en Isabella was blij met het eten dat haar personeel klaarmaakte – rundvlees, duivenpastei (geplukte duif op een bedje van runderlapjes, gebakken in bladerdeeg), knoedels (gekookte balletjes van bloem met niervet) en groenten. Na de maaltijd dronken ze koffie en eau de vie, een heldere vruchtenbrandewijn. 'De enige tegenvaller was Atty's slechte gedrag,' zei Isabella, 'en hij ergerde ons de hele dag. Ten slotte gingen we er samen op uit.'

Isabella en Edward wandelden door de weiden en velden rondom het huis, bij 'prettig, koel, bedekt weer'. Stilzwijgend en hoopvol schreef ze het onuitgesproken verlangen aan hem toe dat ze zelf voelde. Ze bleven 'tamelijk lang' hangen bij een schommel op het terrein: 'Ik zat er lang op en mijnheer L. dreef me heel hoog op; mevrouw L. stond erbij te kijken.' Het kindermeisje bracht een van de zoontjes Lane en zijn 'papa' liet hem ook een ritje op de schommel maken.

Edward en Isabella liepen samen verder. In de beschutting van een steile wal hielden ze halt en gingen naast elkaar zitten, zonder iets te zeggen: 'F., de spaniël, zat bij me op schoot en mijnheer L. zat naast me. Dit was precies het tafereel waar ik vaak naar had verlangd en dat ik me had voorgesteld; en nu werd het werkelijkheid.' Ze bleven er een uur zitten kijken naar een groepje kinderen met blote benen dat even verderop speelde. Ten slotte stonden ze weer op en liepen terug naar huis langs een pad dat door een aanplant van bomen liep. 'Ik wandelde wel verder met mijnheer L. zelf, maar zonder zijn arm,' schreef Isabella, 'en een lichte bitterheid leek over hem te komen.' Dicht bij het huis bleven ze even staan: 'Ik ging op onze eigen weide zitten uitrusten,' schreef ze, 'en hij leunde tegen de omheining tegenover mij.'

Het gesprek tussen hen beiden werd onderbroken door de komst van Mary Lane en de kinderen, met wie ze het huis binnengingen voor de vroege avondmaaltijd. Isabella zette zelf thee en schonk ook in; ze 'had er plezier in', zo schreef ze in haar dagboek. Misschien was dit een taak die in Edinburgh door een bediende werd vervuld; op het platteland waren de gebruiken minder formeel, daar sneed een gastheer of -vrouw vaak zelf het vlees en schonk hij of zij thee in voor de gasten. 'Mijnheer L. zat naast me tijdens de thee,' schreef Isabella, 'en we praatten een uurtje over politiek, overerving, kapitaal, armen, emigratie &c.' De kranten stonden die week vol met debatten over de vraag of Engelse parochies de emigratie van armen naar Australië moesten financieren, waar een tekort aan arbeidskrachten heerste sinds er in 1851 in Victoria goud was ontdekt.

'Daarna stuurden we alle jongens om negen uur naar bed, omdat het zondag was, en gingen we buiten in de tuin zitten,' schreef Isabella. 'Mevrouw L. kreeg het koud en ging om tien uur naar binnen.' Terwijl Mary zich binnen warmde bij het vuur, praatten Isabella en Edward nu met z'n tweeën 'over lord Byron, paardrijden, moed, luchtballonnen en koelte'. Hun gesprek over luchtballonnen kan zijn ingegeven door de vele advertenties in de zondagskranten voor ballonvaarten op Pinkstermaandag vanaf Londense renbanen en lusthoven. Edward 'rookte en keuvelde,' schreef Isabella, 'en ik heb veel gelachen'.

Terwijl het nacht werd, maakte de scherts plaats voor ernstiger gesprekken. Ze discussieerden over 'de menselijke geest, zijn leven, de dood, onsterfelijkheid, God, het heelal, de rede van de mens en zijn vluchtige, vergankelijke aard'. Isabella vertelde Edward dat ze haar geloof had verloren en dat ze de enige was van haar vrienden die niet geloofde in 'alle illusies van het christelijk geloof'. Ze beweerde vrede te hebben met dit nieuwe inzicht: 'Ik beschreef mijn stapsgewijs verkregen gemoedsrust,' schreef ze. 'Ik zei dat de grootsheid van de waarheid het opgeven van mijn hoop goedmaakte.' Edward praatte over een Griekse vriend die onlangs was gestorven, net als hij een student medicijnen. 'Hij klonk verdrietig,' schreef Isabella, en 'zeer aangedaan'. Edward vertrouwde haar zijn eigen religieuze twijfels toe: 'hij verlangde naar het gebed, verlangde naar het geloof'.

Samen keken ze naar het opkomen van de maan en luisterden ze naar de krassende roep van de kwartelkoning. Edward 'leek betoverd door de schoonheid van het uitzicht', alsof de donkerder wordende tuin hem behekste, en hij vertelde Isabella dat hij wel de hele nacht buiten zou willen blijven. Het ogenblik inspireerde haar om in haar dagboek Henry Longfellows episch gedicht 'Evangeline' aan te halen, dat in 1847 voor het eerst werd uitgegeven en in de vroege jaren 1850 een bestseller was. De hopeloos verliefde heldin gaat naar buiten, en 'Het kalme en toverachtige maanlicht/ leek haar ziel te overspoelen met onbeschrijflijke verlangens'.

Ten slotte meende Isabella dat Mary Lane troost verdiende. 'Even na elven had ik het gevoel dat mevrouw L. het onaardig van ons zou vinden dat we haar aan haar lot overlieten,' schreef ze, 'en we gingen naar het vuur. Ze voelde zich nog steeds somber en ik probeerde haar op te vrolijken.'

In haar dagboek liet Isabella de gebeurtenissen van die dag aan haar geestesoog voorbijtrekken, als waarneemster, om des te meer te genieten van de sensatie benijd en gewild te zijn. Ze had zo lang aan de zijlijn van het huwelijk van de Lanes gestaan en er jaloers bij naar binnen gekeken, dat het nu een heimelijk genot was de oorzaak van Mary's onbehaaglijkheid te zijn. Het dagboek herschiep op miraculeuze wijze de scènes die zich hadden afgespeeld; het ontleedde haar verlangens niet meer, maar liet ze doordringen tot haar herinneringen. Daar het niet onderhevig was aan toezicht, niet getoetst werd aan externe bronnen en niet vanuit een ander standpunt werd bezien, kon het dagboek een gewenste wereld oproepen waarin herinneringen door verlangens waren gekleurd. Deze alinea zou ze nog eens teruglezen, voor haar plezier.

In de nazomer van 1852 vond Henry een villa voor zijn gezin in Berkshire, even buiten Reading, vanwaar hij de zestig kilometer naar Londen in weinig meer dan een uur per trein kon overbruggen. Reading lag in het vruchtbare dal van de Theems; de overvloedige voortbrengselen van Berkshire – graan, bonen, kersen, uien, tichelaarde, varkens, wol, bezemstelen en boter – werden vanuit de stad over kanalen en per spoor naar Londen gebracht. Een Amerikaanse schrijver die in dezelfde zomer een bezoek bracht aan Reading, merkte de klaprozen op die langs de spoorweg groeiden – vanuit het raam van de sneltrein zagen de rode bloemen er in het voorbijsnellen uit 'als een rivier van bloed'.

Isabella verhuisde met haar kinderen naar Ripon Lodge, een vrijstaand huis op de heuvel ten westen van Reading, en begon de meubels in ontvangst te nemen die tot dan toe in Londen waren opgeslagen. Henry ging drie keer per week naar de hoofdstad.

De jongens waren nog niet ingeschreven op een school en Isabella vroeg Combe per brief om advies over hun opleiding. Hoewel haar oudste zoon Alfred 'opgeruimd & gezellig' was, zoals ze schreef, had de zevenjarige Otway 'een minder beminnelijke & eigenaardiger instelling'. Evenals zijn broertje Stanley, nu drie jaar oud, had Doatie 'een driftig karakter & een zekere mate van koppigheid'. Henry was van plan om in Berkshire een school te stichten voor jongens uit de middenklasse en er zijn zoons te zijner tijd naartoe te sturen. Hem stond een 'seculiere school' voor ogen zoals Combe die in Edinburgh had gesticht, waar natuurwetenschap werd onderwezen in plaats van theologie. Maar Isabella was er niet zeker van of een gewone dagschool geschikt was voor haar middelste zoon. Ze vroeg zich af of hij niet de discipline van een kostschool nodig had.

De zorgen om haar jongere kinderen weerspiegelden de zorgen om haar eigen hartstocht en ontevredenheid. Hoewel het gezin naar Edinburgh was verhuisd opdat Isabella de jongens bij zich kon houden, begon ze nu te denken dat het ouderlijk huis een plaats was waar ze misschien aan moesten ontsnappen.

Tot op zekere hoogte gaf Isabella Henry er de schuld van dat haar zoons ongelukkig waren. 'De kinderen zijn zo somber en neerslachtig als hij er is,' schreef ze in haar dagboek, 'er heerst alleen maar somberheid, knorrigheid, stilte en haarkloverij.' Toen Henry op 26 augustus thuiskwam, irriteerde het hem dat zijn vrouw aan het uitpakken was en het kindermeisje Eliza een boodschap deed: 'Henry thuis om twaalf uur; zeer ontsteld te bemerken dat we uit ons humeur waren. E. was op pad; haast vanwege het eten. Hij was boos vanwege de aardappelen.' Om half vier ging hij in zijn eentje naar Pangbourne, een dorpje acht kilometer van Reading, om een plaats te zoeken voor de bouw van een nieuw huis. Isabella nam Stanley in een sjees mee naar Whiteknights, het terrein van een voormalig land-huis dat vijf kilometer in tegenovergestelde richting lag: 'een mooi park, niet in gebruik; het huis onbewoond; mensen zitten te picknicken en maken er wandelingen'. Het tafereel riep het verlangen in haar op 'een rustige plekje op de wereld te hebben en me te bevrijden van de nietige bezorgdheid en kwellingen des levens'.

Ze kwam in een iets betere stemming thuis, maar Henry be-dierf haar humeur. 'Henry was 's avonds knorrig en we kregen ruzie na de thee. Ik had meer dan genoeg van het hele idee dat ik met hem samenwoon. Heel ongelukkig, rampzalige dag.' Haar wereld was gekrompen. Ze ging er niet langer met Edward op uit en dineerde niet meer met romanschrijvers en filosofen; het enige wat ze nog had waren huishoudelijke plichten, het gezel-schap van haar kinderen en een zure Henry.

In Frankrijk voltooide Gustave Flaubert die zomer de opzet van het eerste deel van *Madame Bovary*, een boek waar hij een jaar eerder aan was begonnen. Evenals Isabella Robinson ging de heldin van zijn roman ten onder aan eenzaamheid en verve-ling: haar leven was 'zo koud als een zolderkamertje op het noor-den,' schreef Flaubert, '*ennui*, de stille spin, weefde in duisternis zijn web in alle hoeken van haar hart'.

Isabella's ontevredenheid wortelde gedeeltelijk in de verschillen tussen haar leven en dat van haar voorouders, vooral die van moederskant. Haar vader Charles ontmoette Bridget Curwen rond 1808 op een diner bij haar ouders in Cumberland, toen hij advocaat was in het Northern Circuit. Charles had wat land geerfd in West Yorkshire, maar Bridget bracht meer bezittingen in: toen ze in 1809 trouwden, werd er 9500 pond voor haar overeengekomen en 5000 pond voor hem.

De Curwens vormden een oude en machtige dynastie met twee buitenplaatsen aan de Cumbrische kust – Workington Hall en Ewanrigg Hall. De moeder van Bridget, Isabella, werd in de late achttiende eeuw door de schilder George Romney geportretteerd als een donkerharige schoonheid met rozerode lippen. Ze was de enige erfgename van haar vaders kolen-imperium en had zich op haar zeventiende laten schaken door haar neef John Christian, waarmee ze naar verluidt het hart van Fletcher Christian brak, een andere neef, die niet lang daarna op de Bounty de muiterij tegen kapitein Bligh aanvoerde. Toen John Christian met Isabella Curwen trouwde, nam hij haar naam aan, schonk haar een eiland in Lake Windermere (te harer ere Belle Isle of Bella's Isle genoemd) en een diamanten ring die 1000 pond waard was. John Christian Curwen, zoals hij nu heette, werd voor de Whigs lid van het parlement namens Carlisle en later namens Cumberland, en werd beroemd om zijn sociale en landbouwkundige hervormingen. Om uiting te geven aan zijn gevoel van verwantschap met zijn streekgenoten verscheen hij op een dag in het kostuum van een Cumbrische boer in het Lagerhuis, met een brood onder zijn ene arm en een stuk kaas onder de andere. Zijn vrouw deelde zijn politieke overtuigingen en had grote belangstelling voor het welzijn van de mensen op hun land.

Isabella Robinson hunkerde naar een dergelijke rol. Zelfs haar moeder had een actieve rol gespeeld in de zaken van haar man en hem geholpen zijn landerijen te bestieren en zijn contacten uit te breiden. Isabella daarentegen hield slechts toezicht op een huis met drie of vier bedienden; Henry's wereld van fabricage en handel was voor haar gesloten. Hij verdween per trein naar zijn fabrieken en ijzergieterijen en naar zijn kantoren in de City, en per stoomschip naar de verre koloniën waarmee hij handeldreef.

In Reading, zo vertelde Isabella aan George Combe, had ze 'veel vrije uren'; 'veel meer vrije tijd dan menige andere vrouw is gegund'. De meeste dames van haar stand gingen 's middags ergens op visite of ontvingen zelf gasten, maar zij had geen vrienden in de buurt. Berkshire, schreef ze, 'is een prettige streek wat klimaat & schoonheid betreft, maar we hebben hier geen kennissen wonen; en vanwege het bekrompen karakter van de bewoners & de manier waarop ze zich door de kerk laten leiden, denk ik niet dat het waarschijnlijk is dat we aangename kennissen zullen opdoen'.

'Je weet niet hoe vaak ik je zou willen opzoeken en met je praten,' schreef ze Combe, 'en hoezeer ik de intelligentie & de ernst van de kleine kring mensen mis die ik ofwel bij jou thuis, of bij een van je vrienden placht te ontmoeten. Hiér voel ik me geïsoleerd, als iemand wier standpunten ongehoord al zouden worden veroordeeld, als ik er alleen maar op zinspeelde.'

Ze schreef niet aan Combe maar wel in haar dagboek hoezeer ze Edward Lane miste. 'Laat uit bed, stram en moe,' zo begint haar aantekening van 31 augustus 1852. 'De jongens kwamen bij me en gingen daarna allemaal naar de rivier; maar een onweersbui dreef ze weer naar binnen en de morgen werd een beetje rommelig doorgebracht. Moeder geschreven.' Isabella kreeg die dag een brief van Mary Lane; het was een aardig berichtje waarin ze schreef dat lady Drysdale ziek was en dat Edward naar het kuuroord in Rothesay was geweest, op het eiland Bute, om te herstellen van een kwetsuur aan zijn voet. Het stelde Isabella teleur dat ze wel van Mary hoorde maar niet van Edward. 'Ach, dacht ik, hoewel hij het niet druk heeft en zelfs niet kan lopen, denkt hij helemaal niet aan mij.' Ze had hem een paar briefjes gestuurd en een paar boordenknoopjes als cadeautje, maar hij had niet geantwoord. 'Geen woord van dank voor de knoopjes of een antwoord op mijn vele briefjes kon hij me schrijven, hoewel er geen uur voorbijging waarin mijn gedachten niet vol zorg en tederheid naar hem uitgingen.' Ze probeerde boos te zijn op Edward maar kon alleen medelijden oproepen – met hem en met zichzelf. 'De tranen sprongen me in de ogen toen ik aan hem dacht, kreupel en alleen, en de diepe bitterheid dat ik zo volkomen werd genegeerd kon mijn hart niet voldoende wapenen met trots om hem te verguizen en op mijn beurt te vergeten. Opstandige en betreurenswaardige instelling. De hele dag en nog een paar dagen daarna werd ik achtervolgd door de vernederende en smartelijke waarheid van zijn volslagen vergeetachtigheid, zelfs van mijn vriendschap, die mijn hart vervulde van een onuitsprekelijk verdriet.'

Tijdens haar meest neerslachtige buien vreesde Isabella dat haar gevoelens er in het geheel niet toe deden en dat haar gevoelsleven een zaak van het grootst mogelijke onbelang was. Ze was tot de slotsom gekomen dat er geen God was en geen onsterfelijke ziel. Ze was ervan overtuigd dat er niets op de dood zou volgen: 'voor mij is alles donker, als ik eens deze wereld verlaat,' schreef ze. Het verlies van haar geloof, zei Edward Lane later, 'schijnt [Isabella's] hele aard een zo grote schok te hebben gegeven dat er een dreigende wolk van gedruktheid en malaise over de rest van haar leven is geworpen'. Terwijl andere ontevreden wezens troost vonden in de gedachte dat dit leven louter een voorbereiding was op het volgende, een beproeving die je moest ondergaan en die later met gelukzaligheid zou worden beloond, werd Isabella gekweld door de gedachte dat ze slechts dit ene, ongelukkige bestaan had. Ze verzonk in een diepe, alles doordringende somberheid waarbij haar spirituele verlatenheid en haar verveling in elkaar grepen, evenals haar hartzeer en haar melancholie. Haar religieuze en haar romantische desillusies werden één.

In een poging haar misère ten nutte te maken, vroeg Isabelle aan Combe wat hij ervan dacht als ze haar standpunten over de mythe van onsterfelijkheid publiceerde. De valse verwachting van een toekomstig leven, redeneerde ze, kweekte spirituele trots en belemmerde wetenschappelijke vooruitgang; degenen die in de hemel geloofden slaagden er niet in de wereld waarin ze leefden te dienen en te verbeteren. Ze zei dat ze wist dat Combe met zorg had vermeden zulke gevaarlijke meningen in zijn eigen werk onder woorden te brengen, maar omdat zij zelf geen

publieke reputatie te verliezen had, had ze 'geen motief om afkeuring uit de weg te gaan'.

Combe raadde haar ten stelligste af over religie te schrijven.
Zoals hij in de loop der jaren ook anderen had geprobeerd duidelijk te maken, poogde hij haar ervan te overtuigen dat frenologie
niet hoefde te leiden tot atheïsme. Daartoe stuurde hij haar een
essay van een geestelijke over de relatie tussen lichaam en geest.
Isabella hield voet bij stuk: de schrijver, zei ze tegen Combe,
'schaft de algemeen aanvaarde mening af dat *lichaam* en *ziel* gescheiden zijn... maar vervolgens geeft hij hoop dat we door een
soort mysterieus proces van gebed & goede werken *geest zouden
kunnen worden* & aldus eeuwig zouden leven – een gevolgtrekking die alleen maar ingewikkelder is en niet waarschijnlijker
dan de leer die ze verwerpt'. Ze verwachtte dat mensen bij hun
dood 'een ommekeer zouden ervaren in de elementen waaruit zij
zijn opgebouwd' – immers, vroeg ze zich af, 'waarom zou menselijk leven zo wezenlijk verschillen van dierlijk bestaan?'. Op zijn
minst, zei ze, dienden gelovigen nederigheid te betrachten: 'met
zo veel botsende religieuze meningen' verbaasde het haar dat 'de
ijdele mens in alle tijden vastberaden & vurig gestreden heeft
voor zijn *eigen* bestaansvorm – zijn *eigen* overtuiging, met volledige uitsluiting van elke kans voor zijn buurman om zelfs maar
gehoord te worden. Men zou zich kunnen voorstellen dat louter
het bestaan van zulke uiteenlopende doctrines en meningen ten
minste iets als twijfel zou bijbrengen & een zekere mate van
barmhartigheid.'

Toch volgde ze Combes advies op en deed ze geen pogingen
haar waarnemingen te publiceren. 'Er zijn immers nog mensen
die ik zodoende zou kunnen vertoornen hoewel niet kwetsen,'
schreef ze hem, '& misschien kan ik beter slechts een paar opmerkingen achterlaten die mijn vrienden al dan niet mogen uitgeven na mijn dood, naar het hun goeddunkt.' Ze schikte zich,
ongaarne, in het stilzwijgen en de terughoudendheid die van
haar werden verlangd.

George Combe was getroffen door het niveau van Isabella's
redenering. 'Je bent scherpzinnig,' schreef hij haar, 'overtuigend
& intellectueel uitputtend in het vermogen door te dringen in de

relaties van oorzaak & gevolg, zelfs onder geschoolde vrouwen ver boven het gemiddelde.' Toen hij in 1853 besloot zijn eigen mening over religie te boek te stellen, was zij een van de 'zeer, zeer weinigen' aan wie hij een afschrift van het manuscript stuurde (een van de anderen was Marian Evans). Tegenover deze uitverkoren lezers benadrukte hij het belang van geheimhouding van de inhoud. 'Ik kom tot de conclusie dat er geen bovennatuurlijke religie is,' legde hij uit aan een correspondent. 'Als de inhoud van dit boek bekend werd... zouden we ons genoopt zien Edinburgh te verlaten.' Isabella verzekerde hem haar discretie. 'Ik kan u veilig beloven dat ik aan uw voorwaarden zal voldoen. Ik zal het boek meteen wegsluiten bij mijn persoonlijke papieren & er tegen *niemand* van gewagen, tenzij het om mijnheer Robinson gaat, aangezien u mij dat toestaat.' 'Henry's opvattingen zijn in het algemeen liberaal & hij heeft het diepste respect voor uw standpunten', gaf ze toe – zij en haar man deelden een vurige belangstelling voor wetenschappelijke vooruitgang en seculier onderwijs – maar ze kon de verleiding niet weerstaan Combe eraan te herinneren dat Henry slechts een oppervlakkige interesse in nieuwe ideeën had: 'Hij is niet zeer geneigd tot abstracte overpeinzingen en besteedt er weinig tijd aan.'

Isabella ging helemaal op in lezen en schrijven. In 1852 stuurde ze een artikel over religie naar *The Leader*, hoewel ze wist dat haar opvattingen zelfs voor de radicale pagina's van die krant waarschijnlijk te extreem zouden worden bevonden, en *Chambers's Edinburgh Journal* publiceerde nog een gedicht van haar, 'wat zinnetjes over een paar fantastische symbolen van onsterfelijkheid waar ik wel mee ingenomen was'. In juni 1853 publiceerde hetzelfde tijdschrift een essay over het huwelijk, *A Woman and Her Master*, ondertekend met 'een vrouw', dat Isabella kan hebben geschreven: de klasse van de schrijfster, haar verheven proza, de intense liefde voor haar kinderen en haar afwijkende opvattingen leken allemaal op die van Isabella. Het essay was schatplichtig aan Herbert Spencers *Social Statics*, een nieuw boek dat Isabella die zomer had gelezen en dat ze Combe had aanbevolen als zijnde een werk van 'intense en diepzinnige filosofie'. Het huwelijk, zei Spencer, kon 'een ontaarding [veroorzaken] van wat een relatie op basis van vrijheid en gelijkheid zou moeten zijn – tot een verhouding tussen heerser en onderdaan... Wat er ook aan poëzie moge bestaan in de hartstocht die de seksen verenigt, het verdort en sterft in de kille atmosfeer van het gebod'.

Evenzo beweerde de auteur van het artikel in *Chambers's* dat de buitensporige macht van een echtgenoot diens vrouw in het verderf zou kunnen storten en zou kunnen leiden tot een diepe haat jegens hem én zichzelf. Een slecht huwelijk deed een vrouw niet alleen onrecht aan, gaf ze in overweging, ze werd er ook door misvormd. Als een zwakke satelliet van de 'allesbeheersende planeet' van haar echtgenoot werd ze slap, lusteloos en deerniswekkend afhankelijk. Mettertijd 'zou ze haar best kunnen doen, ijveren met bloedige tranen, om geduldig te zijn, en verstandig, en sterk; maar de gefnuikte krachten van een leven kunnen nooit meer worden hersteld'. Als een 'blanke christenslaaf' moet ze 'kalm gaan, met onderdrukte aandriften... Haar gelaat dient kalmte uit te stralen, al kookt het vuur van de Etna in haar borst'. Een ongelukkige vrouw, schreef ze, bleef vaak alleen getrouwd omdat ze het niet kon verdragen van haar kroost te worden gescheiden. Ze kon een 'ongeëvenaarde tederheid' voor haar kinderen voelen, maar had geen onafhankelijk recht op hen, 'hoegenaamd geen'.

Robert Chambers voelde zich verplicht zijn besluit om deze opvattingen te publiceren te rechtvaardigen. Hij voegde een naschrift toe aan het essay: 'Onze contribuante, die wellicht meer dan voldoende oprecht is in haar schets van een geval dat we toch als uitzonderlijk moeten opvatten, heeft gelijk in haar zoektocht naar een remedie... Te zijner tijd zou weleens kunnen blijken dat men zich een veel kleiner risico op de hals haalt dan algemeen wordt aangenomen wanneer men bepaalt dat een ongelukkige vrouw een onduldbare echtgenoot samen met haar kinderen mag verlaten.'

In de zomer van 1853 bezochten Edward, Mary en lady Drysdale de Robinsons in Ripon Lodge. Henry had het nog steeds druk met zijn suikermolens. Er was hem onlangs een patent verleend op een ijzeren koppelingsschijf die een nieuwe motor en een oude molen kon verbinden: het uiteinde van de aandrijfas van de motor greep aan op een groef in de schijf, en de tong van de bovenste wals van de molen in een andere. Edward was kort tevoren afgestudeerd in de geneeskunde – als arts voor de betere kringen; zijn expertise was het stellen van diagnosen, niet de heelkunde – en hij reisde met zijn gezin via Berkshire naar het vasteland, waar ze van plan waren een maand vakantie te houden. Ze vroegen Isabella, die in Edinburgh zo lief was geweest voor hun kinderen, of ze hun zoons bij haar konden achterlaten terwijl zij buitenslands waren. Arthur en William waren vijf en twee jaar oud. Mary Lane had in 1852 nog een zoon gekregen: Sydney Edward Hamilton. Zijn broertjes hadden blond haar, hij was donker. Het kan ter ere van Isabella zijn geweest dat hij Hamilton werd gedoopt, aangezien Alfred en zij deze naam droegen.

De Lanes en lady Drysdale reisden naar het kuuroord Baden in Duitsland, vanwaar Edward een paar brieven aan Isabella stuurde. Eerder had hij al een kuuroord in Schotland en de hete bronnen van Bagni di Lucca in Italië bezocht – in een artikel dat hij in 1851 schreef voor *Chambers's Edinburgh Journal* prees hij het Toscaanse ontspanningsoord om zijn 'lommerrijke lanen' en zijn 'kabbelende rivier'. Nu hij zelf het vak van arts mocht uitoefenen, maakte hij plannen voor een eigen kuuroord, een frisse wereld van glas, water, gazons en zonneschijn.

Na hun terugkeer naar Engeland ging Edward Lane met zijn vrouw langs in Ripon Lodge om de jongens op te halen en verbleven ze een dag en een nacht bij de Robinsons.

'Ik verlang ernaar te horen of hij aan me heeft gedacht en of hij me heeft gemist,' vertrouwde Isabelle haar dagboek toe in een ongedateerde alinea, 'hoewel ik in mijn ernstige buien beslist denk van niet.' Ze berispte zichzelf: 'Hoe kan iemand die het zo druk heeft, die zo geliefd is en bewonderd wordt, één gedachte overhebben voor een weinig aantrekkelijke vriendin die ver weg woont en er onhandige manieren op na houdt? Goeie hemel! Voor hem zou ik mijn levensbloed te gelde maken als dat kon, en ik zou slechts vragen mij lief te hebben als ik op sterven lag; en hij – waarom bestaat er zo'n verschil in genegenheid? –, hij denkt alleen maar over mij als over een kennis van vroeger. Ach!' Als ze in zo'n bui was, achtte ze zichzelf zo laag als ze hem hoogachtte – ze was onaantrekkelijk en onelegant, jammerde ze, terwijl hij geliefd was en door iedereen geprezen werd. De wens om haar 'levensbloed' voor Edward te gelde te maken was een wens om haar bloed voor hem in goud te veranderen, zich voor hem op te offeren.

De Robinsons maakten in de mistige winter van 1853 zelf een reisje naar Europa – 'om de somberheid van november te slim af te zijn', zoals Henry schreef in een brief aan Combe. Zes of zeven weken lang reisde het gezin langs de Noord-Franse steden Calais, St Omer, Lille en Boulogne. 'We verbleven vooral in die laatste stad,' schreef Henry, 'waar mevrouw Robinson zo veel van houdt.'

Tegen het einde van het jaar was het gezin weer terug in Ripon Lodge. Op de eerste dag van 1854 stond Isabella vroeg op (kwart voor acht), werkte de boekhouding bij, sloot haar dagboek van 1853 af en begon een nieuw. Ze deed haar best om geduld te hebben met haar humeurige man en kinderen. 'Vandaag was het koud, het vroor, met oostenwind,' tekende ze aan, 'zonnig en opbeurend tot de middag. 's Nachts niet lekker, maar eenmaal uit bed ging het beter en voelde ik me opgewekt. Bracht Henry's goede humeur terug met mijn zonnige gezicht en begroette de kinderen met tederheid, hoewel ze een sombere indruk maakten.'

In Caversham, een drie kilometer noordelijk gelegen buitenwijk van Ripon Lodge, was Henry begonnen met de bouw van een huis voor het gezin, en bij het ontbijt bespraken Isabella en hij hoe het moest heten. Daarna lazen ze allebei een boekje met de kinderen. Later trok Isabella zich terug en telde de brieven van het afgelopen jaar: 'honderdnegenentachtig ontvangen, plus zesentwintig berichtjes; tweehonderdveertien geschreven, plus vierenvijftig berichtjes'. Terwijl ze haar correspondentie turfde, maakte ze ook een lijst van familieleden en kennissen die gestorven waren, onder wie de broer van haar eerste man, George Dansey, 'vroeger een vriend, maar de laatste tijd een vreemde'; twee tantes van moederszijde, en twee zoons van haar oudste broer John, die met zijn gezin op Tasmanië woonde. Deze jaarlijkse inventarisatie, destijds gebruikelijk in dagboeken, zette Isabella er ten minste toe aan een poging tot gebed te doen: 'Moge de Grote Schepper van het wezen van alle wezens hier op aarde ons de weg wijzen en ons de aanwezigheid van het goede en ordelijke doen erkennen en begrijpen, te midden van ogenschijnlijke contradictie, pijn en verdriet.'

Om half twee maakte Isabella een wandeling met Alfred en Stanley. Aanvankelijk was haar oudste zoon 'sloom en kregelig', zei ze, maar hun aller humeur knapte op van de frisse lucht en het uitzicht op de besneeuwde heuvels. Bij hun terugkeer werd Isabella weer op het hart getrapt door Henry. 'Diner was goed, maar Henry was chagrijnig en vast van plan overal iets op aan te merken.' Aangezien zij de leiding had over het huishouden, was zijn kritiek op het eten tegen haar gericht. 'Las de kinderen voor na het eten en had daarna een lange discussie met hem over de oorzaken van zijn misnoegen. Hij schimpte op ons personeel, wilde een huisknecht (met wie hij binnen een maand ruzie zou krijgen), wilde een studeerkamer, wilde dat ik een actievere huishoudster was, klaagde over kou en nam zich voor minder tijd hier door te brengen en meer in Londen.' Ze ging kalm in op zijn aanvallen op de wijze waarop ze het huishouden beheerde en op zijn besluit om zo weinig mogelijk tijd met zijn gezin door te brengen. 'Ik zei alles wat ik maar kon bedenken om hem tot rede te brengen; maakte opmerkingen over het egoïsme in zijn klachten, de redelijkheid om er het beste van te maken, en wees op een aantal kleine dingen die gedaan zouden kunnen worden om de situatie te verbeteren.'

Isabella's gedrag van die dag leek bedoeld als een boodschap voor zichzelf, een goed voornemen in praktijk gebracht. Ze probeerde zich in overeenstemming met etiquetteboeken als Sarah Stickney Ellis' *The Wives of England* (1843) te gedragen, dat beweerde dat het de taak van een vrouw was zich aan haar echtgenoot te onderwerpen en zich te wijden aan het creëren van een behaaglijk en rustig thuis. Het was, schreef mevrouw Ellis, 'zonder twijfel het onvervreemdbaar recht van alle mannen – ziek of gezond, rijk of arm, wijs of dwaas – om met achting te worden behandeld en aandacht te krijgen in hun eigen huis'. Een man geluk te brengen was het voorrecht en de gave van een echtgenote. Zoals Coventry Patmore opmerkte in zijn verhalend gedicht 'The Angel in the House' (1854): 'De man dient gepleizierd te worden maar hem te pleizieren is 't pleizier van de vrouw.'

Isabella deed haar best om Henry's grofheid en slechte humeur in stilte te verdragen en liefdevol te wachten tot de wolk van zijn ontevredenheid overdreef. Ze bleef bij hem tot zijn irritatie was gezakt en maakte toen weer een wandeling met Alfred. 'De wind was gaan liggen en het was buiten aangenaam.' Om acht uur 's avonds kwamen ze thuis voor de thee, waarna Henry en zij nog een uur discussieerden over een naam voor het nieuwe huis. Om half tien schreef ze in haar dagboek en maakte ze een paar oefeningen Latijn af – hoewel ze niet langer colleges en lessen kon volgen zoals in Edinburgh, probeerde ze nog steeds iets te doen aan de lacunes in haar scholing. Tegen elven lag ze in bed: 'en zo eindigde de eerste dag van het jaar niet onaangenaam,' vertelde ze haar dagboek, 'zij het in zekere mate bedorven door Henry's slechte humeur'. Ze voelde zich 'afgemat en geërgerd', schreef ze, door de 'volstrekte onbeminnelijkheid van zijn karakter'.

HOOFDSTUK VIER

EEN ZO LEVENDIGE VERBEELDING DAT HET WEL WERKELIJKHEID LEEK

Berkshire en Moor Park, 1854

In 1854 verscheen er een nieuwe man in Isabella's leven en op de bladzijden van haar dagboek: John Pringle Thom, een Schot van ongeveer vierentwintig die door Henry was aangenomen als de eerste leraar aan de dagschool die hij van plan was in Berkshire op te richten. Henry's school was nog niet van de grond gekomen – hij kreeg van de conservatieve inwoners van het district weinig steun voor zijn vooruitstrevende project en hij werd hoe dan ook in beslag genomen door zijn zaken in Londen. In de tussentijd huurde John Thom een kamer in Reading en fungeerde hij als leraar Engels voor de jongens Robinson.

Op 24 maart 1854, een droge, koude, winderige dag, kwam Thom om half tien 's morgens aan op Ripon Lodge. Hij gaf Otway les, die nu negen was, terwijl Isabella toezicht hield op de studie van Alfred en Stanley, die inmiddels dertien en vijf waren. Tot haar zoons naar school zouden gaan was Isabella verantwoordelijk voor hun opleiding. Toen Otways les was afgelopen zat ze wat te babbelen met Thom. 'Ik had erg met die jonge man te doen,' schreef ze in haar dagboek; 'hij was lusteloos, mistroostig en eenzaam. Mijnheer Robinson had hem naar Reading laten komen en leek hem nu in de steek [te laten]. Ik besloot hem te laten zien dat ik me bewust was van zijn situatie.' Zijzelf voelde zich ook door Henry verlaten, veroordeeld tot een nutteloos leven in de provincie.

In de loop van de drie maanden daarna werd de meelevende

genegenheid die Isabella voor de leraar van haar kinderen voelde koortsachtig en nooddruftig. Beurtelings viel ze ten prooi aan 'stormen van hartstocht en opwinding' en 'lusteloos en triest' verval, steeds in de hoop dat de volgende ontmoeting aan haar verlangens tegemoet zou komen.

Ze keek met grote spanning uit naar de afspraken met Thom, alsof hij haar minnaar was. 'Mijn gedachten waren vaak en met een zekere schrik bij de voorgenomen afspraak met mijnheer Thom,' schreef ze in een ongedateerde passage, 'en toch werd ik voortgedreven door een onuitsprekelijke hunkering. Probeerde alles wat ik maar kon om mezelf door logisch nadenken te kalmeren, maar tevergeefs.' Tot haar ontzetting kwam hij niet opdagen. 'Als hij een fractie van mijn oprechte interesse in hem had bezeten of beantwoord, had hij mijn uitnodiging niet zo lichtvaardig naast zich neergelegd. Ik was verpletterd, vernederd, zoals me bij andere gelegenheden al vaak was overkomen, en ik vervloekte waarachtig de lichtgeraakte nervositeit en de vasthoudende leegte in mijn hart.'

'Kon ik maar alleen wonen,' schreef ze, 'kon ik maar elk verlangen naar kameraadschap en het delen van geestelijke vreugde uitbannen, dan zou ik me wel staande kunnen houden. Zoals het er nu voor staat is mijn leven een aaneenschakeling van opwinding, lijden en onsamenhangendheid. Wat moet ik beginnen?'

Dat Isabella zich aangetrokken voelde tot Thom deed niet af aan haar gevoelens voor Edward Lane; ze stuurde hem een stortvloed van berichtjes en brieven. 'Mijnheer Lane zwijgt nog steeds,' stond er in een ongedateerde passage, 'antwoordde niet eens op mijn vraag of hij graag van me zou horen. Voelde me gekrenkt en verrast. Ik veronderstelde dat zijn persoonlijke aanwezigheid (die vol is van beleefdheid en hoffelijkheid) het enige is wat zijn vrienden van hem kunnen krijgen. Zijn ze er niet, dan zijn ze vergeten.' Het leek niet bij haar op te komen dat Edwards zwijgzaamheid opzettelijk kon zijn, een poging om zichzelf los te maken van een smoorverliefde vriendin. Zodra Isabella en hij van elkaar gescheiden waren, liet zijn tact zich weer gelden. Als hij al schreef, waren zijn brieven noodzakelijkerwijs voorzichtig;

later vertelde hij dat Mary alles las wat Isabella en hij elkaar schreven.

Isabella, ontmoedigd, hield er rekening mee dat haar gevoelens niet wederzijds waren. 'Keek naar de laatste twee brieven van mijnheer Lane,' schreef ze. 'De brief die ik met Kerst kreeg beurde me op, hij is zo helder en scherpzinnig. Maar steeds als ik ernaar kijk voel ik hoe groot het verschil is tussen de lauwe vriendschap die hij tegenover mij voorwendt en de allesbeheersende achting die ik voor hem voel. Was het maar anders.' Dit realisme hielp niet erg tegen haar dagdromen: 'In eenzaamheid en vreugde,' schreef ze, 'komen zijn stem en zijn uiterlijk me weer helder voor de geest en ik verlang naar zijn gezelschap. Ik vrees de tijd, die mij wel mijn aantrekkingskracht afneemt, maar niet mijn hartstochtelijke en onbeheersbare gevoelens.'

In haar slaap werd Isabella belegerd door sensuele fantasieën en dromerijen die heel wat rijker en meeslepender waren dan haar saaie, lege dagen. 'Had verwarrende dromen over mijnheer Lane vannacht,' schreef ze op 24 maart 1854, 'en werd wakker met een zo levendige verbeelding dat het wel werkelijkheid leek. Ik moest de hele dag denken aan de dingen die me in mijn slaap hadden beziggehouden. Beurtelings was ik neerslachtig en opgewonden, en de dag hing als los zand aan elkaar.'

Frenologen geloofden dat dromen voortkwamen uit delen van de hersenen die losbraken terwijl de rede sliep. Ze 'komen uit bepaalde delen van het brein die minder in rust zijn dan andere,' schreef Catherine Crowe in *The Night Side of Nature*, 'zodat, als de frenologie voor waar wordt aangenomen, een orgaan niet in staat is de indrukken van andere organen te corrigeren.' Soms vond die correctie zelfs niet plaats als de dromer wakker werd. In *Sleep and Dreams* (1851) legde John Addington Symons uit hoe, in zo'n geval, een persoon bij het wakker worden 'uitziet op een nieuwe wereld die vanuit zijn innerlijk wezen wordt geprojecteerd. Door een melancholische kracht, een fatale gave om zich werkelijke objecten die door zijn zintuigen worden waargenomen toe te eigenen en op te nemen, neemt hij er bezit van, ja, worden ze van hun stoffelijke omhulsel bevrijd en met zijn imaginaire schepping samengesmolten.'

In één zo'n droom was Isabella 's nachts op de vlucht met Edward Lane en haar oudste zoons Alfred en Otway. Mary Lane achtervolgde hen, haalde hen in en verijdelde Edwards ontsnapping; Isabella, die door Henry achterna werd gezeten en door iemand die alleen met 'C' werd aangeduid, bleef rennen. 'Ik heb nog nooit een droom gehad die zo bezit nam van mijn ziel,' schreef ze. 'Ik maakte mijn werk van die morgen zo snel mogelijk af, zodat ik mijn droom in verhaalvorm kon opschrijven; en de hele dag kon ik hem niet vergeten of nauwelijks beseffen hoeveel ervan waar was en hoeveel gelogen. Goeie hemel! Wat zijn wij voor marionetten van de verbeelding?' Ze was verontrust en opgewonden door de manier waarop haar dromen doorsijpelden in haar dagelijks leven. De nachtelijke visioenen waren fragmenten van een andere wereld, aanzeggingen van vrijheid. 'Droomde de hele nacht van afwezige vrienden, romantische situaties en mijnheer Lane,' schreef ze ergens anders. 'O! Waarom zijn dromen zaliger dan het gewone leven?'

In een essay uit de vroege jaren 1850 beschreef Florence Nightingale 'de opstapeling van nerveuze energie' die plaatsvond in vrouwen als zijzelf en 'hun het gevoel geeft... dat ze gek worden wanneer ze naar bed gaan'. Ze schreef de intensiteit van haar dromen toe aan haar 'hartstochtelijke aard' – het huwelijk, dacht ze, zou me 'tenminste beschutten tegen het kwaad van het dromen'. Isabella's dromen werden ook voortgestuwd door erotische verlangens, en ze leken op hun beurt haar literaire ambities aan te wakkeren, zodat ze 's morgens ontwaakte met de drang alles op te schrijven. Haar smachten naar lichamelijk contact liep over in een verlangen om te schrijven. 'Vreemde, romantische droom vanaf de ochtendschemering tot ik opstond,' schreef Isabella. 'In mijn slaap heb ik vaak de plot en fundamenten van een roman in mijn hoofd, compleet met namen, scènes en al, maar bepaald niet verband houdend met wat dan ook dat bij me is opgekomen, en ik verlang naar de pen van een vaardige schrijver om alles meteen te noteren.'

Datzelfde jaar leek een van de romanschrijvers die Isabella in Edinburgh had ontmoet volledig op te gaan in een fantasiewereld. Eind februari werd de vierenzestigjarige Catherine Crowe, die al lang van haar echtgenoot gescheiden was, naakt op straat aangetroffen in de buurt van haar huis in Darnaway Street, vlak bij Moray Place. Charles Dickens deed in een brief gedateerd 7 maart 1854 verslag van mevrouw Crowes vreemde gedrag: ze 'was volslagen gek geworden – en spiernaakt... Ze vonden haar gisteren op straat, in evakostuum, met een zakdoekje en een visitekaartje. De geesten hadden haar verteld, zo bleek, dat ze in deze kledij onzichtbaar zou zijn. Ze zit nu in een gekkenhuis en ik ben bang dat ze hopeloos krankzinnig is.'

Catherine Crowe werd korte tijd behandeld in een privékliniek in Highgate, even benoorden Londen, door de beroemde zenuwarts – of 'gekkendokter' – John Conolly. 'Toen ze hier kwam, waren haar wanen als een droom vervlogen,' vertelde dokter Conolly haar vriend George Combe. 'Woedt er niet een of andere epidemische invloed die de hersenen van de massa aantast met een nutteloos geloof, zoals men in de Middeleeuwen geneigd was tot onophoudelijk dansen?' Mevrouw Crowe verhuisde van Highgate naar het kuuroord in Malvern om een waterkuur te ondergaan. In een brief die in de *Daily News* van 29 april werd gepubliceerd ontkende ze krankzinnig te zijn; ze erkende wel dat ze in februari aan een 'chronische maagzweer' had geleden en zich gedurende een periode van bewusteloosheid had ingebeeld dat ze door geesten werd geleid.

Het verhaal van mevrouw Crowe en haar naakte wandelingetje werd bevestigd door Robert Chambers, die op 4 maart 1854 in een brief vertelde dat vrienden van de schrijfster, die haar ontkleed in de buurt van haar huis hadden aangetroffen, haar hadden gered uit deze 'verschrikkelijke toestand van krankzinnige ontbloting'. Ze had zich onzichtbaar gewaand, maar uiteindelijk was ze ontdaan van alle waardigheid en gezond verstand en lagen haar hersenspinsels voor eenieder open en bloot.

Eind mei liet Henry zijn plannen voor het stichten van een school varen en zegde hij John Thom ontslag aan als leraar. Isabella was radeloos. Op zaterdag 3 juni – een mooie dag met zonnige perioden en een frisse noordenwind – stuurde ze Alfred op pad om Thom te halen in diens verblijf aan London Road, in het oosten van Reading. Ze had de jonge man al een week niet gezien en werd overmand door ongerustheid toen hij niet meteen kwam: 'neerslachtig, bezorgd, ellendig, rusteloos, tranen in mijn ogen'. Ze kleedde zich aan en liet het middagmaal opdienen, nog steeds in de hoop dat hij zou komen. Uiteindelijk kwam hij toch: 'Om twaalf uur hoorde ik zijn stem en die van de jongens, maar ik was te opgewonden om hem onder ogen te kunnen komen en holde zo wit als een doek naar mijn kamer; later, toen ik weer bij zinnen was, ging ik alsnog naar beneden en trof hem in mijn kamer.' Hij leek even flets en bezorgd als zij. 'Hij zag er mager uit, bleek, uitgeput, opgewonden, wanhopig. Ik heb nog nooit iemand binnen een week zo zien veranderen; zijn prachtige ogen leken wel bleke viooltjes, beschut door zware, hangende oogleden; zijn wangen waren ingevallen en er lag een deken van diepe melancholie over hem. Hij zei dat hij ziek en wanhopig was geweest na zo'n abrupt ontslag.' Waar hij zijn hart had uitgestort, liep Isabella op haar beurt over van emotie en warmte, haar ogen vol tranen. 'Ik kon mezelf nauwelijks beheersen terwijl ik praatte en had een beroerde hoofdpijn; ik bloosde, telkens sprongen de tranen me in de ogen en ik had een brok in mijn keel.'

Toen ze zichzelf weer in de hand had, praatten ze 'lang en ernstig'. Isabella hekelde Henry om de 'trots en koppigheid' waarmee hij John Thom zo plotseling had ontslagen. Thom bekende dat hij niet wist wat te doen. 'Hij vertelde over zijn lijdensweg, zijn ellendige lijdensweg; eentonig werk in Schotland; overal buitengesloten omdat hij niet universitair geschoold is.' Ze kon zich zijn situatie goed voorstellen – net als zij was hij laagopgeleid, uitgesloten van enige macht en veroordeeld tot saai werk – en ze probeerde hem op te beuren met ideeën voor de toekomst: 'we somden wat mogelijkheden op, de meeste, zo niet alle, hopeloos'.

Zijn leed leidde haar af van het hare: 'we wandelden een half uur in de tuin, ik voelde me beter en we dineerden in een zeer opgewekte stemming; toch week de ellendige bleekheid niet van zijn gezicht.' Later zaten ze in haar kamer te praten over beeldhouwkunst, schilderkunst en Italië. Isabella bood Thom wat koffie en whisky aan, die hij aannam, en hij werd voldoende 'levendig' om naast haar en haar zoons te wandelen toen ze 's middags een ritje te paard maakten. Alfred ging naar Thoms kamer – vanwege 'Dickens, etc.' schreef ze; misschien haalde hij wat boeken – en daarna begeleidde de jonge man Isabella en de jongens te paard naar Whiteknights Park. Ze zaten met hun boeken aan het meer maar 'praatten te veel om te lezen'. Isabella bood Thom een gift aan van 15 pond, maar hij bedankte; toen noteerde ze het adres van zijn moeder en beloofde hem te zullen schrijven. 'Het was bijna ons laatste gesprek,' schreef Isabella, 'en onze gevoelens waren intens, zij het niet geheel treurig. Hij was blij, zei hij, dat hij op een dag naar Reading was gekomen, en ik ook.' Ze bleven in het park tot het sluitingstijd was en hun werd verzocht te vertrekken.

Isabella en de jongens gingen terug naar Ripon Lodge. Henry was op tijd thuis voor de thee en hij gedroeg zich 'fatsoenlijk', aldus Isabella. Ze aten samen. Isabella bracht de rest van de avond door met schrijven en ging rond middernacht naar bed.

⁂

Toen Thom die maand wegging uit zijn betrekking bij de Robinsons, drong Isabella er bij hem op aan dat hij Edward Lanes nieuwe kuuroord in Moor Park bezocht, vlak bij Farnham in Surrey, dertig kilometer ten zuiden van Reading. De Lanes en lady Drysdale waren in maart verhuisd vanuit Edinburgh en hadden het kuuroord overgenomen van de bekende hydrotherapeut dokter Thomas Smethurst. Thom nam Isabella's raad ter harte, in de hoop dat een verblijf op Moor Park zijn afhankelijkheid van tabak, alcohol en opium zou doen afnemen. Bij wijze van gunst aan Isabella kan Edward ermee hebben ingestemd de uitgeputte leraar tegen gereduceerd tarief te behandelen.

Moor Park was het gezondheidscentrum waar Edward van had gedroomd. Hij maakte reclame voor zijn nieuwe kliniek onder zijn vrienden in Schotland en in de advertentiekolommen van bladen als *Athenaeum*, *The Morning Post* en *The Times*. Elke dinsdag ging hij naar Londen, waar hij op een kantoor in Mayfair tussen half elf 's morgens en half een 's middags spreekuur hield voor potentiële patiënten. Een consult kostte een guinea; het standaardtarief van een behandeling in het kuuroord was drie of vier guineas per week, vier shillings extra voor degenen die door een bediende gewassen en gewreven wilden worden en vijf voor een vuur in de slaapkamer. Edward hoopte dat hijzelf en zijn gezin ook baat zouden hebben bij de verhuizing naar een heilzame locatie in het zuiden. De dokter had 'altijd een zwakke gezondheid gehad,' zei Isabella (hij leed aan een slechte spijsvertering), en Atty was nog steeds vatbaar voor longkwalen.

De hydrotherapie, die rond 1840 in Schotland en Engeland was geïntroduceerd, werd een populaire behandeling voor de vage, aan angst gerelateerde ziekten uit het midden van de negentiende eeuw. Eeuwenlang hadden bedlegerigen 'gekuurd' in kuuroorden als Bath en Buxton, maar de nieuwe versie van de waterkuur, die in de jaren 1830 door Vincent Priessnitz in Silezië was uitgevonden, pretendeerde wetenschappelijker en systematischer te zijn. Volgens de theorie kon de gezondheid van een onevenwichtig lichaam hersteld worden door het nemen van douches en door onderdompeling in warme en koude baden. Edward Lane zei dat veel van zijn patiënten het slachtoffer waren van driften, of het nu een obsessie met werk betrof (de 'advocaat, de staatsman en de ambachtsman die zich aftobden'), of met drugs en alcohol ('de suïcidale onmatigheid van de man met stijl'). Charles Darwin zocht hulp bij dokter Lane omdat hij diep gebukt ging onder zorgen om zijn 'eeuwigdurende soortenboek', dat later zou uitgroeien tot *On the Origin of Species*; hij leed aan verschrikkelijke aanvallen van winderigheid, en bovendien had hij last van misselijkheid, hoofdpijn en aanvallen van eczeem en steenpuisten. 'Ik heb veel gevallen van een ernstig verstoorde spijsvertering gezien,' zei Edward, 'maar ik kan me geen geval herinneren waarbij de pijn werkelijk zo scherp was als bij hem. Bij de hevigste aanvallen leek het alsof hij door zijn kwellingen werd verpletterd, waarbij het zenuwstelsel hevig werd geschokt, en de tijdelijke neerslachtigheid die er het gevolg van was, was beangstigend hevig.'

Hoewel hydrotherapie populair was onder intellectuelen, werd ze in toonaangevende publicaties belachelijk gemaakt met termen als modieus, komisch en genotzuchtig. Edward zei dat hij als watertherapeut 'moest opboksen tegen het verenigde conservatisme van de medische professie' in zijn pogingen serieus te worden genomen. Het woord 'hydrotherapie' was feitelijk een verkeerde benaming, beweerde hij: Priessnitz had niet opgemerkt in welke mate het succes van zijn behandeling afhing van voeding en omgeving. Edward gaf er de voorkeur aan zijn methode te omschrijven met de term 'natuurkuur'. Net als de hydrotherapeut in Charles Reades roman *It is Never too Late to Mend* (1856) 'klopte hij de natuur op de rug' terwijl 'anderen haar te lijf gingen met ploertendoders en projectielen'.

Op dinsdag 4 juli, een maand nadat ze John Thom voor het laatst had gezien, bezocht Isabella Moor Park in de hoop daar zowel hem als Edward Lane te zien. Ze nam vanuit Reading de trein naar het dorp Ash, een reis van drie kwartier; de laatste paar kilometer naar Moor Park overbrugde ze met een rijtuig. Om half elf in de morgen stapte ze uit op een grindpad voor een breed, wit huis met twee verdiepingen. Boven de voordeur was een plaquette aangebracht met het wapen van sir William Temple, de beroemde diplomaat en essayist die er in de late zeventiende eeuw had gewoond. Temple had het goed van 182 hectare in de jaren 1680 gekocht, een halve eeuw nadat het huis was gebouwd, op zoek naar een vluchtweg 'naar het gemak en de vrijheid van een privédomein, waar een man in zijn eigen tempo zijn gang kan gaan'.

Isabella werd begroet door lady Drysdale, Mary Lane en een paar van hun gasten. De dokter was op pad, maar ze liep Thom al vroeg in de ochtend tegen het lijf. 'De ontmoeting was erg geforceerd,' schreef ze in haar dagboek. 'Ik bloosde hevig en de ogen van het gezelschap waren scherp op mij gericht. Mijnheer Th. stond erbij maar dorst niet zoveel te zeggen, en ik werd er stil van.'

Binnen stond aan de ene kant van de hal een biljart en aan de andere een bibliotheek. Daarbovenuit verrees een 'crinoline-trap', de trots van het gebouw, met ijzeren leuningen die naar buiten toe uitbogen als de rokken van de vrouwelijke gasten. De omringende muren waren versierd met gepleisterde lieren en engelen en werden verlicht door een ovaal daklicht. Naast de trap leidde een deur naar de eetzaal. Aan de ene kant van deze ruimte was een houten stookplaats die met gebeeldhouwde pastorale figuren was versierd – een herder die fluit speelde voor een herderinnetje dat door haar schapen werd omringd –, en aan de andere kant keek men door drie openslaande deuren uit op het gazon, een fontein, twee grachtjes en de rivier de Wey. Op een eiland in de rivier stond een zomerhuis en een vervallen prieeltje lag verscholen in een groepje bomen.

Rechts van het terras bij de eetzaal waren een druivenkas, een oranjerie en een serre, en daarnaast bevond zich een ommuurde tuin waar in de zomer kruisbessen, frambozen en zwarte bessen rijpten. Links van het terras spreidde een enorme ceder zijn takken uit boven het gras, en een zonnewijzer duidde de plaats aan waar het hart van sir William Temple – in een zilveren kistje – na zijn dood was begraven. Onder het grasveld was ook een ruime opslag vol ijs dat in de winter werd geoogst uit de grachten en rivieren; een ander ijshuisje lag verzonken in de heuvel tegenover de voordeur.

Het was een warme dag met af en toe een bui. Laat in de morgen, bij mooi, helder weer, maakte Isabella een wandelingetje in de tuin met Atty, die nu een jaar of zes was, en met een andere gast die in haar dagboek 'Captain D.' wordt genoemd. Isabella was zich sterk bewust van de aanwezigheid van John Thom, die aan de andere kant van de heg liep te wandelen met een zekere 'mijnheer B.' (mogelijk Robert Bell, een patiënt van Moor Park door wie Thom later een baan werd aangeboden). Ze wisselde een paar woorden met de heren, maar kreeg de indruk dat Thom haar op een afstand hield. 'Ik vond het vreemd dat hij me ontweek,' schreef Isabella, 'of liever, dat hij niet naar me toe kwam.'

Terug in het huis verkleedde ze zich voor het middagmaal en rond half twee nam ze haar plaats aan tafel in. Ze zat naast twee andere gasten, 'mevrouw O.' en 'mevrouw K.': 'mijnheer T. zat aan de overkant, zei niets tegen me en keek me ook niet aan'.

Na het middagmaal bracht ze enige tijd door in de kamer van lady Drysdale en ging toen de tuin in, waarbij ze Thom tegenkwam in de biljartkamer. Hij 'hield meteen op met spelen,' schreef ze, 'en toen hij zag dat ik alleen was, liep hij enthousiast mee naar buiten. We gingen naar de serre, omdat het regende; zaten daar een tijdje serieus te praten.' Ze verhuisden naar de oranjerie: 'hij haalde een stoel voor me en ging zitten, ver van me vandaan. We hadden een ernstig gesprek, maar nogal gejaagd en verwarrend, en niet over de belangrijkste dingen.' Ze liepen de tuin in. 'Ik weet niet of hij echt zwijgzamer is dan anders,' schreef ze, 'maar hij was beslist eigenaardig stil; niettemin maakte de wetenschap dat ik werd begrepen en dat hij mijn gezelschap werkelijk plezierig vond de wandeling de moeite waard.'

Toen ze het huis weer binnengingen, hoorde Isabella dat Edward was teruggekomen, maar ook dat hij al thee had gehad en weer weg was gegaan. Ze dronk thee met de andere gasten en niet lang daarna verscheen de dokter voor het raam van de eetzaal. Hij 'kwam door het open raam naar binnen springen om me te begroeten', schreef Isabella, 'zelfs met meer vuur dan ik verwachtte. Met veel warmte gaf hij me een hand; heel hartelijk kwam hij bij me zitten en stelde veel vragen over mijn welzijn'. Ze kon zich nu voorstellen dat Thom haar bewonderaar en haar gadesloeg en getuige was van haar vrolijke en ongedwongen omgang met de knappe dokter. Andermaal deed de gedachte haar huiveren dat haar vriendschap met Edward Lane bij anderen jaloezie zou kunnen opwekken. 'Mijnheer Th. zat tegenover ons,' schreef ze, 'en deed alsof hij las, maar ik weet zeker dat hij alles zag wat er gebeurde.'

Later kwamen de gasten in de salon op de eerste verdieping bij elkaar. 'Dokter Lane was in een opperbest humeur, ging bij me op de sofa naast de piano zitten en stond alleen een paar keer op om te zingen en een beetje met zijn gasten te praten; maar zijn ogen, zijn hele voorkomen, zijn manier van praten waren op mij gericht... We praatten over de liefde, over poëzie, over zijn leeftijd, en ik zei tegen hem dat hij er nog nooit zo goed had uitgezien, hoewel hij openlijk beweerde dat hij zich nogal oud voelde; we praatten over muziek en over zijn liederen; mooi en met plezier zong hij een Frans lied en een komisch lied, en nog een paar; ook een lied waar ik om vroeg, "O, het hart is vrij en ongebonden".'

Thom 'zat de hele avond niet ver bij ons vandaan, maar hij verroerde zich nauwelijks, zei bijna niets en keek voor zich', schreef Isabella, 'en toch wist ik dat hij naar ons keek en zich bewust was van onze aanwezigheid'. Ze liet doorschemeren dat zijn ogenschijnlijke onverschilligheid een dekmantel was van zijn verlangen. Maar één keer kwam hij naar haar toe, en zat op zijn knieën terwijl ze praatten – 'zoals mijnheer L. net ook had gedaan'. Ze praatten over een school die hij van plan was te stichten in Sydenham, een nette buitenwijk van Londen waar zich veel nieuwe bedrijven hadden gevestigd sinds het Crystal Palace (oorspronkelijk elders gebouwd ter gelegenheid van de Wereldtentoonstelling) er in 1852 op Sydenham Hill was gereconstrueerd. Isabella raadde hem aan circulaires te schrijven om zijn plan onder de aandacht te brengen. 'Hij zag er opgewekt en vrolijk uit toen ik met hem praatte,' schreef ze. Thom ging om tien uur weg om een predikant en twee andere bezoekers te vergezellen naar hun huizen, die in de buurt stonden. 'Toen hij later op de avond terugkwam,' zei Isabella, 'ging hij bij de deur zitten en zag hij er weer even bleek, mat en lusteloos uit als eerst.'

Het gezelschap bleef tot diep in de nacht zitten praten en zingen. Nadat ze hadden geluisterd naar het refrein van Eurydice in de opera *Orphée* van Gluck, vroeg Isabella aan Edward of hij de 'Ode on St Cecilia's Day' van Alexander Pope wilde voorlezen, 'het laatste wat hij die avond deed, heel mooi, tot mijn niet geringe verrukking'. Zowel de opera van Gluck als het gedicht van Pope putte uit de Griekse mythe van Orpheus die zijn geliefde Eurydice verliest, omdat hij geen weerstand kan bieden aan de verleiding naar haar om te kijken terwijl ze samen weggaan uit de Onderwereld.

Na de liederen en voordrachten 'en nog wat grappen en plichtplegingen', zocht het gezelschap zijn bed op. 'Ik weet niet of ik ooit zo'n amusante avond heb gehad,' schreef Isabella. 'Mijn hoofdpijn was helemaal weg en ook al mijn verdriet; in dat boeiende gezelschap kwam de oude betovering weer over me en kreeg ik het gevoel dat niemand wat betreft aantrekkelijkheid kon wedijveren met de knappe, elegante, levendige en charmante L.'

Mary – 'zijn vrouwtje', 'zo lief, zo aardig, zo argeloos' – bracht Isabella de uitbollende trap op naar haar kamer en Edward kwam er algauw achteraan: 'en toen lieten ze me alleen, maar van slapen kwam niet veel; het bed was hard en ik was veel te opgewonden om te kunnen slapen. Ik lag te draaien tot het licht werd en toen was het al laat.'

Hoezeer Isabella's journaal een plek was waar ze zich tot deugdzaamheid kon verbinden, het was ook een toevluchtsoord voor die kanten van haar waarvoor geen plaats was binnen het huwelijksleven. Volgens Thomas Broadhursts populaire handboek *Advice to Young Ladies on the Improvement of the Mind and Conduct of Life* (1810) [was] 'zij die zich trouw bezighoudt met het vervullen van haar plichten als vrouw en dochter, als moeder en vriendin, met veel nuttiger zaken bezig dan iemand die zich – onder verwijtbare nalatigheid van de belangrijkste verplichtingen – dagelijks verdiept in filosofische en literaire bespiegelingen, of zich verheft te midden van de bekoorlijke sferen van de romantische lectuur.' Met aantekeningen in haar dagboek zoals hierboven aangehaald, liet Isabella zich meevoeren in de sferen die in de etiquetteboeken werden veroordeeld.

⁂

Isabella, die weer was teruggekeerd naar Ripon Lodge, stond op dinsdag 11 juli om zeven uur op en zag dat het 's nachts geregend had. Sinds haar bezoek aan Moor Park in de week daarvoor had ze zich slap gevoeld, maar deze ochtend, schreef ze, voelde ze zich 'eigenlijk minder triest'. Na het ontbijt ging Henry naar Caversham, waar hij op de helling van een heuvel een terrein van tien hectare had uitgekozen om een huis op te bouwen. Een zekere 'juffrouw S.' zorgde voor de kinderen terwijl Isabella zich bezighield met huishoudelijke karweitjes. Ze zei tegen de slager dat hij een rekenfout had gemaakt en betaalde hem toen hij de factuur had gecorrigeerd. Om één uur volgde ze Henry naar Caversham, waar het huis al vorm begon te krijgen. Het terrein waarop Henry liet bouwen bood een panoramisch uitzicht op het zuiden, een aspect dat volgens de informatie van de makelaar 'een hoge mate van heilzaamheid' garandeerde, maar Isabella kon er geen enthousiasme voor opbrengen. 'Erg moe, ik vond er niets aan,' schreef ze. 'Zat triest te mijmeren in huis. Terug na zeven uur. Pakte dingen uit en handelde zaken af. Henry chagrijnig, ook later nog.'

Thuis lag een brief van John Thom op haar te wachten, die de bode om een uur of twee had gebracht. Isabella maakte hem open en las hem. Ze tekende in haar dagboek aan dat het Thoms bedoeling was 'zijn diepe smart uit te spreken over mijn veranderde voorkomen en mijn ziekte, en me te vertellen dat het hem beter ging en dat hij hoop koesterde wat betreft Sydenham. Het was een kort en nogal onbevredigend briefje; geen woord over brieven van mij aan hem, geen woord van erkentelijkheid voor wat dan ook. Elke brief ademt minder belangstelling dan de vorige.' Tijdens haar bezoek aan Moor Park had ze zich ingebeeld dat de jonge man haar steelse blikken van verlangen toewierp, maar nu beweerde hij alleen te hebben opgemerkt dat ze er ziek uitzag. Met een toespeling op gekrenkte trots voegde ze eraan toe: 'Het was wel goed zo. Ik moest er maar aan wennen dat ook hij straks deel uitmaakt van degenen die het zonder mij kunnen stellen; hij zou met anderen vriendschap sluiten en nooit meer eenzaam zijn.' Ze benijdde Thom om zijn vrijheid.

'Van zijn kant was de vriendschap nu bekoeld,' schreef ze. 'Was er ooit meer geweest? Ik dacht van niet, en werd zo andermaal gestraft, zoals zo vaak, voor overmatige Aanhankelijkheid, voor Liefde voor Goedkeuring en mijn ontvankelijkheid voor Opwinding. Wanneer zal ik kalm, nuchter, bedaard en verdienstelijk zijn? Nooit.'

Een maand later kwam Thom in betrekking als leraar van de vijftienjarige maharadja Duleep Singh, een sikh met wie hij naar Schotland zou reizen. De prins stond onder curatele van de East India Company, die hem in 1849 van de troon van Punjab had gestoten, en was een lieveling van koningin Victoria, aan wie hij in 1850 de Koh-i-Noor had geschonken.

Vier dagen nadat ze Thoms brief had ontvangen zat Isabella in de tuin van Ripon Lodge met het laatste nummer van het literaire tijdschrift *Athenaeum*, waar het gezin op geabonneerd was. In de aflevering van zaterdag 15 juli stonden een advertentie van Moor Park en artikelen van Alexander Pope en Harriet Beecher Stowe, die een verslag van haar reizen door Engeland had gepubliceerd (ze was 'geheel en al de heldin van haar eigen boek', zei de recensent).

'Schreef passages uit *Athenaeum* over,' tekende Isabella in haar dagboek op, 'en las ze om één uur in de tuin, onder de boom waar ik niet naar kan kijken zonder aan mijn escapade met mijnheer Thom te denken.' Wat die escapade precies behelsde werd niet uitgelegd.

Een maand daarna zat Isabella nog steeds met Thom in haar hoofd: hij 'heeft een gevoelige snaar geraakt', schreef ze; 'ik kan mezelf niet van zijn beeld bevrijden.'

In de zomer van 1854 nam Henry Isabella's huishoudboekje door en ontdekte hij onregelmatigheden die ze niet kon verklaren. Ze kregen ruzie – zij was gepikeerd door zijn gebrek aan vertrouwen en door zijn toezicht, hij was boos vanwege haar laksheid en ongehoorzaamheid. Isabella gaf niet toe dat ze John Thom geld had gegeven. Hoewel Thom de 15 pond die ze hem probeerde op te dringen als afscheidscadeau had geweigerd, had ze hem er dat jaar wel toe overgehaald 55 pond in geld en goederen aan te nemen – bijna een twintigste deel van de uitgaven van het gezin. Isabella vond dat Henry Thom minnetjes had behandeld en wilde dat goedmaken. Gezien haar financiële bijdrage aan het huishouden vond ze waarschijnlijk dat ze het recht had een deel van het geld naar eigen goeddunken uit te geven.

Die zomer ging Henry ook achter zijn jongere broer Albert aan en eiste terugbetaling van de 3000 pond die hij hun vader in 1852 had terugbetaald. Albert woonde nu in Westminster met Julia – de zuster van Isabella – en hun beider dochtertje, en investeerde in ambitieuze ondernemingen, waaronder een expeditie naar Groenland om naar delfstoffen te zoeken en een project om enorme stoomschepen te bouwen naar ontwerpen van Isambard Kingdom Brunel. Albert weigerde Henry te betalen en beweerde dat de schuld niet alleen de zijne was; Henry spande een proces tegen hem aan. Toen de zaak in augustus diende oordeelde de jury in het voordeel van Henry, en Albert werd bevolen zijn oudere broer 3335 pond te betalen.

Isabella zei dat Henry genoegen schepte in de financiële tegenslag van anderen. 'Hij heeft een hekel aan alle verdiensten,' schreef ze later aan Combe, 'hij benijdt alle succes. Ik heb meegemaakt dat hij *opzettelijk* naar de faillissementsrechtbank ging om te genieten van het schouwspel van wanhopige mannen die er ooit warmpjes bij zaten.'

HOOFDSTUK VIJF

EN IK WIST DAT ER OP ME WERD GELET

Moor Park, oktober 1854

In de herfst van 1854 bezochten Isabella en haar zoons Moor Park twee keer; één keer in september en één keer in oktober. Alfred was nu dertien, Otway negen en Stanley vijf. Isabella kwam deels om de waterkuur te ondergaan, deels om de familie haar vriendschap te betuigen. Haar hartstocht voor Edward bloeide in alle hevigheid op.

Lady Drysdale en Edward en Mary Lane verzorgden een soort herstelkuur in hun toevluchtsoord in de bossen van Surrey. Elizabeth Drysdale was met haar kanten kraagjes en zwart brokaat 'de bekoring zelve van Moor Park', herinnerde zich de dochter van Charles Darwin, Henrietta, die in de jaren 1850 op bezoek kwam. Het gehoor van lady Drysdale ging achteruit, maar haar overige lichamelijke vermogens waren niet door ouderdom aangetast. Ze was 'erg Schots, levendig en karaktervol', zei Henrietta Darwin, 'en ze kreeg pretlichtjes in haar ogen alvorens in een hartelijk lachen uit te barsten; ze stroomde over van vriendelijkheid en gastvrijheid, zodat alle zwervers haar bescherming genoten; ze was zeer belezen, speelde uitstekend whist en was de bedrijvige, competente hofmeesteres van de hele onderneming'. Charles Darwin was gefascineerd door de hele familie: 'Dokter Lane & zijn vrouw & schoonmoeder lady Drysdale kunnen zich scharen onder de aardigste mensen die ik ooit heb ontmoet.' De dokter, zei hij, 'is te jong – zijn enige tekortkoming –, maar hij is een heer & zeer belezen'. Hij prees Lane om zijn gezond verstand en bescheidenheid. Edward nam afstand van 'al die onzin' die andere watertherapeuten spuiden; 'en ook beweert hij niet allerlei zaken te kunnen verklaren, die hij noch andere artsen kunnen uitleggen'.

George Combe vond ook dat Lane 'een verstandige, goed onderlegde arts [was], & geen onnozele kwakzalver waarvan er zo veel zijn'; zijn vrouw was 'een slim vrouwtje', zij het 'erg zenuwachtig'; lady Drysdale belichaamde 'het hart en de ziel van Moor Park', 'een ruimhartige, bedrijvige, slimme vrouw, in het bezit van een goed inkomen', die 'het huishouden bestierde' en 'haar gezelschap voor zich innam met haar genereuze karakter & openhartigheid'. Edward liet met genoegen lady Drysdale de lakens uitdelen op Moor Park, net als op Royal Circus. Combe merkte op dat dokter Lane op zijn vrouw en schoonmoeder leunde: 'zijn hele leven hing af van vrouwen'.

Combe stelde twee tekortkomingen vast in het karakter van Mary, Edward en lady Drysdale. 'Welwillendheid en Liefde voor Goedkeuring zijn ongebreideld,' zag hij, 'en maken hen blind voor de gebreken van mensen die aan hen worden voorgesteld door vrienden & die aan hun vriendelijkheid worden toevertrouwd.'

Er waren op Moor Park weinig scheidslijnen tussen de patiënten en hun gastheer en gastvrouw. Aangezien de waterkuur een preventieve behandeling was die de gezondheid bevorderde, konden zowel gezonde als zieke mensen genieten van haar weldadige uitwerking. Edward beijverde zich om zich tegenover zijn gasten als een vriend te gedragen en een sfeer van tolerantie, openheid en mogelijkheden rondom zijn persoon te scheppen. Goed gezelschap, schreef hij, 'verlicht en verheldert' de weg die de patiënt aflegt naar gezondheid: het 'houdt hem monter' en 'voorkomt dat hij over zijn kwalen gaat zitten tobben'. Edward genoot van zijn werk en was trots op zijn succes. 'Er zijn maar weinig dingen in het leven die meer voldoening schenken (als ze al bestaan), dan de gelegenheid krijgen om een werkelijke bijdrage te leveren aan de gezondheid of het welzijn van je medemens,' zei hij tegen Combe. Als de geest een deel van het lichaam was, zoals de frenologen en anderen beweerden, dan kon een arts evenzeer geluk en geestelijke gezondheid bevorderen als lichamelijke gezondheid. Edwards overtuigingskracht was cruciaal voor de behandeling.

De patiënten van het kuuroord vormden een 'zeer intelligent, levendig en aangenaam gezelschap,' zei Combe. Mensen uit de Edinburghse kringen kwamen kuren, evenals hun vrienden uit Londen. Onder de bezoekers waren de logicus Alexander Bain, pionier in de theorie van de psychologie, die opmerkingen maakte over de 'vriendelijkheid en de aandacht' van zijn gastheer en -vrouwen; de spoorwegingenieur George Hemans, een zoon van de dichteres Felicia Hemans; Robert Bell, een vriend van Thackeray en Trollope en een geliefd bestuurder van het Royal Literary Fund, en de romanschrijvers Sydney lady Morgan, Georgiana Craik en Dinah Mulock, van wie de laatste haar bestseller *John Halifax, Gentleman* (1856) schreef in een kamer die uitzag op de zonnewijzer in de tuin van Moor Park.

De broers van Mary Lane, George en Charles Drysdale, verbleven vaak op Moor Park. Charles gaf het huis als adres op toen hij in november 1854 lid werd van het Institute of Civil Engineers (met een persoonlijke aanbeveling van Henry Robinsons voormalige partner John Scott Russell). George daarentegen ging die herfst naar Edinburgh om het laatste jaar van zijn medische opleiding te voltooien en misschien wat afstand te scheppen tussen hem en zijn familie nu de uitgave van zijn sekshandboek ophanden was.

Elke gast op Moor Park kreeg een zit- en een slaapkamer toegewezen; in de laatste ruimte stond een badkuip op zijn kant in de hoek. 's Morgens werden de kuipen gevuld door bedienden die de patiënten met natte en droge handdoeken wreven tot hun huid ervan gloeide. Aansluitend gaven ze hun bekers koud water te drinken. Alle inwonenden aten samen (middagmaal om half twee, thee om zeven uur), praatten en wandelden met elkaar en deden spelletjes. 'Ik heb behoorlijk veel biljart gespeeld,' zei Darwin tegen zijn zoon, '& heb onlangs mijn spel verbeterd en een paar prachtige stoten gegeven!' Edward nam hen mee op ritjes door het golvende heidelandschap naar het bisschoppelijk paleis in Farnham, naar Waverley Abbey en naar het nieuwe legerkamp in Aldershot. Met de verhuizing naar Moor Park had hij een sociale kring gevonden waar geen einde aan kwam, vol beloften van gezondheid, gemakken van het familieleven en gezelschap van intelligente en gevoelige dames en heren. De toegang tot zijn gasten kende maar weinig beperkingen – als medicus was het hem toegestaan hen te bezoeken in hun slaapkamer, hun problemen aan te horen en hen lichamelijk te onderzoeken. 'De arts houdt zijn patiënten vrijwel onafgebroken in het oog,' schreef hij.

Alle gasten werden aangemoedigd wandelingetjes in het park te maken. 'Ik kuierde tot een eindje voorbij de open plek, wel anderhalf uur, & genoot ervan,' vertelde Charles Darwin in een brief aan zijn vrouw, '– het frisse maar donkere groen van de grote Schotse sparren, het bruin van de katjes aan de oude berken met hun witte stammen, & de zoom van lariksen in de verte vormden samen een buitengewoon mooi gezicht. Ten slotte viel ik op het gras in slaap & ik werd wakker met een koor van vogels om me heen & eekhoorntjes die van boom naar boom sprongen & een paar lachende spechten, & het was het mooiste landelijke tafereel dat ik ooit heb gezien & het kon me geen zier schelen hoe al die beesten of vogels waren ontstaan.'

Het kan heel goed zijn dat Darwins preoccupaties op Moor Park van hem af werden gespoeld, maar op zijn wandelingen vond hij ook nieuw bewijs voor zijn theorieën over de strijd om het bestaan. In de buurt van Farnham ontdekte hij op de heide een bosje Schotse sparren, zesentwintig jaar oud, en tienduizenden in hun groei belemmerde boompjes, nog geen tien centimeter hoog, die gestaag door voorbijkomend vee waren afgeknabbeld: 'wat een krachtenspel speelt zich af op een vierkante yard grond; als je daar de soorten & eigenschappen van elke plant determineert! Ik vind het werkelijk prachtig. En toch vragen we ons graag af wanneer een dier of plant uitsterft.' Hij zou de sparrenboompjes in het derde hoofdstuk van *The Origin of Species* aanhalen als voorbeeld van de wisselvalligheid en gewelddadigheid van de natuur, van het 'voortdurende gevecht'. Als je er goed naar keek, kon je in zo'n pastorale idylle taferelen waarnemen waarin het wemelde van scheppende en vernietigende krachten, van voortdurende eetlust en strijd.

Darwin keek graag naar de mieren die in de bossen uit hun nesten stroomden en de heuveltjes op en af liepen. 'Ik had een buitenkansje op Moor Park,' vertelde hij een vriend. 'Ik zag er zeldzame slavendrijvers & de kleine zwarte negertjes in de nesten van hun meesters.' Hij vroeg de tuinman van Moor Park, John Burmingham, of hij een nest gele mieren in de gaten wilde houden dat hij op het terrein had gezien, en Burmingham schreef hem later over zijn waarnemingen: 'der ware een hoop eieren m[aa]r zag heel weinig mieren in het nest of erbuiten... Een week na uw vertrek droegen ze geen eieren meer het nest in en niet lang daarna waren ze uit dat Deel helemaal weg.'

Zodra een patiënt een paar dagen op Moor Park had doorgebracht, schreef Edward krachtiger behandelingen voor. Darwin nam dagelijks een ondiep bad, een zitbad (in een kuip in de vorm van een stoel) en een douche (waarbij een waterstraal op het aangedane deel van het lichaam werd gericht). Bij mensen als Darwin, wier spijsvertering van slag was, werd de douche op de buik gericht; bij vrouwen die aan hysterie leden of aan andere ziekten van de voortplantingsorganen, op het bekken. Sommige gasten onderwierpen zichzelf aan het heteluchtbad, het druipende laken en het natte laken. Edwards heteluchtbad hield in dat de patiënt op een stuk kurk op een houten stoel zat met een raamwerk van hoepels eromheen; er werden dekens over het raamwerk gelegd en strakgetrokken tot onder de kin; onder de stoel brandde een spirituslamp. Na twintig tot vijfentwintig minuten bewerkstelligde het bad een hevig zweten dat goed zou zijn voor de lever en de buik. Bij de behandeling met natte lakens werd de patiënt strak in vochtige doeken gewikkeld, op bed gelegd en bedekt met een stapel zware dekens: 'door het effect van de natuurlijke warmte van het lichaam op het vochtige linnen wordt stoom opgewekt,' legde Edward uit, 'en de patiënt zit gezwind in een behaaglijk aangenaam en kalmerend warm stoombad'. John Stuart Blackie – de hoogleraar die Isabella in Edinburgh had horen spreken – beschreef de gewaarwording als 'precies alsof je heel gelijkmatig en zachtjes in een pasteitje wordt gebakken'. Een andere liefhebber schreef dat hij zich na het stoombad 'zo warm [voelde] als een toastje, zo fris als een jongetje van vier en zo hongerig als een struisvogel'.

De behandeling was een tonicum voor geest en zinnen. Als je de waterkuur ondergaat, zo schreef de romanschrijver Edward Bulwer-Lytton, 'neemt het bewustzijn van het heden het verleden en de toekomst in zich op: de geest wordt doordrongen van een soort frisheid en jeugdigheid, die teren op het genieten in het heden'. De lichamen der patiënten tintelden onder ijskoude waterstralen, zweetten in wolken stoom en kwamen tot rust onder warme, natte dekens. Alles draaide om temperatuur, legde Edward uit: warmte kalmeerde de zenuwen, vertraagde de bloedsomloop, verzachtte pijn en verdreef gifstoffen uit het lichaam; kou prikkelde de eetlust, verhelderde de geest en versterkte de vezels van het lichaam.

De ziekten die het best reageerden op watertherapie waren hypochondrie en hysterie, aandoeningen waarvan gedacht werd dat ze het gevolg waren van een scheiding tussen lichaam en geest. De romanschrijfster Dinah Mulock schreef het wijd verspreid zijn van hypochondrie – een andere term voor de spijsverteringsproblemen waar Darwin en Edward Lane aan leden – toe aan 'onze hedendaagse staat van hoge beschaving, waarin lichaam en geest lijken te zijn terechtgekomen in een eeuwige onderlinge strijd'. De slachtoffers waren vaak gevoelige, intellectuele mannen; symptomen waren bijvoorbeeld misantropie en zelfhaat; en de remedie, zei juffrouw Mulock, was 'rust, leven met de natuur en een kalme geest'.

Hysterie was het vrouwelijke equivalent van deze aandoening. In een invloedrijk boek uit 1853 beweerde Robert Brudenell Carter dat hysterie een biologische stoornis was die veroorzaakt werd door emotionele trauma's: 'de storingen komen veel vaker voor bij vrouwen dan bij mannen – daar vrouwen niet alleen vatbaarder zijn voor emoties, maar zich ook vaker genoodzaakt zien te pogen deze te verbergen'. Juffrouw Mulock stelde vast dat de ziekte deel uitmaakte van een algemeen vrouwelijk onbehagen: 'ik vrees dat er niet aan valt te twijfelen dat er onder vrouwen een hoog gemiddelde aan ongelukkigheid bestaat; niet louter ongelukkigheid door omstandigheden, maar ongelukkigheid van geest.' De remedie was een terugkeer naar de natuur, zei ze, geholpen door de toepassing van water, 'hoe kouder, hoe beter': 'anders rent (...) een of ander overheersend idee (...) de kamers van de geest in en uit als een rondspokende duivel, tot het uiteindelijk uitgroeit tot een monomanie'.

Om zijn patiënten af te leiden van hun zorgen, moedigde Edward hen aan te lezen. Het gezin was geabonneerd op kranten, stelde de gasten een bibliotheek ter beschikking en droeg 's avonds gedichten voor. De dokter en zijn vrienden verzorgden zo nu en dan lezingen over literatuur in het Mechanics' Institute in Farnham. Edward Lane sprak over Tennyson, die in Malvern de waterkuur had gedaan voordat hij hofdichter werd, en Robert Bell besprak het leven van William Shakespeare.

Wanneer Darwin het kuuroord bezocht bracht hij altijd stapels boeken mee. 'Het is mijn bedoeling nergens over na te denken, veel te eten & veel boeken te lezen.' Hij mocht graag over populaire romans praten met Mary Lane, die een gretige lezeres was van boeken uit de reeks Mudies Leesbibliotheek. Op een keer debatteerden ze over het auteurschap van twee anoniem uitgegeven romans die ze allebei hadden gelezen, en Mary stortte zich met vinnige, schertsende zelfverzekerdheid in het gesprek: 'Mevrouw Lane is het met me eens dat *Betrothed* door een man geschreven is,' schreef Darwin, 'en ze voegde er koeltjes aan toe dat *Beneath the Surface* zo slecht was dat het wel geschreven móést zijn door een man!' (De auteur van *Letters of a Betrothed* was in feite een vrouw: de romancière en dichteres Marguerite Agnes Power; maar Mary had gelijk wat betreft *Below the Surface: a Story of English Country Life* – de schrijver daarvan was baronet sir Arthur Hallam Elton.)

Darwin ging ook levendige debatten aan over evolutie met Georgiana Craik, een romanschrijfster van drieëntwintig. 'Ik vind juffrouw Craik erg sympathiek,' tekende hij aan, 'hoewel we wat aanvaringen hebben gehad & het nergens over eens zijn.'

Edward herinnerde zich Darwins aanwezigheid op Moor Park met veel warmte: 'ik heb nog nooit zo'n vriendelijke, voorkomende, aardige en in alle opzichten charmante man ontmoet... Hij kwam met een zeldzame tact en smaak tegemoet aan het niveau van zijn gehoor... Hij was een even goede luisteraar als spreker. Hij hield nooit preken en vertelde geen langdradige verhalen; of zijn onderwerp nu ernstig of vrolijk was (en dat was om beurten), hij bracht het vol levenslust en pit – geestig, helder en bezield'. Het waren dezelfde eigenschappen – fijngevoeligheid en geestkracht – die maakten dat Isabella tot Edward werd aangetrokken.

Een kuuroord was een van de weinige plaatsen in Victoriaans Engeland waar echtgenotes en dochters zonder chaperonne verbleven in gezelschap van vrijgezelle en getrouwde mannen konden verblijven. Een enkele keer leidde dat tot problemen: een vrouwelijke patiënt op Moor Park vertelde een vriend van Combe dat een heer zich tijdens haar verblijf jegens haar had gedragen op een manier 'die haar tegen de borst stuitte'. In 1855 publiceerde juffrouw Mulock een kort verhaal, *De waterkuur*, waarin ze de verborgen seksuele gevoelens in het kuuroord afschilderde als een kracht ten goede. De verteller, Alexander, lijdt aan een writer's block en een slechte gezondheid: 'Mijn lichaam hindert mijn geest, mijn geest verwoest mijn lichaam.' Hij beschrijft zichzelf als 'een door zichzelf in beslag genomen, sukkelende, ellendige, hypochondrische dwaas'. Zijn neef Austin lijdt aan dezelfde aandoeningen; maar waar Alexander zijn hersenen te zwaar heeft belast, heeft Austin zijn gestel verwoest door overmatig roken en drinken. De twee jonge mannen, zegt Alexander, zijn 'moordenaars van het lichaam en moordenaars van de geest'.

Het waterkuuroord dat de beide neven bezoeken is getrouw gemodelleerd naar Moor Park: een wit gebouw tegenover een steile helling, met de trein een paar uur van Londen vandaan. 'Het was een groot, ouderwets pand,' zegt Alexander, 'statig, met lange gangen waarin je op en neer kon lopen en imposante kamers waar je vrijelijk kon ademhalen.' Er zijn ongeveer twintig patiënten, 'van beide geslachten en alle leeftijden, bij wie de enige homogeniteit bestond in een algemene houding van vriendelijkheid en genoegen'. Groot als het gebouw is, heeft het 'alle ongedwongenheid en gezelligheid van *thuis*'.

De dokter die belast is met hun behandeling neemt glimlachend Alexanders manuscript en Austins sigaar in beslag, de symbolen van hun misbruik van lichaam en geest. Hij zet zijn filosofie uiteen: 'Voor iedere storing in de hersenen, voor iedere afname van de geestelijke vermogens – voor iedere vreemde manier waarop het lichaam zich voorzeker, te eniger tijd, zal wreken op degenen die... de algemene wet van de natuur hebben overtreden – volgens welke lichaam en geest samen horen te werken en niet los van elkaar –, daarvoor weet ik niets wat heilzamer is dan een terugkeer naar de natuurlijke staat en een beproeving van de waterkuur.' Veel van zijn patiënten hebben een achtergrond vol zorgen, zegt hij: 'We moeten niet alleen het lichaam genezen, maar ook de geest. Om onze patiënten werkelijk goed te doen, moeten we hen gelukkig maken.'

Na een tijdje in het kuuroord te hebben doorgebracht, merkt Alexander op: 'Mijn hersenen klaarden op – mijn hart klopte met alle warmte van mijn jeugd.' Austin en hij zijn zo grondig verjongd dat ze allebei vallen voor een vrouwelijke gast. Uiteindelijk ontdekken ze dat ze aan de dokter zelf is toegezegd. De dokter – met zijn ernstige, vriendelijke karakter, 'met al zijn standvastigheid en kracht zo teder' – blijkt de romantische held te zijn. De schrijfster van het verhaal zou weleens haar eigen fantasieën kunnen hebben gehad over de vriendelijke maar gezaghebbende Edward Lane.

Een advocaat van Lincoln's Inn (de orde van advocaten waaraan de familie Walker verbonden was) kwam in september 1854 aan op Moor Park. Hij werd het huis binnengenood ('de gerieflijkheid en verfijning zelve,' tekende hij aan, 'met een zeer bekoorlijk uiterlijk dat opgeruimd welzijn weerspiegelde') en naar de studeerkamer gebracht. Daar spraken Edward en hij over de dichter en satiricus Jonathan Swift, die in de late zeventiende eeuw als secretaris van sir William Temple op Moor Park had gewerkt. De advocaat merkte dat Edward 'een ware connaisseur' was van de literaire geschiedenis van het landgoed en dat hij deze 'schrander op waarde wist te schatten'.

In de maand die hij in het kuuroord doorbracht, wierp de jonge jurist de 'verpletterende tirannie van het denken' van zich af en herwon de verrukking over zijn lichaam. 'Wat is het plezier dat we soms mogen scheppen in het simpelweg bewust zijn van ons dierlijke bestaan toch intens, en het genoegen toch subtiel!' jubelde hij. 'Noem het zinnelijk! Ik noem het goddelijk.'

⁂

Op de morgen van zondag 7 oktober sprak Edward Isabella in huis aan. 'Dokter Lane vroeg me of ik zin had in een wandelingetje, maar ik dacht dat hij het uit beleefdheid vroeg,' schreef ze in haar dagboek, 'dus ik ging naar de kinderkamer en zat daar meer dan een uur met mijn lievelingen.' Opnieuw zocht hij haar op: 'hij gaf me een standje omdat ik niet kwam en nodigde me uit met hem mee te komen'. Ze bleef bij de kinderen rondhangen 'maar uiteindelijk ging ik naar hem toe, en hij voerde mij mee, alleen, naar onze lievelingsplekjes, en verder het terrein op, langs een meer afgelegen weg'.

Edward en Isabella liepen door het mooie parklandschap dat sir William Temple had ontworpen en klommen het bos in. Het was een zonnige, warme dag in een mooiere herfst dan men zich heugen kon. Op het grote pad tussen de bomen op de heuvel lag een dik pak gladde dennennaalden en zandige humus, en het licht viel in heldere, brede bundels door de takken. Naarmate het pad verder naar het oosten liep, werd de vallei smaller en dieper: rechts kwam de rivier dichterbij, aan de linkerkant werd de heuvel steiler.

Een paar honderd meter verder langs het pad, halverwege tussen Moor Park en de ruïne van het cisterciënzerklooster van Waverley Abbey, lag een diepe grot in het zandsteen, waarvan de toegang overgroeid was met afhangende wortels en gras; over de bodem van de grot liep een stroompje. De spelonk stond bekend als de Grot, of ook wel het Hol van Moeder Ludwell, of Ludlam, naar een heks die er ooit zou hebben gewoond. In deze grot had Jonathan Swift tegen het einde van de zeventiende eeuw zijn eerste liefde het hof gemaakt, Esther Johnson, de dochter van sir William Temples huishoudster. Swift schreef een ode aan de bron waar Esther en hij elkaar plachten te ontmoeten, en kende de bron de rol toe van oorsprong van een intiem en sensueel landschap: 'De weiden doorweven met zilveren stromen,/ Het krullend struikgewas en de hogere bomen.'

Isabella en Edward kozen een van de paden die boven de grot tussen de bomen door de helling op liepen en kwamen uit op de top, bij velden met varens, stekelbrem en heide. Aan de ene kant lagen de overblijfselen van Waverley Abbey, aan de andere kant waren velden rijpe hop en de met varens begroeide heidevelden van Farnham. De wind voerde de frisse geur van Schotse dennen mee en de indringende marmeladegeur van jonge douglassparren.

'Ten slotte vroeg ik of we even konden rusten,' schreef Isabella, 'en we gingen op een plaid de *Athenaeum* zitten lezen terwijl we wat zaten te keuvelen. Er was iets ongewoons aan zijn manier van doen, iets in zijn stem en zijn blik wat vriendelijker was dan anders, maar ik wist niet waar het vandaan kwam en praatte vrolijk verder. Ik nam de leiding van het gesprek – we praatten over Goethe, vrouwenkleding en over wat gepast en geschikt was.' Isabella's scherts met Edward fladderde heen en weer tussen het intellectuele en het lichtzinnige, tussen zaken van de geest en zaken van het lichaam, tussen verlangen en fatsoen. Haar toespeling op Goethe was suggestief. Het verhaal in Goethes beroemdste roman, *Die Leiden des jungen Werther*, werd namelijk verteld door een jonge man die geobsedeerd is door de vrouw van zijn vriend, terwijl zijn boek *Die Wahlverwandtschaften*, dat begin 1854 in het Engels was vertaald, de aantrekkingskracht over en weer verkende tussen twee stellen in een landhuis. In het nummer van *Athenaeum* van 23 september stond een bespreking van Goethes liefdespoëzie, waarin de recensent zich verbeeldde hoe vrouwelijke lezers over de dichter zouden oordelen: 'Schuldig – een verschrikkelijke charmeur'.

'We liepen verder,' vervolgde Isabella, 'en gingen nogmaals zitten op een open plek van ongeëvenaarde schoonheid. De zon scheen warm op ons neer, de gele en bruine varens strekten zich onder ons uit, mooie oude bomen in groepjes tooiden het nabije terrein en in de verte blonken de blauwe heuvels. Ik gaf mezelf over aan genot. Ik leunde achterover tegen een paar stevige, droge heidestruiken en lachte en praatte zoals ik in dit gezelschap nog maar zelden had gedaan.' Terwijl ze zich genoeglijk uit-

strekte tussen de heesters, leek de natuur met haar samen te zwe-
ren: de zon verwarmde haar huid, de bomen en de heuvels sier-
den het uitzicht, de heide gaf mee aan haar lichaam.

En toen gebeurde er iets bijzonders: de fantasieën die Isabella
in haar dagboek had gekoesterd staken over naar het echte leven.
'Plotseling,' schreef ze, 'net toen ik een grapje over het slechte geheugen van mijn metgezel maakte, boog hij zich naar me toe en
riep uit: "Als u dat nog eens zegt, ga ik u kussen." Je kunt je voorstellen dat ik me daar niet tegen verweerde – hoe vaak had ik niet
gedroomd van hem en dit hoogtepunt?' Toen de dokter haar kuste vielen de onzekerheid en de plagerijen weg en werd Isabella
overvallen door een meeslepende duizeling. Ze was een wereld
binnengegaan waarin dromen werkelijkheid waren geworden en
de werkelijkheid dienovereenkomstig onwezenlijk. 'Wat er toen
gebeurde kan ik me nauwelijks herinneren – hartstochtelijke
kussen, zacht gefluisterde woorden, bekentenissen uit het verleden. O God! Ik had niet verwacht dat ik dit ooit nog zou meema-
ken of dat mijn liefde beantwoord zou worden. Maar zo was het.
Hij was zenuwachtig en in de war en even gretig als ik.

Uiteindelijk stonden we weer op,' schreef ze, 'en liepen we
verder, blij en bang, vrijwel zonder iets te zeggen. We slenterden
maar wat rond, naar een groepje pijnbomen, en zagen daar net
zo'n uitzicht als aan deze kant, maar dan ruiger.'

Toen ze weer afdaalden naar het park zagen ze de gezusters
Brown, kennissen uit Edinburgh die ook in het huis verbleven.
Isabella en Edward 'achtten het raadzaam rustig naar hen toe te
lopen. Ze hadden niets gemerkt – we waren veilig. We dwongen
onszelf tot een gesprek en het lukte ons alle verdenking weg te
nemen; we kwamen wel samen thuis, maar waren aan de late
kant voor het middageten.'

Isabella ging naar haar kamer om zich gereed te maken voor
het eten. Ze was 'uitgelaten en opgewonden' toen ze naar de eetzaal ging, zei ze, 'en dokter L en ik keken elkaar volstrekt niet
aan en zeiden niets tegen elkaar'. Tot haar opluchting zat er een
medepatiënt – 'mijnheer S.' – naast haar aan tafel die met haar
praatte, en naderhand brachten zij en de kinderen hem samen
met Edward en Mary Lane in een rijtuig naar de trein. Ze koes-

terde haar geheim. 'We zaten nogal dicht op elkaar, maar vanbinnen gloeide een gevoel van heimelijk geluk en tevredenheid. We keuvelden op de terugweg over dingen die er niet toe deden en de lieve, argeloze mevrouw L. zat achterin met haar prachtige baby, die onder haar jas lag te slapen.'

's Middags trof Isabella Mary Lane en Otway op het stalerf en 'verloor algauw iedereen uit het oog' behalve Stanley, wiens kindermeisje vrijaf had. Haar jongste zoon holde heen en weer in haar kamer tot het donker werd. Daarna ging ze 'op bed liggen doezelen, tamelijk overweldigd door herinneringen'. Iemand bracht haar een kaars om zich bij aan te kleden voor het avondeten en ze koos een jurk van lichtblauwe zijde. Ze 'zag er goed uit', schreef ze. 'Ik ving zijn blik op toen ik (bij het luiden van de gong) naar de eetzaal ging, en ik wist dat er op me werd gelet.'

Na de thee 'ging de tijd wat onsamenhangend voorbij'. De meeste gasten waren naar de zitkamer op de eerste verdieping gegaan, maar Isabella bleef beneden hangen. 'Ik liep wat met Alfred in de hal, niet genegen naar boven te gaan voor het geval ik hem niet meer alleen zou treffen.' Ten slotte nodigde lady Drysdale haar uit om in de bibliotheek te komen zitten en daar vond Edward haar toen hij vanaf het stalerf het huis binnenkwam. Hij had het 'koud, hij rilde, hij was zenuwachtig, ziek', zei Isabella. Alfred ging naar boven om naar een van de gezusters Brown te luisteren die een spookverhaal voorlas. Edward en Isabella gingen naar de studeerkamer.

De studeerkamer van de dokter was een hoekkamer die aan de eetzaal grensde, met ramen die aan een kant uitzagen op de rivier en aan de andere kant op de zonnewijzer van sir William Temple. 's Avonds, als de luiken en deuren dicht waren en er een vuur brandde in de haard, was het er knus en warm. De muren en deuren waren bedekt met horizontale panelen van rood, mooi gemarmerd hout, zo glad en ononderbroken dat de deuren leken te verdwijnen als je ze dichtdeed — alleen een smalle groef in de panelen en de opgepoetste glanzende deurknoppen verraadden hun aanwezigheid. Achter elke half verborgen deur bevond zich nog een deur; de ruimte tussen beide deuren was zo diep als een kast. Daardoor werd al het geluid in de rest van het huis buiten-, en al het geluid in de studeerkamer binnengesloten.

Edward en Isabella gingen bij het vuur zitten. 'Hoe de avond precies voorbijging weet ik niet,' schreef Isabella, alsof ze alle besef van tijd en van zichzelf was kwijtgeraakt. 'Ze was vol van een hartstochtelijke opwinding met lange kussen en gespannen gewaarwordingen, niet geheel vrij van de vrees gestoord te worden. Maar gelukzaligheid overheerste. [Edward] was bijzonder teder, nam mijn gespannenheid weg en vergat geen moment dat hij een heer was en een beminnelijke vriend.' Op een gegeven moment klopte Alfred op de deur van de studeerkamer en onderbrak hun liefdesspel; hij vertelde de dokter dat een van diens zoons had gevraagd of zijn vader hem naar bed wilde komen brengen. Edward ging naar boven – 'met tegenzin', zei Isabella. Toen hij terugkwam was ze in onmacht gevallen. 'Zachtjes kuste hij mijn gesloten ogen,' schreef ze. 'Ik probeerde mijn hoofd op te tillen, maar vergeefs.' Hij maakte zich zorgen: 'ten slotte, doodsbenauwd dat er onverwacht iemand binnen zou komen, raadde hij me aan om weg te gaan. Ik bracht mijn in de war geraakte haar in orde en een ogenblik later was ik in de zitkamer; het was half tien. Gelukkig waren er maar een paar andere gasten. Niemand kon met recht vragen stellen over mijn afwezigheid of mijn voorkomen.'

In de zitkamer hield Isabella zich bezig met het bestuderen van een boek over handtekeningen en een praatje met een andere gast. Edward en Mary kwamen samen binnen en even later verscheen ook lady Drysdale. 'Wat een ontsnapping! Wat kon ik nu kalm acte de présence geven! Er ontspon zich een gesprek over algemene zaken. Ik draaide me om om te luisteren en dokter Lane declameerde voor juffrouw B. een paar van de mooiste odes van Byron. Toen ze weggingen stond ik ook op en glipte weg terwijl dokter L. me een stevige hand gaf, zo stevig dat hij met zijn ringen mijn vingers kneusde – ik bleef het nog een uur voelen.' Edward drukte de ringen in haar vlees alsof hij haar bewust wilde maken van de kracht van zijn verlangen, de werkelijkheid van hun nieuwe verbond. Andermaal werd ze overweldigd door de herinnering aan wat er was gebeurd, en er trok een zweem van angst over haar gelukzaligheid.

'Eilaas!' zo eindigde de aantekening van 7 oktober. 'Ik sliep niet veel meer die nacht, werd wakker, stond op, droomde – langzaam brak de dag aan.'

De volgende morgen was Isabella uitgeput. Op haar kamer hoorde ze Edward met zijn vrouw praten. Later kwam hij haar kamer binnen om haar een lange brief te laten lezen die hij aan een aanstaande patiënt in Edinburgh had geschreven. 'Het was een goede brief,' tekende ze op. Ze ging weer terug naar bed. 'Ik lag op bed, afgemat, uitgeput, zenuwachtig. Om half een kwam hij aan de deur en nodigde me uit om op te staan en een wandelingetje te maken; ik sloeg het aanbod af en dommelde verder.' Niet lang daarna kwam Mary even bij haar langs en besloot Isabella zich aan te kleden.

Isabella 'ging langzaamaan naar buiten' om zich bij Edward te voegen. Ze liepen elkaar onder aan de trap tegen het lijf en 'kuierden samen naar buiten, wandelden over het terrein en langs het water, maar zeiden niet veel tegen elkaar, want we waren allebei doodmoe en voelden ons slapjes. Ik zei dat ik niet geslapen had; hij zei dat hij pijn had en nauwelijks nog vooruitkwam. We waren allebei geagiteerd, in de war en zenuwachtig, en ik vroeg hem hoe het kwam dat hij zich die zondag zo had gedragen.' Isabella stelde voor uit het rustige, nauwe dal te klimmen. 'Ik opperde van het terrein af te gaan (daar de lucht er warm en vochtig was) en op de heuvel in de wind te gaan lopen. We klommen langzaam omhoog en ik rustte uit tussen de droge varens. Ik vertel niet wat er daarna gebeurde.'

Met haar weigering haar intiemste ogenblikken te beschrijven bleef Isabella trouw aan een wel heel afgezaagde literaire conventie. De pas verloofde heldin uit Fanny Burneys roman *Evelina* (1778) verklaart plechtig: 'Ik kan het tafereel dat volgde niet beschrijven, al staat ieder woord in mijn hart gegrift.' De formulering gaf aan dat er handelingen en gevoelens bestonden die te gewijd waren – of te onbehoorlijk – om aan papier te worden toevertrouwd; sensualiteit en fatsoen werden weggelaten, een soort truc die de verlegen heldin in staat stelde met haar zwijgen tegelijkertijd hartstochtelijk en wellevend te zijn – enerzijds om haar privacy en die van haar minnaar te bewaren, anderzijds uit eerbied voor de fijngevoeligheid van de lezer.

Isabella en Edward 'stonden algauw weer op, kalmer en vrolijker', en gingen 'vlug, uit angst te laat te komen' terug naar huis. Onder het middageten ging Isabella het gesprek met Edward weer uit de weg: 'Ik praatte zo veel mogelijk met lady Drysdale, want er waren niet zo veel anderen; ik keerde hem de rug toe en liet hem over aan juffrouw T.' Daarna maakte ze 'een mooie, lange rit' in een rijtuig met Edward naar de verlaten abdij in Waverley, met de gezusters Brown achterin.

❀

Twee dagen later – op woensdag 10 oktober 1854, Edwards eenendertigste verjaardag – zou Isabella weer vertrekken. Edward en zij wandelden over het terrein; de dokter bleef even staan om met een andere patiënt te praten en voegde zich toen weer bij Isabella en haar oudste zoon 'bij het begrenzende hek'. Ze liepen naar het bos 'en liepen het gewone rondje, langs paden van een schoonheid die ik nog niet eerder had gezien, tot we bij het buitenste dennenbos kwamen; daarna liepen we via het cottage van Swift en het lage pad terug'. Het gebouw dat bekendstond als Swifts cottage was het vroegere huis van zijn beminde Esther dat aan de hoofdweg tussen Moor Park en Waverley lag. In 1854 werd het cottage omringd door rozenstruiken en was het overdekt met mos, clematis en wilde wingerd; buiten hing een bord met 'gemberbier te koop'.

'We praatten met de grootst mogelijke vertrouwelijkheid, maar nu wat bedaarder,' schreef Isabella. 'Ik smeekte hem te geloven dat ik sinds mijn huwelijk niet eenmaal zelfs maar de geringste overtreding had begaan. Hij troostte me om wat ik nu had gedaan en drukte me op het hart mezelf te vergeven. Hij zei dat hij me altijd graag had gemogen en met medelijden had bedacht hoe ik werd afgedankt, want mijn echtgenoot was overduidelijk niet de juiste persoon voor me en was, zoals hij duidelijk kon zien, opvliegend en onbeminnelijk van aard.'

Edward herinnerde Isabella aan zijn eigen kwetsbare positie: 'we praatten over zijn leeftijd – eenendertig pas – en het lieve, argeloze karakter van zijn vrouw, voor wie hij nog liever zijn rechterhand zou afhakken dan haar pijn te doen.' Ze bespraken juist Isabella's ongelukkigheid – 'mijn vaak bittere ellende en mijn verlangen naar de dood' – toen lady Drysdale en Mary Lane verschenen. Ze kwamen Isabella vragen of ze wilde dat er een sjees werd besproken om haar naar het station te brengen. De vrouw van de dokter en zijn schoonmoeder waren even warm en vol vertrouwen als altijd: 'ze namen gemoedelijk nota van mijn besluit om rond een uur of zeven te vertrekken en gingen weer weg zonder één koele of geërgerde blik; en toch liepen we arm in arm door die eenzame bossen zo ernstig te praten'.

Diezelfde avond gingen Isabella en Edward om zeven uur in een overhuifd rijtuigje met één paard ervoor op weg naar het station van Ash: Edward en zij zaten in het benauwde koetsje en Alfred zat op de bok bij de koetsier. Haar andere zoons waren er niet bij – wellicht waren ze al vooruitgegaan met het kindermeisje.

'Ik heb nog nooit zo'n gelukzaligheid beleefd als in dat uur,' schreef Isabella, 'vol van een genot zo groot dat ik bereid was te sterven om nooit meer te ontwaken. Ik zal niet ALLES vertellen wat er gebeurde – laat me volstaan met te zeggen dat ik ten slotte in stille vreugde in de armen lag van wie ik zo vaak had gedroomd en dat ik die krullen kuste en dat zachte gezicht – zo stralend van schoonheid – dat mijn naar buiten gerichte en mijn innerlijke blik al had verblind sinds ons eerste gesprek, op 15 november 1850.' Toen hij haar kuste leek Edward te smelten tot een warreling van zachte krullen en huid, en de man van vlees en bloed viel samen met het idool van haar dromen.

Tussen het kussen door namen ze elkaar in vertrouwen. 'Alle vorige gelegenheden kwamen aan de orde en werden geanalyseerd,' schreef Isabella. Edward vertelde dat hij zijn ware gevoelens had onderdrukt, 'om reden van voorzichtigheid', en dat het onderdrukken hem 'veel verdriet' had gedaan. Isabella herinnerde hem aan enkele zinnen uit de Franse roman *Paul et Virgi-*

nie die ze de gasten op Moor Park had voorgelezen, en ze bekende dat ze die had uitgekozen als boodschap aan hem. De roman van Jacques-Henri Bernardin de Saint-Pierre uit 1787 beschreef een grote liefde tussen een meisje en een jongen die samen op Mauritius worden opgevoed; een van hen gaat dood en de ander sterft van verdriet.

'Edward wist al die tijd al dat ik hem aardig vond,' ging Isabella verder, 'maar niet hoe diep dat gevoel was, en hij erkende dat het nooit ongepast was uitgedrukt. Dat luchtte me op. De hemel zelf kon niet gezegender zijn dan die momenten. Al zal het leven voorbijgaan, de herinnering zal niet verdwijnen uit een geheugen dat vol is van veel leed en weinig vreugde; wat was hij toch aardig en fatsoenlijk – zo weinig zelfzuchtig!'

Hoewel Isabella een romantische, tedere scène schilderde, was het decor onmiskenbaar suspect. In het laatachttiende-eeuwse handboek voor prostituees, *Harris's List of Covent Garden Ladies: Or a Man of Pleasure's Kalender for the Year*, werden koetsjes aanbevolen voor clandestiene afspraakjes: 'de deinende beweging van de koets, met de aangename, toevallige schokjes, draagt in aanzienlijke mate bij tot een groter genot op het kritieke ogenblik, als alles zijn juiste plaats heeft gevonden'. In 1838, berichtte de *Crim Con Gazette*, waren de Londense aapjeskoetsiers zo geschoffeerd door het zedeloze gedrag in hun voertuigen, dat ze voorstelden om plezier en privacy te beknotten door hun koetsen te ontdoen van luiken en kussens. Isabella's gedrag in het rijtuig was bepaald schaamteloos: er zat een kind op de bok – haar eigen zoon – terwijl Edward Lane en zij binnen zaten te fluisteren en elkaar betastten.

Terwijl Isabella ingetogen over deze taferelen in haar dagboek zat te schrijven, misschien wel in het zicht van haar man en kinderen, kon niemand vermoeden wat voor beelden er door haar hoofd en haar dagboek tolden. Door haar ontmoetingen in haar geheime boek vast te leggen, herschiep ze de sensatie van de overtreding, van het genot dat verhoogd werd door het gevaar van ontdekking.

HOOFDSTUK ZES

DE TOEKOMST EEN SCHRIKBEELD

Boulogne en Moor Park, 1854-1856

Eind oktober 1854, enkele weken na haar rendez-vous met Edward Lane, reisden Isabella en haar gezin van Engeland naar de Franse havenstad Boulogne-sur-Mer, waar ze een huis hadden gehuurd voor de winter. In de haven van Boulogne werden de passagiers van de stoomboot het gebouw van de douane ingejaagd om hun paspoorten te laten controleren, en vervolgens werden ze op de kade begroet door een menigte luidruchtige vertegenwoordigers van de hotels en pensions: 'Hôtel de l'Europe! Hôtel des Bains! Hôtel du Londres!' Verderop zaten vissers op de pier hun vis te sorteren en hun netten te boeten.

Samen met Henry en hun zoons nam Isabella haar intrek in een huis van drie verdiepingen op 21 rue du Jeu de Paume. Het gebouw maakte deel uit van een steil aflopende rij huizen aan de noordkant van de Jardins Tintelleries, een smaakvol park op een helling, waar chique, in zijde en satijn geklede Engelse emigranten 's middags liepen te wandelen. 'We hebben ons voor de winter aan een prettig plein gevestigd,' schreef Isabella aan George Combe, '& de jongens krijgen regelmatig les op de grootste school van de stad.' Na het ontslag van John Thom waren Alfred en Otway een tijdje in Berkshire naar school gegaan. Nu voegden ze zich bij een grote groep Engelse jongens op de gemeentelijke middelbare school, een gematigd progressieve instelling waar ze zich zouden bekwamen in het Frans, zoals hun ouders wilden.

Er woonden meer dan zevenduizend Engelsen in Boulogne, een kwart van de totale bevolking, en per jaar staken er vanuit Folkestone nog eens honderdduizend over voor een bezoekje. Vergeleken met andere steden in het noorden van Frankrijk was Boulogne een levendige, zelfs mondaine stad, en op het vasteland was het leven goedkoper dan in Engeland. Het hoogseizoen viel in de herfst, wanneer de lucht blauwer leek aan deze kant van het Kanaal dan aan de overkant. Er waren twee Engelse kerken in Boulogne, twee Engelse clubs (met een biljart, kaarttafels en Engelse kranten) en twee Engelse leeszalen en uitleenbibliotheken. Onder de Engelse bezoekers bevonden zich losbandige types, vastbesloten om aan schulden of schandalen te ontkomen; andere kwamen naar Boulogne om te herstellen van een ziekte. Door zijn gezin hiernaartoe te brengen terwijl het nieuwe huis in Berkshire werd afgebouwd, hoopte Henry het welzijn van zijn vrouw, de opleiding van zijn zoons en zijn financiële situatie te verbeteren.

Een maand voor de Robinsons aankwamen, verbleef Charles Dickens in Boulogne. Hij verklaarde de aantrekkingskracht van het oord in het novembernummer van zijn tijdschrift *Household Words*. 'Het is een stralende, luchtige, plezierige, vrolijke stad; en als u zo tegen vijf uur 's middags een van de drie hoofdstraten zou aflopen, wanneer de lucht vol is van verrukkelijke etensgeuren, en door de ramen van de hotels (de stad stikt van de hotels) een glimp opving van lange gedekte tafels die men een weelderig uiterlijk heeft gegeven met in waaiers gevouwen servetten, dan zou u met recht oordelen dat dit een ongemeen goede stad is om in te eten en te drinken.' Op de boulevard tuurden bezoekers door telescopen naar de Engelse krijtrotsen aan de overkant van het water. Bij mooi weer werden ze vanaf het strand in houten badkoetsjes de zee in gereden. Dickens was vooral gecharmeerd van de visserswijk van Boulogne, 'waar grote, bruine netten dwars in de nauwe, oplopende straten hingen'. Boven de daken krijsten meeuwen en de vislucht woei in vlagen door de steegjes.

De straat waaraan de Robinsons woonden liep omhoog naar de oude, ommuurde stad op de top van de heuvel; Dickens vergeleek de oude stad met een sprookjeskasteel, de omringende huizen als bonenstaken in de diepe straten geworteld. De stad leek vol kinderen, merkte hij op: 'Engelse kinderen, met gouvernantes die romannetjes lezen terwijl ze over de lommerrijke lanen op en neer lopen, of kindermeisjes die nieuwtjes uitwisselen op de bankjes; Franse kinderen met hun glimlachende *bonnes* met sneeuwwitte kapjes.' Alfred, Otway en Stanley sloten zich bij hen aan.

Een reeks stormen die in november de kust van Noord-Frankrijk teisterde markeerde het begin van een bitterkoude winter. Henry ging terug naar Engeland, waar hij het grootste deel van de maanden daarna doorbracht met toezicht houden op zijn bedrijf in Londen en de bouw van het huis in Caversham. Het weer was er nog guurder dan in Frankrijk: de Theems vroor dicht en door de vorst schoot het in Berkshire niet op met de bouw. Toen Henry in februari 1855 een paar dagen in Boulogne was, vertelde hij zijn vrouw dat ze hun nieuwe huis niet voor juni konden betrekken.

Misschien hoopte Isabelle in Boulogne te ontsnappen aan de kleingeestige beperkingen van Berkshire, maar ze voelde zich er verschrikkelijk geïsoleerd. Edward schreef haar zelden, en in haar dagboek beweende ze haar 'onfortuinlijke neiging zich vast te klampen aan schimmen en wanen'. In haar brieven aan George Combe schreef ze haar neerslachtigheid toe aan spirituele radeloosheid. Zonder de steun van het geloof in God, deelde ze hem mee, wist ze niet waar ze troost of zingeving moest zoeken – ze had 'niets van enige schittering, glorie of troost' dat in de plaats kon komen van de hoop op een Hemel. Er school een verwijt in haar smeekbede: door Combes rationele principes te volgen, had ze slechts leegte gevonden. Mensen zoals hij, die grote dingen tot stand brachten, konden 'zichzelf troosten met het gevoel dat ze niet voor niets hadden geleefd', schreef ze, maar zijzelf en talloze andere vrouwen, 'die louter bestaan in stilte, die kinderen grootbrengen (mogelijkerwijs), die in de doelloze voetsporen treden van degenen die hun voorgingen – welk motief, welke hoop zal *sterk* genoeg blijken om hen in staat te stellen beproevingen te verdragen, scheidingen, ouderdom & de dood zelf?' Ze gaf geen specifieke reden voor haar wanhoop, maar de 'beproevingen' en 'scheidingen' waarover ze schreef waren bedekte verwijzingen naar haar scheiding van Edward. Ze voegde eraan toe: 'Het lijkt me beter om helemaal nooit te hebben geleefd, dan om in *onwetendheid* en verwarring de weg naar het land van vernietiging af te leggen.'

Ze verontschuldigde zich voor haar somberheid: 'beste mijnheer Combe, ik vraag u om vergeving voor dit alles. Ik denk dat u me zult zeggen dat ik ziek ben – & dat ik deze kwesties daardoor niet goed kan beoordelen; of dat andere geesten, die beter zijn toegerust, er anders over denken dan ik.' Ze had echter niemand anders die ze om hulp kon vragen: 'alleen van u vraag ik lering, of verwijten'.

Combe schreef per omgaande terug: 'Ben je lichamelijk gezond?' vroeg hij. 'Een oog dat door geelzucht wordt beïnvloed ziet alles geel, en een neerslachtig organisme beschouwt de ganse schepping als duister & weinig troostrijk. Dit treft de orthodoxe gelovigen evenzeer als jou. In hun dagboeken zou je kunnen lezen hoe zij, in een dergelijke gezondheidstoestand, wanhopen aan de verlossing; & nog ongelukkiger worden dan jij, want de hel opent reeds zijn kaken; en in jouw geval zijn *de poorten daarvan* tenminste gesloten.' Combe benadrukte dat de angst van de gelovige voor de Hel veel groter was dan haar vrees voor het 'land van vernietiging'. Hij raadde haar aan niet zo veel na te denken: 'intellect alleen vult de leegte van onvervuld verlangen niet'. In praktisch opzicht raadde hij haar enigszins hypocriet aan haar energie om te zetten in liefdadigheid. Om zichzelf af te leiden, zei hij, moest ze iets nuttigs gaan doen – net als de nonnen die in ziekenhuizen werkten. 'Om gelukkig te zijn moeten wij belangeloos liefhebben, en wij moeten onze liefde betuigen met goede daden.'

Misschien had Combe het voorbeeld van Florence Nightingale voor ogen, een kennis van zijn grote vriend sir James Clark, die in 1853 aan haar benauwde bestaan was ontsnapt door een opleiding tot verpleegster te volgen bij de Zusters van Liefdadigheid in Parijs. Mejuffrouw Nightingale was dezelfde filosofie toegedaan als Edward Lane: 'Alleen de natuur geneest,' zei ze; 'de verpleging dient (...) de patiënt in de meest gunstige toestand te brengen waarin de natuur haar werk kan doen.' Op 10 oktober

1854 – de dag in Isabella's dagboek waarop de kussen in het rijtuig staan beschreven – ging Nightingale van huis voor de eerste etappe van haar uitzending naar de Krim, waar Engeland, Frankrijk en Turkije sinds de lente in oorlog waren met Rusland. De gevechten laaiden op en toen ze in Constantinopel aankwam, waren de Engelse troepen vernederend verslagen bij Balaklava. Het nieuws over haar werk onder de gewonden bereikte Engeland begin november.

Een nog intiemere kennis van George Combe had echter toegegeven aan haar amoureuze gevoelens. In juli 1854 was Marian Evans ervandoor gegaan naar Duitsland met George Henry Lewes, een getrouwde man die al lange tijd vervreemd was van zijn vrouw. Evans en Lewes waren boegbeelden van het seculiere en progressieve denken in Engeland, en hun gedrag dreigde de filosofie van hun kringen in opspraak te brengen. Combe was 'ten diepste gekrenkt en verontrust' toen hij hoorde van de schaking. Hij was ook verbaasd, aangezien een onderzoek aan de schedel van mejuffrouw Evans in de jaren 1840 geen aanwijzingen had opgeleverd van een overmaat aan Zinnelijkheid (zoals ze zelf had verwacht), maar aan Aanhankelijkheid. In november, dezelfde maand waarin hij Isabella's brief beantwoordde, schreef Combe aan een gemeenschappelijke vriend: 'Ik zou weleens willen weten of er krankzinnigheid voorkomt in de familie van mejuffrouw Evans; want haar gedrag, met háár hersenen, komt me voor als een ziekelijke, geestelijke afwijking.' Lewes en zij hadden 'de zaak van de vrijheid van godsdienst naar mijn mening grote schade toegebracht door hun pragmatische optreden'. Hun gedrag deed vermoeden dat progressief denken leidde tot morele anarchie.

George Drysdale legde intussen de laatste hand aan zijn boek *Physical, Sexual, and Natural Religion*, waar hij vier jaar aan gewerkt had. Het boek bevestigde niet alleen het verband tussen vrije gedachten en vrije liefde, maar huldigde dat ook. Dit handboek van 450 bladzijden over anticonceptie, geslachtsziekten en geboortebeperking werd in december 1854 gedrukt door de radicale uitgever Edward Truelove. Het boek werd in *People's Paper* verwelkomd als een 'bijbel van het lichaam' en in de voornaamste kranten verketterd als een 'bijbel van het bordeel'. Om zijn familie te beschermen hield George zijn auteurschap geheim; op de titelpagina stond hij vermeld als 'een student in de medicijnen'. In het boek waren ook George' eigen herinneringen aan zijn pijnlijke jeugd verwerkt als casestudy, verteld in de derde persoon.

Waar hij als jongeman door schaamte werd verlamd, had George zich nu van zijn remmingen bevrijd. Hij beweerde dat seksueel verlangen iets natuurlijks was, bij mannen én vrouwen, en dat dit verlangen bevredigd moest worden. 'Ieder mens,' schreef hij, 'zou zich gewetensvol ten doel moeten stellen voldoende liefde te ontvangen om aan de seksuele eisen van zijn of haar natuur tegemoet te komen, en erop toe moeten zien dat ook anderen daarvan worden voorzien.' Hij zei dat veel vrouwen ziek werden doordat ze niet genoeg geslachtsgemeenschap hadden: 'als we de vrouwelijke organen niet kunnen voorzien van hun rechtmatige natuurlijke stimuli en een gezonde, natuurlijke mate van lichaamsbeweging, zullen vrouwenkwalen overal om ons heen de kop opsteken'. George beweerde dat 'een sterk seksueel verlangen' in vrouwen evenzeer als in mannen 'een zeer grote deugd is... Als men kuisheid moet blijven beschouwen als de hoogste vrouwelijke deugd, dan is het onmogelijk om een vrouw waarachtige vrijheid te geven.'

Masturbatie was onder vrouwen even gewoon als onder mannen, zei George, en even schadelijk. Hij beschreef het 'kwaadaardige effect' dat gepaard ging met het 'opsluiten' van de natuurlijke hartstochten 'in de duistere krochten van de geest'. Hij spoorde zijn lezers aan tot het gebruik van anticonceptietechnieken, zodat ze van regelmatige gemeenschap konden genieten in plaats van hun toevlucht te nemen tot onanie. Om zwangerschap te voorkomen raadde hij aan gemeenschap te hebben rond de achtste dag na de menstruatie (per abuis noemde hij een uiterst vruchtbare periode); of de penis terug te trekken voor de ejaculatie (hoewel hij ervoor waarschuwde dat deze methode dezelfde risico's met zich meebracht als masturbatie); of de vagina direct na de gemeenschap uit te spoelen met warm water; of (zijn favoriete methode) de baarmoederhals vooraf te blokkeren met een spons. Hij was ook een pleitbezorger van het condoom van schapendarm, 'een kunstmatige schede voor de penis, gemaakt van een zeer fijn vlies'.

Het gebruik van zulke middelen tartte de christelijke leer, volgens welke het doel van seks niet genot was, maar voortplanting. George Drysdale verdedigde anticonceptie met een verwijzing naar *An Essay on the Principle of Population* (1798), een invloedrijk boek van dominee Thomas Malthus; deze waarschuwde voor een rampzalige overbevolking van de aarde die alleen door effectief beteugelen van de voortplanting kon worden voorkomen. Anticonceptie, zo beweerde George, kon armoede, geslachtsziekten en erotische frustraties uitroeien. Malthus had onthouding van gemeenschap aanbevolen, maar veel Victoriaanse liberalen pasten zijn argumenten aan ter verdediging van anticonceptie. Onder de neomalthusianen die in de jaren 1850 op Moor Park bij elkaar kwamen waren George Combe, de psycholoog Alexander Bain en James Stuart Laurie, een onderwijsinspecteur die John Thom bij de Robinsons had aanbevolen.

George Drysdale had een verbazingwekkend vrijmoedig en vreugdevol manifest voor seksuele vrijheid geschreven, wat ongeëvenaard was binnen de Victoriaanse literatuur, ook al ging het ervan uit dat onanie een kwaad was dat bestreden moest worden. Maar voor een getrouwde vrouw uit de middenklasse zoals Isabella had het weinig nut: zij kon niet doen wat George had gedaan, en anderen ervoor betalen om haar seksuele behoeften te bevredigen.

Op 29 januari 1855 stond Isabella om acht uur op, 'niet al te wel', na een verwarrende droom waarin ze weer kind was en samen met haar moeder, vader en een van haar broers in een tuin wandelde. De droom herinnerde haar eraan dat ze nu zelf 'van middelbare leeftijd was; mijn moeder is oud en gebrekkig, mijn vader ligt in het graf, mijn kinderen worden groot, en ik zou zelf de volgende zijn, over een paar jaar zou ik afgeleefd en stervende zijn'. Ze vreesde dat ze 'nooit het grote mysterie van het leven zou doorgronden', het zou 'slechts zijn alsof ik nooit had bestaan

– mijn gedachten, mijn liefde, mijn dromen, alles tot stof! Lieve God! Wat een waardeloze schijnvertoning lijkt dat geschonken leven – wat zou ik toch graag wensen dat mijn werk was gedaan en ik het kon laten rusten; voor mij was het leven geen zegen geweest.'

Ze gaf anderen de schuld van haar slechte start – 'mijn jeugd werd verwoest door onverdraagzaamheid en onnozelheid, en een gebrek aan ideeën bij degenen die met mijn opvoeding waren belast' –, maar ze erkende ook dat haar eigen gedrag haar lot had bezegeld: 'eilaas! Al te laat betreur ik dwalingen die ik niet meer te boven kan komen; mijn ziel wordt verduisterd door berouw en bitterheid. Ik doe mijn best om mijn drie zoons op te voeden, slechts met flauwe hoop op succes; zij zouden beter af zijn bij anderen (met al mijn liefde voor hen)'. Het dagboek wilde Isabella nog weleens verleiden tot een ziekelijke ik-gerichtheid en haar in zijn duistere overpeinzingen trekken, zodat ze voor en achter zich niets anders zag dan leegte: 'Het verleden een woestenij, het heden doornig, de toekomst schrikwekkend, de eeuwigheid een leegte.'

Isabella's verjaardag was vaak aanleiding tot larmoyante gedachten. 'Mijn jeugd is welhaast voorbij,' schreef ze toen ze negenendertig werd: 'Ik huiver bij de gedachte aan de ouderdom die ik onder ogen moet zien!' Op 28 februari 1855, de dag na haar tweeënveertigste verjaardag, had ze 'een zeer pijnlijke droom van een laatste wandeling met dokter Lane, van een smartelijk vaarwel, van *ontdekking* en een schandelijke, ellendige *zwerftocht* door de wereld'. Dit was de eerste notitie in het dagboek waarin ze een toespeling maakte op de angst voor ontdekking – ze verbeeldde zich dat ze uit haar huis werd gezet en als een gevallen vrouw over de aarde moest zwerven. 'Werd wakker (1 maart) ondersteboven en ellendig,' voegde ze eraan toe, 'had de hele dag erge hoofdpijn.'

Tien jaar daarvoor was de Curwen-tak van Isabella's familie bijna zijn eer kwijtgeraakt door een seksschandaal. Isabella Curwen, die een volle nicht van haar was en net als zij de naam droeg van hun rijke en knappe grootmoeder, trouwde in 1830 met predikant John Wordsworth, rector van Moresby in Cumberland en de oudste zoon van de dichter William Wordsworth. Ze was 'een schat, rein van geest en beminnelijk', volgens haar nieuwe tante Dorothy Wordsworth, 'pijnlijk verlegen... en altijd opmerkelijk bescheiden'. In 1843 werd Isabella Wordsworth ziek nadat ze was bevallen van haar zesde kind; op aanraden van twee verloskundigen begaf ze zich naar Rome. Ze vroeg haar man of hij hun kinderen naar haar toe wilde brengen, en dat deed hij in de zomer van 1845. In december van dat jaar kreeg hun vierjarige zoontje koorts en stierf. John beschuldigde zijn vrouw ervan dat ze de dood van het kind had veroorzaakt en nam de andere kinderen mee. Isabella Wordsworth schreef een wanhopige brief aan haar ouders in Cumberland, waarin ze onthulde dat haar man een huis in Rome had gedeeld met een Italiaans meisje van zestien; John had het meisje plechtig – en op schrift – beloofd dat hij na de dood van zijn zieke echtgenote met haar zou trouwen en dat hij zijn bezit aan haar en hun toekomstige kinderen zou nalaten.

Henry Curwen was ontsteld over de 'grofheid' waarmee zijn dochter werd behandeld. In een brief aan zijn schoonzoon eiste hij dat die de kinderen weer terugbracht naar hun moeder en terstond terugkwam naar Cumberland. Zo niet, dan zou hij de bisschop op de hoogte stellen van Johns seksuele vergrijpen. Curwen schreef ook aan William Wordsworth – 'de arme oude dichter', zoals hij hem beschreef – om hem te vertellen van het schandelijke gedrag van zijn zoon. Allebei veranderden ze hun testament zodanig dat hun geld na hun overlijden automatisch in handen zou komen van hun kleinkinderen en niet in die van de ontrouwe John, en Curwen trof maatregelen om de huwelijksbelofte die John aan het Italiaanse meisje had gegeven af te kopen. In feite rekende hij af met de vrouw die in staat was de familie schande aan te doen, en chanteerde hij zijn schoonzoon opdat die zich zou gedragen. John Wordsworth schikte zich grotendeels naar Curwens eisen; nog niet het minste gerucht over het schandaal kwam in de openbaarheid. Isabella Wordsworth bleef in Italië terwijl haar kinderen over verschillende scholen werden verspreid. Ze stierf in 1848 in Bagni di Lucca. John Wordsworth hertrouwde drie keer; zijn wangedrag bleef geheim: door zijn vaders biografen werd hij beschreven als een plichtsgetrouwe sufferd.

Het stilhouden van overspel – omwille van kinderen, echtgenote, ouders en overige familie – was gangbaar binnen de hogere stand. In dat soort kringen, waar men een goede reputatie zo belangrijk vond, zouden de families van een bedrogen vrouw en haar man alles doen om eventueel wangedrag uit de openbaarheid te houden. Er golden andere normen wanneer de vrouw de regels overtrad, maar het principe bleef hetzelfde: als het verhaal binnen de familie bleef, kon men het vergrijp te boven komen. Alleen een openlijke uiting van zonde – een geschreven belofte of bekentenis – viel wellicht onmogelijk verborgen te houden.

Isabella bleef corresponderen met John Thom en Edward Lane. Hoewel de dokter lange tijd niets van zich liet horen, vertelde ze haar dagboek dat een 'lief, somber briefje' in april zijn verzuim 'bepaald goedmaakte'. Ze beantwoordde zijn berichtje met een 'mooie, lange, maar tamelijk droevige brief'. Ze verbeeldde zich dat ze elkaar in bedekte termen toevertrouwden hoezeer ze elkaar misten.

Ze vertelde Combe dat ze zijn raad had opgevolgd door zich met de opvoeding van haar kinderen te bemoeien. 'Ik zie nu actiever toe op de voortgang & het gedrag van mijn zoons dan toen ze in Engeland op school zaten,' schreef ze; '& als gevolg daarvan ben ik vrolijker. Ze hebben verscheidene meesters tijdens vrije uren, en ik help hen hun lessen voor te bereiden.' Onder deze nieuwe meesters bevond zich een jonge Franse leraar die Eugene Le Petit heette. Ondanks zijn middelmatig uiterlijk vond Isabella hem verleidelijk. Ze regelde dat ze zelf ook les van hem kreeg.

Op 9 april was Monsieur Le Petit 's ochtends een paar vertalingen aan het nakijken die hij Isabella als huiswerk had opgegeven. Hij 'ging pas weg om een uur of twaalf,' schreef ze; 'er was iets heel vriendelijks en bijna vrolijks in zijn manier van doen en hij zei dat hij het de vorige middag gezellig had gevonden. Hij zag er beter uit dan anders en ik merkte dat ik met mijn gewone aanhankelijke instelling meer met zijn aanwezigheid en goedkeuring bezig was dan bevorderlijk voor mijn rust.' Ze probeerde zichzelf tot rede te brengen: 'Dwaas hart, dat zo altijd weer zijn belangen en achting verraadt voor degenen die geen zier méér om je geven dan wat hun belang dient.'

Twee maanden later, kort voordat de Robinsons weer terug naar Engeland zouden gaan, gaf Le Petit de jongens les, waarna hij Isabella hielp een vertaling af te maken. Hij bleef nog lang, schreef ze op 9 juni, en 'de tijd vloog om', aangezien ze elkaar veel te vertellen hadden over religie, muziek en een nieuw boek van Frederick Gretton, een vertaler Latijn. Le Petit 'was erg vrolijk en aardig', schreef Isabella, 'en hij bekende dat hij ons erg zou missen'. Ze voegde eraan toe: 'ik had het gevoel dat dit waarschijnlijk meer gold voor mij dan voor hem. Zijn volstrekt koele gedrag verbaast me nogal: anderen (knapper dan hij) stelden mijn gezelschap op prijs, en waar ik hem zo veel en zo constant vriendelijkheid heb betoond, en waar dankbaarheid overduidelijk wordt gevoeld, is het verwonderlijk dat er soms geen warmere gevoelens overheersen'. Zonder dat Henry het wist had Isabella Le Petit een piano ter waarde van 30 pond en nog wat andere presentjes cadeau gedaan. Ze zei tegen zichzelf dat de koelte van de leraar wel goed uitkwam: 'Karakters kunnen nogal uiteenlopen,' schreef ze, 'en per slot is het maar goed ook dat hij over gematigdheid beschikt.'

In juni keerden Isabella en de jongens terug naar Engeland, waar ze hun intrek namen in Balmore House, de enorme witte villa die Henry in Caversham had laten bouwen. Aan de naam Balmore kleefde een zweem van grandeur door de associatie met Balmoral in Aberdeenshire, waar nog steeds werd gebouwd aan het kasteel voor de bouw waarvan koningin Victoria en de prinsgemaal in 1853 opdracht hadden gegeven. Henry's huis was in Italiaanse stijl gebouwd en was voorzien van een plantenkas, een sierlijke oranjerie, smeedijzeren balkons en terrassen, een koetshuis en stallen. Het had een fundering van beton op krijtrotsen, spouwmuren en een luchtkoker. Op de begane grond bevonden zich drie ontvangkamers, een studeerkamer en een boudoir (een eigen kamer voor Isabella); op de bovenverdiepingen waren acht slaapkamers, twee kleedkamers en een badkamer; de kelder bestond uit een personeelsverblijf en een keuken.

Zodra Isabella was aangekomen ging Henry naar Edward Lane op Moor Park om te regelen dat ze het kuuroord als patiënt zou kunnen bezoeken. Misschien leed ze inderdaad opnieuw aan een 'aandoening van de baarmoeder' die in 1849 in Blackheath was vastgesteld; of ze beweerde dat alleen maar om Edward weer te zien. Henry betaalde de dokter 10 pond en 10 shilling om Isabella twee weken watertherapie te geven.

Op donderdag 21 juni kwamen Isabella en haar oudste zoon Alfred op tijd voor de thee aan op Moor Park en werden zij hartelijk welkom geheten door lady Drysdale en Mary Lane. Edward kwam pas later thuis. Hij 'leek blij me te zien', zei Isabella, maar naarmate de dag verstreek maakte hij een onzekere indruk in haar gezelschap, slechts lauw verdergaand waar ze de voorafgaande herfst waren gebleven. 'We gingen samen naar de zonsondergang kijken en waren net op tijd op de heuvel. Ik had er al vaak met hem naar willen kijken, en nu was hij ziek en neerslachtig, had hij het koud en was hij verdrietig; hij kon er niet van genieten; in de tuin – we zaten in het tuinhuisje – hernieuwden we de vroegere liefde, maar niet zo opwindend.' Ze gingen weer naar binnen en zaten tot tien uur bedaard in zijn studeerkamer te praten.

'Ik acht zijn schoonheid hoog en stel zijn prestaties op prijs,' schreef ze in een ongedateerde notitie. 'Maar omdat ik zelf geen van die gaven heb, moet ik aanvaarden dat een zeker iemand mij over het hoofd ziet – veronachtzaamt, zo niet de rug toekeert. Zo zou ik een lelijk of onaantrekkelijk persoon ook behandelen, zelfs als die van me hield. Dat ligt in de menselijke aard.'

Zoals altijd kon ze zichzelf in haar slaap niet beheersen: ''s nachts werd ik in gelukzalige dromen herenigd met het idool van mijn ziel. We waren weer bij elkaar, net als vroeger, en de hereniging was zelfs nog tederder, want mijn liefde werd rijkelijk beantwoord. Ik had alles voor hem opgeofferd en zou zelfs voor hem kunnen sterven. Uur na uur lag ik zo te dromen en toen ik wakker werd, lag ik in een zalige toestand van semi-bewustzijn alles wat ik wilde genieten half te verwerkelijken, en met de laatste regels van Shelleys 'Epipsychidion' nagalmend in mijn oren – waar en onwaar – vermengden mijn hoop, mijn verlangens en de voorbije half-verwezenlijkte gelukzaligheid zich tot één zoet beeld. Ach! Waarom niet geheel verwezenlijkt?'

Het beruchte gedicht van Percy Bysshe Shelley bereikt zijn hoogtepunt in de hereniging van de dichter en zijn geliefde – 'Onze adem zal mengen, onze boezems verbonden,/ En onze aderen kloppen tezamen' –, maar Isabella's raadselachtige verwijzing naar haar 'half-verwezenlijkte' of half-gespeelde gelukzaligheid leek te duiden op een tekort wat betreft haar lichamelijke hereniging met de dokter: wellicht iets wat net geen orgasme of gemeenschap was geweest. Hoewel in Isabella's dagboek de aantekeningen van oktober 1854 erop wijzen dat Edward en zij gemeenschap hadden – op de open plek in het bos, in de studeerkamer en in het rijtuig –, zouden ze evengoed kunnen slaan op intense kussen en liefkozingen. 'De hele dag,' schreef ze, 'werd ik door deze droom achtervolgd. "Ik heb nog nooit zo van iemand gehouden als van jou, zowel in de geest als in den vleze," zei ik in mijn droom; en toen ik wakker was, werd dezelfde gedachte mij nog steeds ingefluisterd.'

Op zondag 24 juni maakten Isabella en Edward een wandeling naar de grot van Moeder Ludlam, waar ze praatten op een bankje bij de bron. 'Na lange tijd,' schreef ze, 'nam hij me mee naar de vallei waar we voor het eerst het genoegen van de liefde hadden gesmaakt', maar het landschap 'was veranderd, en hijzelf eveneens'. Ze 'hadden het alleen over banale dingen'.

De volgende dag kwam de dokter bij haar zitten, 'haalde uiteindelijk een boek met oude liederen tevoorschijn en zat heel dicht naast me terwijl hij het doorkeek'. Ze gingen samen naar buiten om een wandeling te maken, en in 'ons eigen prieel' lazen ze een lied van de radicale en losbandige Franse dichter Pierre-Jean de Béranger. Edward 'praatte over zijn gezondheid en zijn toekomst', schreef Isabella, 'maar hij was koel en droevig van geest. Slechts de schrijn van het idool dat ik ooit had aanbeden restte mij.' Niettemin, beweerde ze, 'was het genoeg voor mijn vrouwenhart'. Ze wandelden tot het donker werd en bekeken toen een paar prenten op zijn studeerkamer. Eindelijk werd daar iets van de oude hartstocht tot leven gewekt. Na 'een lange, hartstochtelijke, innige omhelzing' ging Isabella laat in de avond naar bed. Ze was 'danig opgewonden', schreef ze. 'Droom- de de hele nacht van hem, lag te verlangen en mijmeren en gloeien.'

In een andere, ongedateerde notitie was Edward weer gereser- veerd. Hij 'rookte een sigaar', tekende Isabella op, 'en we praatten over het toekomstig lot van de mens en over de wereld voor Adam'. Destijds debatteerde men over hoe men de beweringen van de geologie en die van het christendom met elkaar in over- eenstemming moest brengen: als er ooit een wereld had bestaan zonder menselijke bewoners, waar geologische vondsten op leken te wijzen, viel te verwachten dat het menselijk ras op een dag zou uitsterven. Maar terwijl Isabella met Edward zat te praten over een leeg verleden en een lege toekomst, merkte ze op dat hij haar ook uit zijn verleden en toekomst wiste. 'Er school romantiek in de omstandigheden waarin we wandelden,' schreef ze, 'maar niet in zijn manier van doen. Hij was nooit eerder zo koel tegen me. Hij was tijden en plaatsen vergeten waar ik samen met hem was geweest. Hij praatte koel, op een spottende, bijna egoïstische toon; en deze avond, die me met haar zoetheid bijna van mijn zin- nen beroofde en waarvan ik nog maanden had kunnen dromen, was voorbestemd om meteen, en ik denk voor altijd, elke talmen- de gedachte te ontmoedigen dat ik hem tenminste voor mij kon interesseren. Ik liep moe en geestelijk verpletterd aan zijn zijde, maar hij wist het niet.'

Isabella verliet Moor Park begin juli. Twee maanden later kwam ze weer langs om de broertjes Lane op te halen voor een uitje naar de kust, samen met haar eigen kinderen. Atty was er door een borstkwaal 'deerniswekkend slecht' aan toe, schreef ze, en Edward en Mary hadden het zelf te druk met hun gasten om hem mee te nemen naar de kust. Isabella bracht de broertjes Lane terug bij hun ouders op 10 oktober, de geboortedag van Edward, en ze bleef nog een paar dagen in het kuuroord. Mary had net het leven geschonken aan een vierde zoon, Walter Temple, waarschijnlijk genoemd naar sir William Temple van Moor Park.

Toen Isabella Edward op 10 oktober 's avonds alleen trof, verontschuldigde ze zich omdat ze hem een onbezonnen brief had geschreven. 'Ik vroeg hem duizendmaal vergeving en vertelde hem hoezeer het me speet; ik was in een boosaardige bui toen ik hem schreef, zei ik.' Hij was vergevingsgezind: 'Het was vergeven en vergeten, antwoordde hij, en we gingen uit elkaar met zo'n lange, liefkozende kus die mijn ziel doet sidderen en waar ik nog uren van droom en hunker.'

Op de vierde dag van Isabella's bezoek – 14 oktober – zaten Edward en zij tot een uur of elf 's avonds te praten in de zitkamer. Een oudere patiënte zat achter hen op de sofa; ze was 'zo doof' dat ze hun gesprek niet kon verstaan, maar leek ongenegen om weg te gaan. Ten slotte ging de oude vrouw dan toch naar bed. 'Toen we een tijdje hadden zitten praten,' zei Isabella, 'leek [Edward] zijn vroegere gevoelens voor mij te hervinden; hij liefkoosde me en verleidde me, en ten slotte begaven we ons, met enige vertraging, naar de belendende kamer, waar we een kwartier in zalige opwinding doorbrachten'. De gebeurtenis – die weer plaatsvond op de studeerkamer van de dokter – was zo hevig, zo aangenaam en zo verwarrend dat Isabella op een haar na bezwijmde. 'Ik werd bijna weerloos door zijn aanwezigheid, kon hem nauwelijks laten gaan, huilde toen hij me beval te proberen mogelijke gevolgen te ondervangen en zei hem hartstochtelijk vaarwel. Ik was alleen, alle hartstocht treurig en verspild; de slaap was die nacht ver van mij, ik lag te draaien en te dromen en te hunkeren tot de morgen en was te moe en te slap om op te staan.'

Isabella's vernederende overgave aan Edward, haar uitzinnige opwinding in zijn armen en de uitgeputte melancholie die erop volgde, doen vermoeden dat er iets nieuws tussen hen was voorgevallen – misschien hadden ze hun verhouding voor het eerst geconsummeerd. Door er bij Isabella op aan te dringen 'de gevolgen te ondervangen', leek Edward haar te zeggen dat ze maatregelen moest nemen om een zwangerschap te voorkomen; de meest gebruikelijke postcoïtale methode, zoals die onder andere in George Drysdales handboek stond beschreven, was het spoelen van de vagina met een spuit.

De volgende dag, alsof hij zich plotseling bewust was geworden van de gevaren van hun verhouding, zei Edward tegen Isabella dat hun seksuele relatie voorbij was. 'De dr. kwam op mijn kamer,' schreef ze, 'en zat een hele tijd kil te praten over het leven, over reputaties, risico's, voorzichtigheid en mijn partner.' Ze probeerde een beroep te doen op zijn gevoel voor romantiek. 'Ik knipte een lok van zijn haar af, vertelde hem hoeveel ik al die tijd van hem had gehouden, praatte over de liefde die uit zijn ogen sprak en uit zijn edele gezicht en mond. Hij gaf geen krimp; het gesprek werd beëindigd zonder dat we elkaar zelfs maar een kus gaven.' Het was een vernederende scène, waarbij Isabella de dokter het hof maakte zoals een man een vrouw, maar er niet in slaagde hem te veroveren. Met gekwetste trots concludeerde ze dat Edward meer gaf om gemak en fatsoen dan om haar. 'Ik zag dat ik misschien bij gelegenheid hartstocht bij hem had gewekt, en dat hij me niet volledig had liefgehad; dat het belang van reputatie en zielenrust de drijfveren achter zijn gedrag waren.' Haar woorden verrieden hoeveel ze van hem had verlangd: niet zomaar een affaire, maar zijn volledige liefde.

In november 1855 knepen de Robinsons er opnieuw tussenuit naar Boulogne; ze lieten Balmore House gedurende de winter over aan de schilders en behangers. 'Het is nog verre van voltooid, want niet geschilderd of behangen; we moeten het dus weer verlaten opdat het kan worden afgemaakt,' legde Isabella uit aan Combe; 'we hadden inderdaad al veel eerder weg moeten gaan, maar mijnheer Robinson wilde graag de nodige aanplant achter de rug hebben, & dat heeft ons tot nu toe opgehouden.'

Alfred was nu veertien en zat inmiddels intern op Queenwood School in Hampshire, een vooruitstrevende school die gespecialiseerd was in het onderwijzen van toegepaste wetenschap. 'We hebben alle reden tot tevredenheid,' meldde Isabella aan Combe, die de school had aanbevolen. 'Hij is zeer geïnteresseerd in scheikunde, & in verscheidene gebieden van de natuurkunde; & hij leert zingen, & gymnastiek; tevens mag hij zich in de werkplaats vermaken met timmergereedschap, als hij vrij heeft.' Het hoofd der school, zei ze, 'is te spreken over het algehele gedrag van onze jongen; al is hij geenszins vooruit in boekenkennis'. Otway en Stanley bleven naar school gaan in Boulogne.

De Robinsons waren met de Kerst van 1855 in Frankrijk, andermaal tijdens een winter met hevige regen- en sneeuwval. Voor zover Isabella nog aan Edward dacht, waren haar dromen niet langer een toevluchtsoord. Jarenlang had hij toegelaten dat hun relatie zich in een sfeer van ambiguïteit afspeelde, maar het was nu wel duidelijk dat zijn vrouw en kinderen altijd voor zouden gaan. De betovering was verbroken.

Isabella hervatte haar flirts met Eugene Le Petit. Deze keer werd ze meer aangemoedigd door de jonge leraar; hun intimiteit trok de aandacht van Henry. Op 30 december legde hij zijn verwijten op tafel. 'Na de thee begon Henry een zeer onplezierig gesprek,' meldde ze; 'beschuldigde me van een zekere vertrouwelijkheid met het gezin Le P., waarvan hij de reikwijdte niet kon vaststellen; zei dat hij zich er bewust van was dat ik brieven schreef, verstuurde en ontving waar hij niets van wist.' Hij legde zo veel 'achterdocht en vijandigheid' aan de dag, schreef ze, 'dat ik er verontrust en overstuur van was'. In haar dagboek gaf ze toe dat het verwijt 'verdiend [was], zoals ik zelf ook moest inzien', en toch geloofde ze dat haar wangedrag werd 'verontschuldigd door de ruwe, bekrompen geest van mijn partner'. Ze deed haar best de achterdocht van haar echtgenoot weg te nemen en probeerde zich staande te houden tegen zijn beschuldigingen. Ze bleven ruziën tot na middernacht en Isabella was tegen die tijd ten prooi aan 'hoofdpijn en agitatie'. Henry 'leek de consequenties van deze heftige woordenwisseling te betreuren,' schreef ze, 'en sprak veel verzoenende woorden'.

Heel even schetste Isabella Henry als een kwetsbaar personage: bezorgd, berouwvol, in staat tot medelijden. Ze sloot de passage in haar dagboek af op een toon van defensieve overtuiging: 'Het was te laat. Liefde, respect, inschikkelijkheid, vriendschap, geduld — allemaal weg; mij restte niets dan vrees, uitputting, weerzin en beklemming. Mijn kinderen zijn de enige reden waarom ik blijf; als zij eenmaal het ouderlijk huis hebben verlaten, ga ik bij hem weg.'

Isabella's verlangen naar ontsnapping was in de loop der jaren sterker geworden. Henry en zij 'hadden al heel lang de slechtst denkbare verstandhouding', vertelde ze Combe later in een brief, en ze verzocht haar echtgenoot meer dan eens dringend haar vrij te laten, 'de verwijderingen tussen ons beiden permanent te laten worden' en haar met haar zoons ergens anders te laten wonen. Maar 'daar wilde hij niet van horen', zei ze, 'omdat hij dan mijn inkomsten kwijt zou raken'. Wat betreft eigendom en eigenbelang kende Henry 'volstrekt geen rechtschapenheid', zei Isabella; hij was 'niet wat je geestelijk gezond kunt noemen'. Ze voelde zich verlamd en gevangen tussen haar gehechtheid aan haar zoons en haar verlangen naar vrijheid.

Isabella was ervan overtuigd geraakt dat het huwelijk als instituut willekeurig en onrechtvaardig was; begin 1856 stuurde ze Combe een brief waarin ze de huwelijksband beschreef als 'bijgeloof'. Het huwelijk was destijds veelvuldig onderwerp van debat. Er was in 1850 een koninklijke commissie ingesteld om onderzoek te doen naar echtscheidingsrecht, en hervormers als Caroline Norton voerden campagne om het lot van getrouwde vrouwen te verbeteren. Mevrouw Norton zette in 1855 de onrechtvaardigheden van de huwelijkse staat uiteen in een 'Brief aan de Koningin'. 'Een getrouwde vrouw in Engeland heeft *geen wettelijk bestaan*,' bracht ze de vorstin in herinnering: 'haar bestaan wordt geabsorbeerd door dat van haar echtgenoot.' Een vrouw kon geen gerechtelijke stappen ondernemen, niet haar eigen verdiensten behouden of haar geld naar eigen goeddunken uitgeven. Zij 'heeft zelfs geen wettelijk recht op haar kleren en sieraden: haar echtgenoot mag haar die afnemen en verkopen als hem dat belieft'. De identiteit van een vrouw werd opgenomen in die van haar echtgenoot, zelfs als het stel in werkelijkheid 'evenzeer "één" was als die ingenieus vervlochten dieren die we soms gegroepeerd zien in de beeldhouwkunst; een wezen dat zich hevig verweert, een ander dat vurig poogt te vernietigen'. Caroline Norton sprak uit ervaring: toen ze in 1836 haar ontrouwe, treiterende en losbandige echtgenoot verliet, hield hij haar kinderen bij haar weg en legde hij beslag op het geld dat ze met schrijven verdiende. 'Ik besta en ik lijd,' zei ze; 'maar de wet ontkent mijn bestaan.'

George Drysdale beschouwde het huwelijk als 'een van de belangrijkste instrumenten voor de vernedering van vrouwen', en daarnaast als een ongezonde rem op de beoefening van seks. 'Een groot deel van de huwelijken die wij om ons heen waarnemen,' schreef hij, 'is in het geheel niet uit liefde tot stand gekomen, maar uit een of ander zelfzuchtig motief, zoals rijkdom, sociale positie of andere voordelen... Dergelijke huwelijken zijn in werkelijkheid gevallen van *gelegaliseerde prostitutie*.'

In de lente werd Isabella ernstig ziek. Ze zou difterie gehad kunnen hebben, want die ziekte heerste in Boulogne tussen 1855 en 1857. Het was de langste en ernstigste difterie-epidemie in de geschiedenis en ze kostte aan 366 mensen het leven, onder wie 341 kinderen. *The Lancet* meldde dat Engelse bezoekers van Boulogne in het bijzonder werden getroffen door de uitbraak rond 1855, in die mate dat de ziekte in Engeland bekend raakte als de 'zere keel van Boulogne'. De symptomen waren dik opgezwollen luchtwegen en hoge koorts.

Op een dag in mei keek Henry even bij Isabella en merkte hij dat ze lag te ijlen. Terwijl ze onrustig en raaskallend in bed lag, hoorde hij haar namen van andere mannen noemen. Met hernieuwd wantrouwen ging hij naar haar bureau en drukte het dagboek achterover dat ze uit Engeland had meegenomen. Ze had het altijd 'voor zichzelf' gehouden, zei ze achteraf. Misschien had ze in haar koortsige verwarring haar bureau niet afgesloten; misschien stuurde ze er half op aan dat hij haar geheimen zou ontdekken en hun leven zou opblazen. Henry sloeg het dagboek open en las.

Hij las over de dweperijen van zijn vrouw met John Thom en Eugene Le Petit. Hij las over het genot dat ze in de armen van Edward Lane had beleefd. Hij las dat ze in zijn gezelschap slechts minachting, weerzin en angst voelde en dat ze hem zou verlaten zodra Otway en Stanley volwassen waren.

Het tafereel was een echo van het ogenblik waarop Arthur Huntingdon het dagboek van zijn vrouw ontdekt in Anne Brontës *The Tenant of Wildfell Hall*. De trouweloze, losbandige Huntingdon ontworstelt Helen haar dagboek: 'Ik HAAT hem!' leest hij. 'Het woord kijkt me aan als een schuldbekentenis, maar het is waar: ik haat hem, ik haat hem!' Huntingdon reageert met vreugde op de getuigenis van de ellende en haat van zijn vrouw. Zodra hij uit haar dagboek heeft begrepen dat ze van plan is er met hun zoon vandoor te gaan en een bestaan als schilderes op te bouwen, neemt hij haar sieraden in beslag en verbrandt hij haar penselen en schildersezels. 'Het is maar goed dat je je geheim niet kon bewaren – ha ha!' hoont hij. 'Het is maar goed dat vrouwen altijd hun mond voorbijpraten – als ze geen vriend hebben om mee te praten, zullen ze hun geheimen tegen de vissen moeten fluisteren of ze in het zand schrijven of zoiets.'

Henry Robinson schrok zich dood van de onthullingen in het dagboek, maar zijn schrik sloeg al snel om in kille woede. Zodra Isabella weer in staat was te begrijpen wat er tegen haar werd gezegd, deelde hij haar mee dat hij haar dagboeken en brieven in beslag had genomen. Hij zou ook Otway en Stanley bij haar vandaan houden, zei hij, en ze mee terugnemen naar Engeland. Hij nam samen met zijn zoons de boot naar Folkestone en liet Alfred achter bij zijn moeder in Frankrijk. In Isabella's bureau in Balmore House vond Henry nog meer dagboeken, en ook andere papieren: essays, brieven, aantekeningen en gedichten. Hij nam ze allemaal mee.

DEEL TWEE

WEG VLOOG HET WEB

Weg vloog het web, en dreef ver heen;
De spiegel spatte plots uiteen;
"De vloek is hier," kreet in geween
De Jonkvrouw van Shalott.

Uit: *The Lady of Shalott* van Alfred Tennyson
(vert. Cornelis W. Schoneveld)

HOOFDSTUK ZEVEN

ONKUISE HANDELINGEN

Westminster Hall, 14 juni 1858

Henry's advocaat sprak als eerste de rechtbank toe. 'De Robinsons trouwden in 1844,' zei Montagu Chambers QC [raadsman voor de Kroon]. 'Mevrouw Robinson was de weduwe van mijnheer Dansey en beschikte over zo'n vier- à vijfhonderd pond per jaar, voor persoonlijk gebruik op haar naam gezet. Na de huwelijksvoltrekking woonden de Robinsons in Blackheath, Edinburgh, Boulogne en in de buurt van Reading. In 1850 maakten zij tijdens hun verblijf in Edinburgh kennis met mijnheer Lane, destijds student in de rechten, die later trouwde met een dochter van lady Drysdale. Hij richtte een hydropathische onderneming op in Moor Park, dat de heren waarschijnlijk kennen als de voormalige residentie van sir William Temple.'

De drie rechters van het Gerechtshof voor echtscheiding en huwelijkse zaken zaten op een verhoging onder een baldakijn dat behangen was met rode gordijnen. Sir Cresswell Cresswell, een spichtige vrijgezel van vierenzestig die een lorgnet droeg, was ambtshalve rechter: de functionaris die de leiding had. Sir Alexander Cockburn, een kleine man van vijfenvijftig met pientere, blauwe ogen en wallen, was opperrechter van het Gerechtshof voor civiele zaken, de op twee na hoogste rechter van het land; hij was eveneens vrijgezel, maar zijn collega's wisten dat hij twee kinderen had (een van twaalf en een van negentien) bij een ongetrouwde vrouw. Hoewel hij in de rechtbank een deftige indruk maakte, was Cockburn een vermaard lid van de beau monde en kwam hij vaak pas om elf uur de rechtszaal binnen, net op tijd voor het begin van de behandelingen. Van de drie rechters was Sir William Wightman de laagste in rang, maar hij had de meeste ervaring op het terrein van rechten en de huwelijkse staat: op zijn tweeënzeventigste had hij een loopbaan van zevenentwintig jaar als rechter achter de rug en was hij negenendertig jaar getrouwd. De rechters hadden besloten de zaak Robinson zonder jury te behandelen: ze zouden zelf een vonnis vellen. Ze droegen paardenharen pruiken en rode, met hermelijn afgezette toga's, die loodzwaar waren in de warmte.

De lange bureaus en zitbanken werden verlicht door de zon, die de rechtbank binnenscheen door een glazen torentje en een kring van ronde daklichten in het koepeldak. De stank van de stad drong eveneens naar binnen. Er heerste die zomer een hittegolf in Londen; van de vettige oevers van de Theems steeg een 'Grote Stank' van rioolwater op die de parlementsgebouwen en de aangrenzende rechtszalen van Westminster Hall binnensijpelde. De temperatuur was om twaalf uur opgelopen tot 29 graden en om drie uur tot 32 graden.

Mr Chambers – een achtenvijftigjarige voormalige koninklijk infanterist en parlementariër, met dikke, donkere wenkbrauwen en een joviale, gewiekste manier van doen – ging verder: 'Mijnheer Robinson was ingenieur en noodzakelijkerwijs was hij vaak de stad uit. Hij was begonnen met de bouw van een eigen huis in de buurt van Reading. Toen het gezin daar introk hernieuwde het zijn vriendschap met de familie Lane en men placht Moor Park vaak samen te bezoeken. Vaker nog zelfs ging mevrouw Robinson er alleen naartoe; en het zal worden aangetoond dat de intimiteit tussen de gedaagden de aandacht trok van sommige patiënten en van het personeel van de huishouding. De heer Robinson was echter volkomen overtuigd van de trouw van zijn echtgenote, tot hij in 1857 tijdens een ziekte van mevrouw Robinson per ongeluk een zeer bijzonder verslag ontdekte dat hem terstond de ogen opende voor de onkuisheid en ontrouw van mevrouw Robinson.'

Chambers en de andere QC droegen zwartzijden toga's, witte overhemden, witte boorden en borstelige witte pruiken die over hun bakkebaarden hingen. Ze zaten tegenover de rechtbank, met achter zich hun assistenten in toga's van grof zwart laken. Een menigte toeschouwers vulde de rest van de rechtszaal en het balkon aan de binnenkant van de koepel; de mannen in jas, vest en das, de hoed in de hand, de vrouwen met een kanten kraag en wijde hoepelrokken, hun haar in een scheiding onder uitwaaierende mutsen. Het kan zijn dat Henry onder de toeschouwers was, maar het is onwaarschijnlijk dat Isabella of Edward het proces bijwoonde; hun advocaten hielden hen op de hoogte van het verloop van de zaak. Geen van de hoofdrolspelers mocht als getuige worden gehoord.

'Mevrouw Robinson was onwel,' zei Chambers, 'en haar echtgenoot vond verscheidene dagboeken, in haar handschrift, die een hoogst zonderbaar verslag gaven van het onkuise gedrag van zijn vrouw. Toen zij mijnheer Lane in Edinburgh had leren kennen, vond mevrouw Robinson hem in het begin niet bijzonder aardig, naar het schijnt, maar na korte tijd bewonderde zij hem zeer. Zij gaf zelfs een gedetailleerde beschrijving van zijn uiterlijk en zijn kledingstijl. Er waren bepaalde verklaringen van latere ontmoetingen op Moor Park, in 1854, die leidden tot de overtuigende gevolgtrekking dat er overspel was begaan.'

Een paar feiten uit Chambers' samenvatting waren onjuist. Edward Lane was al getrouwd toen de Robinsons hem in 1850 ontmoetten, en hij studeerde geneeskunde, nadat hij drie jaar eerder zijn bevoegdheid als advocaat had gehaald. Isabella voelde zich volgens het dagboek meteen tot hem aangetrokken; pas later, uit wrok, schreef ze vinnig over hem. Henry las haar dagboek al in 1856, niet pas in 1857. Er ontstonden vaak fouten tijdens de overdracht van informatie voorafgaand aan een proces – Henry had zijn verhaal verteld aan zijn rechtskundig adviseur, die op zijn beurt de advocaten had ingelicht –, maar de vergissing in het jaar waarin hij het dagboek had gelezen kan opzettelijk zijn geweest. Van een echtgenoot werd verwacht dat hij met spoed handelde na ontdekking van de ontrouw van zijn echtgenote, en vertraging bij het eisen van rechtsherstel kon tegen hem pleiten. 'Het eerste waar de rechtbank naar kijkt wanneer er wordt gekozen voor een aanklacht wegens overspel,' adviseerde een echtscheidingshandboek uit 1860, 'is of de datum waarop de aanklacht wordt ingediend in verhouding staat tot de datum waarop de strafbare handeling zich zou hebben voorgedaan en de datum waarop die handeling bekend werd bij de beschuldigende partij.' Elk tijdsverloop bij de aangifte zou aanleiding kunnen geven tot de mogelijkheid dat Henry het overspel van Isabella over zijn kant had laten gaan of met haar samenspeelde opdat hun huwelijk werd ontbonden. Het een én het ander zou leiden tot een bezwaar tegen de scheiding.

'Ik ben van plan,' zei Chambers, 'bepaalde dagboeken die door mevrouw Robinson zijn geschreven in te brengen als bewijsmateriaal. Zij zullen de schuld van mevrouw Robinson aantonen, maar ik moet bekennen dat ik eraan twijfel of de heren rechters de dagboeken als voldoende bewijs tegen dokter Lane zullen beschouwen.'

Toen hij dit hoorde stond William Forsyth QC op, de raadsman van Edward Lane. Hij zei dat hij bezwaar maakte tegen de toelating van de dagboeken als bewijs tegen een of beide gedaagden. 'Als mevrouw Robinson schuldig wordt bevonden aan overspel, kan dat alleen hebben plaatsgevonden met dokter Lane,' beweerde Forsyth, een Schot van vijfenveertig met een lang gezicht, 'maar haar erkenningen of bekentenissen, als het dagboek als zodanig wordt begrepen, kunnen niet als bewijs dienen tegen hem en zouden daarom in het geheel niet moeten worden gebruikt.'

De kwestie van de status van het dagboek als bewijsmateriaal zou de rechtbank gedurende het hele proces plagen. Volgens de regels zou het wel tegen mevrouw Robinson kunnen worden gebruikt (als een bekentenis), maar niet tegen dokter Lane (als een beschuldiging).

De rechters beraadslaagden en kondigden aan dat ze de dagboeken toelaatbaar achtten tegen haar, zij het niet tegen hem. Cresswell verklaarde: 'Als meerdere personen worden verdacht van inbraak of samenzwering, en een van hen legt een bekentenis af die de anderen beschuldigt, tegen wie geen bewijs bestaat – dan kan zijn verklaring waarachtig niet als bewijs gelden tegen een ander, maar de man zou dan toch wel zelf kunnen worden veroordeeld?'

'Nee,' zei Forsyth.

Als hij ongeduldig was draaide Cresswell met zijn lorgnet tussen zijn vingers. Voor hij iemand met een verpletterende opmerking kleineerde, nam hij vaak een uitdrukking aan van ongewoon voorkomende beleefdheid. Hij sprak tot Forsyth: 'De geleerde raadsman zou me een plezier doen als hij een precedent kon noemen voor die stelling.'

Forsyth dreef zijn zaak niet door en Isabella's raadsman, dr. Robert Phillimore, liet schielijk zijn plan varen om de introductie van het dagboek als bewijs aan te vechten. Hij stond op en zei dat hij op het punt had gestaan er namens mevrouw Robinson bezwaar tegen te maken, 'maar na de mening die ik het hof zojuist heb horen verkondigen zal ik niet verdergaan'. De eerste strategie van de verdediging – het belangrijkste bewijs tegen hun cliënten vernietigen door het dagboek uit de weg te ruimen – was mislukt.

Chambers verzocht Isabella's dagboeken aan de rechtbank te overleggen. Hij vroeg de griffier eruit voor te lezen, maar waarschuwde vooraf dat de inhoud onschuldige personen in verlegenheid zou kunnen brengen. 'Het dagboek bevat de namen van twee jonge mannen die mevrouw Robinson blijkbaar heeft getracht te corrumperen,' zei hij, waarmee hij de vrouw van zijn cliënt handig kenschetste als een mannen verslindende verleidster op leeftijd. 'Het is mijn indruk dat haar pogingen niet succesvol zijn gebleken, hoewel ik erken dat dat goed mogelijk is geweest. Zij beschuldigde hen van koelte en terughoudendheid, en een verlangen aan haar te ontsnappen; daarom zal ik, als ik het kan vermijden, niet hun namen noemen, temeer daar zij jonge mannen schijnen te zijn geweest.'

Vervolgens duidde Chambers de griffier van de rechtbank in de drie delen van het dagboek de toepasselijke passages aan, die dateerden van 1850, 1854 en 1855. Gezeten aan een lange tafel vlak voor de rechterstoelen las de griffier hardop een korte samenvatting voor van Isabella's eerste ontmoeting met Edward Lane, in 1850; daarna een gedicht dat ze had geschreven en dat de titel 'Geestelijke tweedracht' droeg, en een gedicht over de 'overmacht der Zinnelijkheid' die ze in haar karakter had vastgesteld.

Toen richtte hij zich op de aantekeningen waarop de zaak van Henry was gebaseerd. De eerste was die van 7 oktober 1854, waarin Isabella en Edward elkaar voor het eerst hadden gekust tussen de varens: 'O god! Ik had nooit gehoopt dat ik deze uren zou beleven of dat mijn liefde beantwoord zou worden. Maar zo was het.' De griffier ging door met het uittreksel van 10 oktober, dat de 'zaligheid' beschreef die Isabella gewaarwerd in een rijtuig dat haar samen met Edward van Moor Park naar het station van Ash bracht; '... dat ik ten slotte in stille vreugde,' las de griffier voor, 'in de armen lag van wie ik zo vaak had gedroomd.' De laatste woorden van deze passage, over de 'onzelfzuchtige' manier waarop de dokter de liefde bedreef, werden weggelaten. Aangezien de passage werd voorgelezen op aandringen van Henry's advocaten, was hij het wellicht ook die besloot de laatste zin weg te laten, die impliceerde dat zijn eigen seksuele vaardigheid minder bevredigend was dan die van Edward Lane. Er kan een grens zijn geweest aan de mate waarin hij zichzelf zou vernederen bij zijn pogingen om van zijn vrouw af te komen.

De laatste dagboekaantekening die de griffier die dag voorlas, was van 14 oktober (deze passage was eigenlijk geschreven in oktober 1855, maar dat werd in de rechtbank niet duidelijk gemaakt) en beschreef hoe Edward Isabella op Moor Park had verleid. 'De dokter (...) liefkoosde me, en verleidde me, en ten slotte, na een poosje, begaven we ons naar de kamer ernaast, waar we een kwartier in zalige opwinding doorbrachten.' Deze passage bevatte ook de zin waarin Edward Isabella aanraadde te 'proberen mogelijke gevolgen te ondervangen', een suggestie die haar tot tranen toe had geroerd.

De zondagskrant de *Observer* zag ervan af de uittreksels uit het dagboek te publiceren, niet alleen omdat ze ontuchtig waren, maar ook omdat ze levendig genoeg waren geschreven om de lezer te prikkelen: 'het zou bepaald ongepast zijn ze te publiceren in een gezinskrant', verklaarde de redactie. 'Zij bevatten bekentenissen in de meest heldere termen van de misdadige praktijken die de onfortuinlijke dame in kwestie ten laste worden gelegd, en zij zijn bovendien opgetekend met een mate van schrijfvaardigheid die ze tot zeer gevaarlijke lectuur maakt. In deze omstandigheden heeft men het wijzer geacht ze in hun geheel niet toe te laten.' Het idee dat bepaalde soorten geschriften gevaarlijk waren – vooral voor jonge vrouwen – was algemeen: normaliter waren Franse romans de boosdoeners, maar het dagboek van Isabella Robinson toonde aan dat een Engelse dame uit de middenklasse haar eigen deugdzaamheid in proza kon schenden.

Het echtscheidingshof onderzocht overspel vanuit het standpunt van de beledigde partij, waarbij de toeschouwers in de rechtszaal en de krantenlezers via de bedrogene een snelle blik werd gegund op de verboden liaisons van een vrouw. Maar door het dagboek van Isabella werd dat een ingewikkelde kwestie: met het vernemen van Henry's ontdekking van het dagboek zouden de rechters zich in de positie van de ontstelde echtgenoot hebben kunnen verplaatsen; maar terwijl ze naar fragmenten uit het dagboek luisterden, traden ze in het bewustzijn van zijn vrouw en haalden zij zich het overspel vanuit de overspelige echtgenote voor de geest.

Toen ze klaar waren met de voorlezingen, nam Chambers weer het woord. 'Ik zou waarachtig niet weten,' zei hij, 'wat de verdediging hiertegenover wil stellen. Mij is te verstaan gegeven dat zal worden betoogd dat wat de dame heeft geschreven louter hallucinaties betreft en niet op feiten stoelt.' Chambers beweerde dat zijn getuigen de correctheid van het dagboek zouden bevestigen: 'de mondelinge verklaringen die ik in het bijzijn van de edelachtbare heren zal afnemen, zullen veel belangrijke details in het dagboek blijken te staven en aantonen dat wat zij schreef naar alle waarschijnlijkheid ook is voorgevallen.'

Henry Robinson had zeven getuigen verzameld die voor hem zouden spreken: zijn vader, zijn zwager, een kindermeisje van zijn zoons, en een gast en drie bedienden van Moor Park. Ze zaten in het grote gewelf van Westminster Hall te wachten tot ze werden binnengeroepen; het was een veertiende-eeuwse rechtszaal die nu diende als een fantastische wachtkamer voor de nieuwere rechtszalen aan de westzijde. De getuigen stonden onder een hoog dak met steekbalken, in zijn soort het mooiste van Engeland, waarvan elke balk uitliep in een uitgesneden engel die een schild vasthield.

Chambers riep James Jay op als getuige. Mijnheer Jay, een magistraat en gedeputeerde van negenenveertig die getrouwd was met Henry Robinsons zuster Sarah, kwam de rechtszaal binnen door de verste overwelfde toegangsdeur aan de rechterkant van Westminster Hall. Hij liep naar de balie en beklom het trapje naar een klein platform naast de rechters, dat van een leuning was voorzien. Nadat hij de eed had afgelegd, bevestigde hij dat hij in februari 1844 aanwezig was geweest bij het huwelijk van Henry en Isabella in de St Peters in Hereford, een middeleeuwse kerk aan het eind van Jays' Street. Hij getuigde dat Isabella weduwe was en een kind had toen ze met Henry trouwde. De Robinsons hadden na de trouwerij een paar jaar in Blackheath gewoond, zei hij, en als hij er op bezoek was, leken ze altijd op goede voet met elkaar te staan. Volgens hem was Henry een vriendelijke, liefhebbende echtgenoot.

James Jay kreeg de drie relevante delen van het dagboek te zien en men vroeg hem of ze in Isabella's handschrift waren geschreven. Hij zei dat dat het geval was.

Forsyth vroeg Jay of hij wist hoe oud mevrouw Robinson was. Jay antwoordde dat hij dat niet wist – ze zag eruit als vijftig, zei hij. Daarmee was zijn getuigenis afgerond.

De volgende getuige was Henry's vader, die rond 1838 met zijn vrouw en zoons naar Londen was verhuisd. De tweeënzeventigjarige James Robinson werd door een zaalwachter naar de rechterstoel gebracht, waar hij de eed aflegde. Hij getuigde alleen dat Henry en Isabella vriendschappelijk met elkaar om leken te gaan.

Toen kwam Eliza Power, het Ierse kindermeisje dat acht jaar op de kinderen van de Robinsons had gepast, inmiddels achter in de veertig. Ze bevestigde dat Henry vriendelijk was tegen zijn vrouw en dat hij wegens zakelijke verplichtingen soms uithuizig was.

De wet eiste dat een echtgenoot die echtscheiding aanvroeg op grond van overspel aantoonde dat hij voor zijn vrouw had gezorgd en haar fatsoenlijk had behandeld. Henry's eerste drie getuigen hadden zulks verklaard.

De volgende die werd opgeroepen was Frances Brown, een inwoonster van Edinburgh van ongeveer vierenveertig. Ze werd door een zaalwachter naar de getuigenbank gebracht. Ze liep het trapje op en hij liet de leuning neer.

In antwoord op Chambers' vragen verklaarde mejuffrouw Brown dat ze mijnheer en mevrouw Robinson eind 1850 had leren kennen, en dat zij en haar zuster hen regelmatig tegenkwamen bij sociale gelegenheden. In 1854 ondergingen de zusters samen de waterkuur in het kuuroord van dokter Lane in Surrey.

'Ik verbleef in oktober 1854 met de dokter en mevrouw Lane op Moor Park,' zei ze, 'en ik was daar ook toen mevrouw Robinson die maand een dag of drie op bezoek kwam.'

Gingen dokter Lane en mevrouw Robinson intiem met elkaar om? vroeg Chambers.

'Ze gingen vanaf het moment dat ik ze leerde kennen intiem met elkaar om,' zei juffrouw Brown, 'maar ik heb niet opgemerkt dat ze toen intiemer waren dan bij eerdere gelegenheden.'

Chambers vroeg haar naar het voorval dat in het dagboek beschreven stond, toen Edward en Isabella op 7 oktober 1854 na een amoureus rendez-vous terugkeerden naar huis en met de gezusters Brown bleven staan praten. Juffrouw Brown bevestigde alle gebeurtenissen waarin zij een rol speelde. 'Op een zondag, tamelijk laat in de middag, kwamen mijn zuster en ik dokter Lane en mevrouw Robinson tegen op de terugweg van een wandeling. Ze leken van de hei te komen. Het terrein in de buurt van Moor Park was dun bebost. Ze kwamen naar ons toe en praatten met ons.'

Chambers vroeg of ze zich herinnerde dat ze een van de zoons van mevrouw Robinson die avond een spookverhaal had verteld, zoals in het dagboek stond vermeld. Ze bevestigde dat. Hij vroeg of ze zich de manier herinnerde waarop mevrouw Robinson Moor Park had verlaten, bij welke gelegenheid volgens het dagboek de seksuele ontmoeting in het rijtuig plaatshad.

'Mevrouw Robinson verliet Moor Park 's avonds in een rijtuig,' zei juffrouw Brown, 'en dokter Lane ging met haar mee naar het station.'

Onderworpen aan een kruisverhoor beaamde juffrouw Brown

dat dokter Lane 'veel aandacht besteedde aan alle dames die hij behandelde' op het hydrotherapeutisch kuuroord van Moor Park. Was het haar ooit opgevallen dat er een ongepaste genegenheid bestond tussen de dokter en mevrouw Robinson? Nee, zei ze, dat was haar niet opgevallen. Hoeveel getrouwde dames verbleven er die oktobermaand op Moor Park, vroeg de advocaat van de verdediging, en wandelde dokter Lane met andere dames over het terrein?

'Ik herinner me zeven dames,' zei juffrouw Brown, 'sommige getrouwd, andere ongetrouwd. Dokter Lane had de gewoonte met meerdere dames over het terrein te wandelen.'

Ze beantwoordde een reeks vragen over het landschap rondom het huis op Moor Park: er waren veel bomen in de nabije omgeving, bevestigde ze; de heide was ongeveer anderhalve kilometer verderop. Er werd haar gevraagd of mevrouw Robinson haar oudste zoon bij zich had toen ze met dokter Lane naar het station reed. Ja, zei juffrouw Brown, waarschijnlijk wel.

Juffrouw Brown werd bedankt en de griffier riep Levi Warren op, een staljongen die in 1854 bij dokter Lane in dienst was geweest. Warren bevestigde dat mevrouw Robinson meestal samen met haar zoon 'jongeheer Alfred' naar Moor Park kwam, en dat zij en dokter Lane vaak samen over het terrein wandelden. Toen deed hij een sensationele mededeling.

'Ik heb ze ook in het prieel gezien,' zei Warren; 'hij zat daar met zijn arm om haar middel.' Het prieel stond op een eilandje in de rivier die door Moor Park stroomde, voegde hij eraan toe, en hij had de twee daar meer dan eens samen gezien.

Warren was de eerste getuige die beweerde dat er tussen Edward en Isabella iets ongepasts was gebeurd. In wettelijke termen was het tafereel dat hij beschreef een 'proximatieve handeling', een voorval waarbij een paar niet op heterdaad werd betrapt, maar dat wel een sterke aanwijzing vormde voor een ongepaste liaison. Onder de 'proximatieve handelingen' die een dame kon begaan vielen bijvoorbeeld: het onderhouden van een geheime correspondentie met een heer; het bezoeken van een ongehuwde heer in zijn huis en de luiken sluiten; of een man 's nachts op heimelijke wijze thuis binnenlaten – of, zoals in dit geval, het in een prieeltje zitten met de arm van een man om haar middel.

Toen hij aan een kruisverhoor werd onderworpen, verried Levi Warren echter zijn vooringenomenheid. Het bleek dat de staljongen al lange tijd van doen had met Henry Robinson, te wiens gunste hij getuigde. Hij had in 1851 voor Henry gewerkt en was op diens voorspraak op Moor Park in betrekking gekomen. Toen hij vervolgens ontslag nam bij dokter Lane (hij vond het er 'zwaar', zei hij; 'hij had het er niet prettig') hielp Henry hem opnieuw uit de brand door hem elders aan te bevelen.

Onder leiding van Phillimore en Forsyth bewezen de advocaten van de verdediging dat Henry een gesprek met Warren had gehad over de gebeurtenissen op Moor Park, met behulp van een privédetective, de voormalige rechercheur Charles Frederick Field. Charley Field was een opgewekte, slimme kerel, mollig en gewetenloos – de inspiratiebron voor inspecteur Bucket in Dickens' *Bleak House* (1853) –, die na zijn vertrek bij de politie meermalen zijn diensten had verleend aan mannen die eropuit waren bewijzen te vergaren voor het overspel van hun echtgenotes. De advocaten vroegen Warren of het waar was dat hij, na zijn gesprek met ex-inspecteur Field, de huisknecht op Moor Park had bekend dat hij dokter Lane eigenlijk niet met zijn arm om mevrouw Robinson had zien zitten. Ze insinueerden dat Warren tegen de rechtbank had gelogen nadat hij door Henry's vertegenwoordiger was omgekocht om een valse getuigenis af te leggen.

Warren ontkende. Hij zei dat hij op Moor Park met de huisknecht had gesproken over zijn ontmoeting met mijnheer Field en mijnheer Robinson, maar hem niets had toevertrouwd over enig voornemen om te liegen over wat hij in het prieel had gezien.

Echtscheidingszaken draaiden vaak om de verklaringen van huis- en hotelpersoneel, daar ze de meest voor de hand liggende getuigen waren van ongeoorloofde intimiteit die plaatsvond binnen de midden- en hogere klasse, maar rechters waren op hun hoede voor corrupt of wraakzuchtig personeel. 'De getuigenis van afgedankt huishoudelijk personeel dient met grote omzichtigheid te worden aangehoord en nauwkeurig te worden onderzocht,' waarschuwde een juridisch handboek, 'anders valt er te vrezen voor onze positie, zouden onze tafels en bedden omringd zijn door valstrikken en onze assistentie zou verworden tot een instrument van schrik en ontsteltenis.'

Er werden nog twee bedienden van Moor Park opgeroepen. John Thomas Jenkins getuigde dat hij dacht dat dokter Lane meer aandacht besteedde aan mevrouw Robinson dan aan de andere dames.

Had hij ooit enigerlei vrijpostigheid tussen hen gezien? vroeg een advocaat van de verdediging.

Nee, gaf John Jenkins toe, die had hij niet gezien.

Sarah Burmingham, de zuster van de tuinman van Moor Park die met Darwin correspondeerde, legde een gelijkluidende getuigenis af over de vriendschap tussen dokter Lane en mevrouw Robinson. Ze voegde eraan toe dat mevrouw Robinson tegen haar over de dokter had gezegd dat hij 'erg knap was' en een 'boeiende' persoonlijkheid.

Het hof hoorde een getuigenis – in de kranten werd niet gemeld van welke bediende – waaruit bleek dat men dokter Lane had gezien toen hij de kamer van mevrouw Robinson uit kwam; dat zij was gezien op zijn werkkamer en dat ze tijdens het middagmaal aan tafel tegen elkaar fluisterden.

Hier staakte de eisende partij de bewijsvoering, zei Chambers.

Nu was het de beurt van de raadsman van Edward en Isabella om de verdediging te voeren. Maar toen Isabella's raadsman, dr. Phillimore, zijn argumenten begon te schetsen, werd hij door Cockburn onderbroken. Met zijn heldere, melodieuze stem zei de opperrechter dat hetgeen nu werd ingebracht niet geschikt was voor damesoren. Hij stelde voor de zitting korte tijd te schorsen en zonder vrouwen weer bijeen te komen. De andere rechters stemden daarmee in. Om dezelfde reden, zo lijkt het, werd het verslaggevers afgeraden of verboden de daaropvolgende woordenwisselingen te publiceren, aangezien er verder geen details van het verhoor van die dag in druk zijn verschenen.

De meeste verzoeken werden bij het echtscheidingshof – dat in januari zijn deuren had geopend – ingediend door mannen die hun vrouw van overspel beschuldigden. De nieuwe wet bepaalde dat een scheiding alleen kon worden toegewezen als de echtgenoot de ontrouw van zijn vrouw kon aantonen, terwijl een vrouw moest bewijzen dat haar echtgenoot niet alleen ontrouw was, maar tevens schuldig aan kwaadwillige verlating, wreedheid, bigamie, incest, verkrachting, sodomie of bestialiteit. Deze dubbele moraal was gebaseerd op het maatschappelijke gevaar dat de overspelige vrouw vormde. Omdat ze haar echtgenoot kon opzadelen met het kind van een andere man, bedreigde de ontrouwe echtgenote zekerheden omtrent vaderschap, bloedverwantschap, erfopvolging en erfrecht – de grondslagen van de burgermaatschappij. De archetypische Engelse overspelige vrouw was koningin Guinevere, een vrouw wier ontrouw de ondergang inluidde van het rijk van haar echtgenoot. 'De schaduw van een ander kleeft mij aan,' zegt Guinevere in Tennysons *Idylls of the King* (1859), 'en maakt mij tot een schandvlek.'

De meest beruchte overspelige vrouw in de literatuur van die tijd was Madame Bovary, de verveelde provinciale echtgenote uit de roman van Flaubert uit 1857. Emma Bovary is ongedurig, sensueel, melancholiek en doordrongen van romantische lectuur – een van haar lievelingsboeken is St Pierres *Paul et Virginie*, de roman waaruit Isabella Edward voorlas in oktober 1854. Emma raakt verkikkerd op een jonge kantoorklerk, die ze overlaadt met cadeaus; en in de meest aanstootgevende passage in het boek – die uit het originele feuilleton werd geschrapt maar door Flaubert in de boekuitgave werd hersteld – begaan zij en hij overspel in een rijtuig.

Hoewel het jarenlang niet in Engeland werd uitgegeven, lokte de roman onmiddellijk commentaar uit in de Engelse pers. Een essay in de *Saturday Review* uit 1857 beschreef Emma Bovary als 'beslist een van de weerzinwekkendste' personages in de literatuur; de auteur beweerde dat vrouwen zoals zij de maatschappij van binnenuit dreigden te vernietigen. Hij verzekerde zijn lezers dat er geen gevaar was dat 'onze romanschrijvers' de openbare zedelijkheid zouden aanranden zoals Flaubert dat had gedaan, maar hij waarschuwde ervoor dat het Engelse fatsoen zijn eigen risico's met zich meebracht. De nationale terughoudendheid wat seks betreft zou per slot kunnen leiden tot het opwekken van begeerte: 'een lichte literatuur die geheel stoelt op liefde en die volkomen en stelselmatig zwijgt over een zeer belangrijk aspect,' merkte hij op, zou 'kunnen neigen tot het prikkelen van hartstochten waarop de kleinste toespeling al ongepast zou zijn.'

Twee weken voor het proces Robinson begon werd er een schilderij van een overspelige vrouw tentoongesteld op de zomerexpositie van de Royal Academy, anderhalve kilometer ten westen van de rechtbank. Op het middelste paneel van het triptiek van Augustus Leopold Egg stond een gezin uit de middenklasse afgebeeld. Het tafereel toont hen in de woonkamer; de echtgenoot heeft zojuist vernomen dat zijn vrouw hem heeft bedrogen. Net als Henry Robinson heeft de man het vergrijp van zijn vrouw niet in levenden lijve ontdekt, maar op schrift: hij is achter haar schanddaad gekomen door het lezen van een brief. De echtgenoot zit in elkaar gezakt in een stoel, met doffe ogen, een velletje van de brief in zijn hand. Onder zijn voet ligt een portret van de minnaar van zijn vrouw. De echtgenote zelf ligt terneder geworpen op het weelderige tapijt, haar gezicht verbergend uit schaamte. Hun kinderen, twee meisjes, zijn een ogenblik afgeleid van het kaartenhuis dat ze in de hoek aan het bouwen zijn, een labiel torentje boven op een boek van de Franse schrijver Honoré de Balzac. Er ligt een halve appel naast de vrouw op de vloer, een verwijzing naar de appel waarmee Eva Adam verleidde. De andere helft van de appel, waar een mes doorheen is gestoken, ligt naast de man op tafel.

De panelen aan weerszijden van dit middelste tafereel tonen het lot van het gezin. Moeder en kinderen worden van elkaar gescheiden door het ogenblik van ontdekking. Aan de linkerkant blijken de twee meisjes in bittere armoede te leven, aan de rechterkant staat de overspelige vrouw met een baby in haar armen onder Waterloo Bridge, anderhalve kilometer ten noorden van de rechtbank en een beruchte verblijfplaats van prostituees en zelfmoordenaars. Twee aanplakbiljetten op de bakstenen bogen onder de brug maken reclame voor kluchten over ongelukkige huwelijken. In de meest recente klucht, Tom Taylors *Victims*, die in juli 1857 in première ging in het Londense theater Haymarket, kwam een vrouw voor met intellectuele pretenties, die haar echtgenoot, een zakenman, veracht en met een pipse jonge dichter flirt.

Het schilderij van Egg dompelde de toeschouwer onder in de teloorgang van een huwelijk, een verschrikkelijk keerpunt. De triptiek droeg geen titel, maar was voorzien van een fictieve dagboekaantekening die het realisme, de directheid en de onvolledigheid van het verhaal onderstreepte. '4 augustus. Heb zopas gehoord dat B. al meer dan twee weken dood is; zijn twee arme kinderen zijn nu dus hun beide ouders kwijt. Ik heb gehoord dat zij vrijdag voor het laatst is gezien nabij de Strand, kennelijk zonder plaats om het hoofd neder te leggen. Hoe diep kan men zinken!' Zoals de meeste voorstellingen van overspel – anders dan Isabella's dagboek – beeldde het schilderij niet de prikkelende zonde van de vrouw af, maar haar ellendige schande.

Toch was de boodschap van het schilderij dubbelzinnig: enerzijds was het een moreel werk over de afschuwelijke gevolgen van overspel; anderzijds was het een werk vol pathos waarop de overspelige vrouw en haar kinderen als tragische personages waren afgebeeld. *The Times* merkte op dat het schilderij 'niet gemakkelijk te lezen is'. De *Athenaeum* beoordeelde het als 'een onzuiver werk': 'er moet een grens zijn aan de verschrikkingen die voor openbare en onschuldige blikken dienen te worden geschilderd, en wij zijn van mening dat de heer Egg ten minste één voet over die grens heeft gezet'. Door uitdrukking te geven aan beide kanten van het verhaal van de Robinsons overschreed de nieuwe rechtbank dezelfde verraderlijke grens.

HOOFDSTUK ACHT

IK BEN ALLES KWIJTGERAAKT

1856-1858

In mei 1856 viel Isabella's versie van haar verhaal vrijwel stil. Het dagboek stopte bij het punt waar het in beslag genomen was. Maar in 1858 schetsten Isabella, Edward, Henry en lady Drysdale in een reeks brieven aan George Combe de gebeurtenissen die plaatshadden in de twee jaar tussen Henry's ontdekking en zijn verzoek om echtscheiding. In de loop van de briefwisseling nam Combe de rol van een soort rechter op zich, iemand die als een morele arbiter fungeerde in de kwestie. De brieven die hij stuurde en ontving berusten bij een archief in de National Library of Scotland; zij zweven tussen het publieke en het private, tussen de wereld van het dagboek en de wereld van de rechtszaal. Ze onthullen hoe en waarom het tot een rechtszaak kwam, ondanks de potentieel verschrikkelijke gevolgen voor iedereen die erbij betrokken was.

In juni 1856 herstelde Isabella van haar ziekte en keerde ze met haar oudste zoon terug vanuit Frankrijk. Henry weigerde haar onderdak te verlenen, dus verbleven Alfred – die nu vijftien was – en zijzelf een tijdje in Albion Street, een klein, chic rijtje huizen ten noorden van Hyde Park; later verhuisden ze naar een cottage in het marktstadje Reigate in Surrey, dertig kilometer zuidelijker. In de 'somberte & eenzaamheid' van hun twee huurkamers, schreef Isabella, daalde ze af in een 'diep & voortdurend verdriet'. Ze was uit de samenleving verstoten en leefde gescheiden van haar geliefde Otway en Stanley. Haar jongste zoons, zei ze, waren van haar zijde 'losgerukt' terwijl ze ziek en uitgeput te bed lag. Henry behield alle meubels en andere goederen die ze in hun huwelijk had ingebracht, evenals haar dagboeken, gedichten, essays en correspondentie, waaronder de brieven die Edward Lane haar had gestuurd.

'Ik ben alles kwijtgeraakt,' schreef ze, 'maar ik was zorgeloos & onnadenkend & verdiende daarom te lijden.' Maandenlang verkeerde ze 'in een toestand op de rand van waanzin & overwoog ik in ernst een eind aan mijn leven te maken'. Ze zei dat ze alleen van zelfmoord werd weerhouden door de hoop dat ze op een dag met haar kinderen werd herenigd.

In de herfst bezocht Isabella Moor Park; ze vertelde Edward wat er in Boulogne was gebeurd en waarschuwde hem dat Henry op wraak zon: nu hij haar vrijwel alles had afgenomen wat haar dierbaar was, wilde hij haar in het openbaar te schande maken en het gezin dat ze bewonderde vernietigen. En hij wilde geld.

Henry haatte Edward Lane en was jaloers op hem, legde ze Combe uit. 'Hij is vastbesloten hem indien mogelijk te ruïneren. Hij zei openlijk dat hij Moor Pk zou sluiten.' Hij dacht ook dat hij veel van haar bezittingen zou kunnen houden als hij haar een slechte naam bezorgde, zei Isabella; hij zou haar met een klein jaargeld onderhouden 'afhankelijk van zijn vrijgevigheid'. Henry zei dat hij haar slechts een toelage van 100 pond per jaar wilde geven om van te leven.

Henry ging te rade bij advocaten. Eerst was hij van plan om Edward aan te klagen wegens schade op grond van zijn 'criminele omgang' met Isabella, die volgens de wet het bezit was van haar echtgenoot, maar zijn advocaten ontraadden hem al dadelijk gerechtelijke actie te ondernemen. Waarschijnlijk vertelden ze hem dat hij geen kans maakte als hij alleen het dagboek inbracht als bewijsmateriaal, aangezien de wet twee getuigen vereiste om overspel aan te tonen. In december 1856 nam Henry ex-inspecteur Charley Field in dienst om meer bewijsmateriaal tegen zijn vrouw te vergaren.

Edward dreef nog steeds zijn kuuroord op Moor Park en leed opnieuw aan aanvallen van slechte spijsvertering. Toen hij ontdekte dat Henry's detective zijn personeel had ondervraagd, schreef hij Isabella een brief, die hij stuurde via een advocaat die Gregg heette, een voormalige patiënt van Moor Park; Isabella antwoordde hem op dezelfde manier. Dit systeem, waarbij hun briefwisseling werd verhuld met enveloppen die geadresseerd waren aan of door een derde partij, onttrok hun correspondentie aan de aandacht van – bijvoorbeeld – nieuwsgierige bedienden of een echtgenote of schoonmoeder. Edward hoopte dat hij Mary en lady Drysdale erbuiten kon houden. Hij organiseerde een ontmoeting met Isabella om hun situatie te bespreken.

Edward en Isabella vermoedden dat Henry van plan was een scheiding van tafel en bed voor elkaar te krijgen. Isabella verzekerde Edward ervan dat als Henry om een scheiding verzocht, zij de aanklacht van overspel zou aanvaarden. Op die manier zou ze Edward betrokkenheid bij de kwestie besparen en het mogelijk maken dat zijn aandeel in het verhaal geheim bleef. Edwards laatste woorden tegen haar, zei ze, waren dat 'wat er ook te gebeuren stond, hij zou weten dat hij er ten onrechte onder leed'. Als auteur van het bezwarende dagboek aanvaardde ze dat de fout geheel aan haar te wijten was.

Edward noch Isabella verwachtte dat Henry uit was op een volledige scheiding, die binnen het toen geldende systeem buitengewoon ingewikkeld en duur was. Een bedrogen echtgenoot moest een scheiding toegewezen krijgen door het kerkelijk hof in Doctors' Commons; hij moest een schadeloosstelling krijgen van het Court of the King's Bench, het Engelse Hooggerechtshof; en ten slotte moest het huwelijk worden beëindigd met het aannemen van een persoonlijke wet van het parlement. De kosten konden in de duizenden ponden lopen. Tussen 1670 en 1857 werden er maar 325 echtscheidingen toegewezen, een gemiddelde van nog geen twee per jaar.

Vanaf het begin van de jaren 1850 werd er in het parlement echter gedebatteerd over een aanpassing van de wet, opdat de procedure eerlijker, goedkoper, consistenter en transparanter werd. Dit behelsde een machtsoverdracht van het kerkelijk hof in Doctors' Commons – dat door Dickens werd beschreven als een 'antiek, suf, slaperig en knus onderonsje' – aan een nieuwe seculiere rechtbank. Als Henry zijn scheiding erdoor kreeg bij de bestaande kerkelijke rechtbank, zeiden zijn advocaten, dan maakte hij een goede kans op een volledige scheiding als het parlement een nieuwe seculiere rechtbank oprichtte.

In april vroeg Henry een officiële scheiding van zijn vrouw aan en tegen het einde van de maand werd de dagvaarding bij Isabella betekend.

❀

George en Cecy Combe verbleven in juli 1857 op Moor Park toen Edward Lane hoorde van Henry's verzoek en hij eindelijk de ramp die hen allen zou kunnen treffen onthulde voor zijn vrouw en schoonmoeder. De Lanes en lady Drysdale hielden hun bezorgdheid voor hun gasten verborgen. Combe noteerde alleen in zijn dagboek dat zijn beide gastvrouwen ziek waren geworden. 'Mevrouw Lane ligt nog steeds in bed met een Zonnesteek die ze op 14 juli in de dierentuin heeft opgelopen,' schreef hij op 25 juli. 'Lady Drysdale heeft een flink verstoord spijsverteringsstelsel, pols honderdtwintig.' De kwalen van de vrouwen, schreef hij, 'doen ons verdriet'.

Het was het tweede bezoek van de Combes aan Moor Park. George leed aan spijsverteringsproblemen en Cecy aan zenuwinzinkingen en angsten. Ze genoten een maand lang van hun verblijf in het kuuroord. In de omgeving werden juist tarwe en rogge gemaaid, noteerde George, en de braamstruiken en lindebomen stonden in bloei. De gasten plukten dikke vijgen van de leibomen in de ommuurde tuin en verzamelden als het donker was glimwormen op de paden. 'Cecy & ik hebben in het dalletje gewandeld,' schreef George op 25 juli, '& genoten van de warme westenwind & het prachtige landschap. We rustten lang uit op de droge plaggen & ze zong de oude Engelse liedjes die ik zo mooi vind.'

De rust van de Combes werd verstoord door toevallige berichten van buiten. Op 9 juli merkte George op dat de kranten vol stonden met berichten over het proces betreffende Madeleine Smith, de dochter van een architect uit Glasgow die ervan werd beschuldigd dat ze een minnaar had vergiftigd toen die weigerde haar compromitterende brieven terug te geven. In die brieven scheen juffrouw Smith zich te verheugen in haar seksuele vergrijp, merkte de rechter op, 'met verwijzingen, in één passage in het bijzonder, in bewoordingen die ik niet zal herhalen, daar zij wellicht nooit aan het papier zijn toevertrouwd alsof zij plaatsvonden tussen een man en een vrouw'. Haar gedrag was al schokkend genoeg, maar nog veel erger was het genoegen dat zij putte uit de herinnering. Combe schreef: 'de basis van haar hersenen moet in het algemeen groot zijn geweest & het gebied van de kroonnaad gebrekkig.' Dit waren dezelfde kenmerken – het vergrote orgaan van Zinnelijkheid en het verkleinde orgaan van Eerbied – die hij bij Isabella had vastgesteld.

Op 3 augustus, de dag waarop de Combes zouden vertrekken, leken Mary en haar moeder er weer bovenop. De Lanes en lady Drysdale kwamen samen met hun gasten om hun eminente vrienden uit te zwaaien. Eén patiënt, een weduwe van zestig uit Aberdeenshire, vroeg Combe om een lok van zijn haar. Cecy vond dat wel grappig, vooral toen George zijn best deed om zijn bewonderaarster daarvan te voorzien: 'er was er amper een te vinden,' schreef hij, 'ze zijn zo schaars en kort'. Met deze komische noot nam het hartelijke oude stel afscheid van de bewoners van Moor Park en vertrok in een rijtuig naar het station.

Tot nu toe was Edwards familie erin geslaagd hun benarde situatie verborgen te houden, maar Henry Robinson werkte hen tegen. Binnen een paar dagen na het vertrek van de Combes van Moor Park kwam Henry op bezoek bij Robert Chambers in Edinburgh, liet hem het dagboek van Isabella zien en verklaarde dat hij het toevallig had gevonden terwijl hij iets voor haar uit haar schrijftafel pakte. '9 augustus,' noteerde Chambers in zijn eigen journaal. 'Mijnheer H.O. Robinson kwam 's avonds langs en las me fragmenten voor uit het journaal van zijn vrouw, die de ontwikkeling onthulden van haar schuldige genegenheid voor —— ——. Een zonderlinge uiteenzetting waardoor ik met onverminderde belangstelling drie uur wakker werd gehouden.' Zelfs in zijn eigen dagboek liet Chambers de naam van Edward Lane onvermeld, doordrongen van de mogelijkheid dat ook dit persoonlijke verslag openbaar gemaakt zou worden. Hoewel Henry aan Chambers vroeg of deze de kwestie voorlopig geheim wilde houden, vertrouwde hij het verhaal ook toe aan andere kennissen in Edinburgh.

Later die maand gaf het parlement zijn goedkeuring aan een wet voor de oprichting van een seculier echtscheidingshof, met procedures die een volledige beëindiging van het huwelijk binnen bereik brachten. Door echtscheiding in brede kring beschikbaar te maken, poogde de regering van lord Palmerston het aantal 'onregelmatige verenigingen' in den lande te verminderen, zodat het voor vrouwen mogelijk werd van een gewelddadige echtgenoot af te komen en voor mannen van een ontrouwe echtgenote. Het hof zou voor het eerst zitting houden in 1858.

In de tussentijd ging Henry door met zijn zaak bij Doctors' Commons en schreef hij Otway en Stanley in als kostleerling aan de Tonbridge School in Kent; hij liet zich in het register optekenen als ds. Henry Oliver Robinson, wellicht in de hoop dat dit zijn identiteit zou verhullen wanneer de scheiding voor de rechter kwam. Tonbridge was een traditionele, openbare jongensschool met ongeveer 160 leerlingen. Het hoofd was 'een strenge meester'; volgens een tijdgenoot 'was het rietje steeds binnen handbereik'. Otway was geselecteerd voor het voetbalteam van dertien tegen dertien, dat een ongewoon ruige vorm van rugby speelde: volgens regel 13 mocht 'iedereen die met de bal loopt in de kraag worden gevat, aangevallen, tegen de schenen getrapt of pootje gehaakt'.

Op 3 december 1857 werd Henry's aanvraag tot een scheiding *a mensa et thoro* – een scheiding van tafel en bed, ofwel een rechterlijke scheiding – ingediend bij het kerkelijk hof op Doctors' Commons, een oud omheind terrein bij St Paul's Cathedral. Zijn bewijsvoering, die achter gesloten deuren werd gehouden, bestond uit de dagboekfragmenten en de getuigenis van twee personeelsleden van Moor Park. Henry's aanvraag was een van de laatste, misschien wel de allerlaatste, die binnen het oude systeem werden gehoord. Isabella verweerde zich niet tegen de eis, zoals ze Edward had beloofd. Haar raadsman stond op en zei dat hij naar zijn idee namens haar geen tegenstand kon bieden. Het hof wees Henry zijn scheiding toe; *The Times* wijdde er de volgende dag een paar regels aan en vermeldde niets over de omstandigheden betreffende het overspel of de naam van de veronderstelde minnaar.

Volgens de bepalingen van haar huwelijksovereenkomst behield Isabella na de scheiding haar eigen inkomen, hoewel ze niet meer zo veel rente op haar fondsen ontving. Een economische crisis had in 1857 veel investeringen in waarde doen dalen. Ze ontving nu ongeveer 390 pond per jaar; na aftrek van zo'n 150 pond aan kosten voor Alfred hield ze daarvan 'nauwelijks genoeg over om als een beschaafde dame te leven'. 300 pond per jaar werd beschouwd als het minimum voor een middenklasse huishouden met één bediende. Toen ze met Henry samenwoonde, was Isabella een van de welvarendste vrouwen van haar klasse geweest; nu was ze daar bijna helemaal uit weggevallen; Henry hoopte dat hij haar inkomen nog verder kon doen verminderen.

Henry verbleef die maand op Balmore House, samen met Otway en Stanley, die vakantie hadden, en met een van zijn twee buitenechtelijke dochters; hij was van plan haar voor te stellen aan de beau monde van Reading. Op 12 december, negen dagen na zijn scheiding van Isabella, schreef hij aan Robert Chambers dat hij hem toestond details uit het dagboek te onthullen aan hun vrienden in Edinburgh. Chambers vertelde het verhaal over Isabella's 'hartstochtelijke en weerzinwekkende' escapades aan George Combe, die het doorvertelde aan zijn vriend sir James Clark.

Clark, die Keats tijdens diens terminale ziekte in Rome had behandeld, was een van de favoriete artsen van koningin Victoria; hij was ook degene die had geregeld dat Combe de hoofden van de koninklijke kinderen zou lezen. Combe verontschuldigde zich uitvoerig voor het feit dat hij hem had voorgesteld aan de bewoners van Moor Park, en voegde eraan toe dat hij er niet aan twijfelde dat de hele kwestie aan Isabella te wijten was, maar dat de dokter 'er droevig voor zou boeten'. Combe merkte op dat men over Henry Robinson zei dat hij zelf eveneens 'de huwe-lijksbelofte niet eerbiedigde'.

Edward verbleef met de Kerst in Londen, in een Georgiaans huis van zes verdiepingen aan Devonshire Place, Marylebone. Hij verbleef er met zijn vrouw, zijn schoonmoeder, zijn kinderen en zijn drie zwagers. George Drysdale had in 1855 in Edinburgh zijn artsexamen gedaan en was nu werkzaam als arts, en Charles studeerde medicijnen aan het University College London nadat hij in datzelfde jaar zijn loopbaan als ingenieur had opgegeven.

Op 28 december vernam Edward dat er geruchten over zijn wangedrag de ronde deden en de volgende dag schreef hij Combe een 'volledige, vierkante, volstrekte & verontwaardigde ontken-ning die geen tegenspraak duldde' van de affaire met Isabella. Hij beweerde dat hij de aantekeningen die over hem in het dag-boek stonden niet kon verklaren – Isabella moest 'niet geheel bij haar verstand' zijn geweest, zei hij. Ze had zich niet tegen de ge-rechtelijke scheiding verweerd, vertelde hij Combe, omdat 'ze mij onnoemelijke schade had toegebracht, & ze vond dat ze het niet erger moest maken door mijn naam in het openbaar met zo'n schandaal in verband te brengen, wat het haar ook zou kos-ten'. Twee dagen later – op 1 januari 1858 – kwam lady Drysdale erachteraan met een eigen brief aan de Combes: 'U zult mijn ernstige woorden geloven wanneer ik verklaar dat Lane vol-maakt onschuldig is – ja, Mary en ik drongen er vaak op aan haar uit te nodigen... omdat ze thuis ongelukkig was, maar Lane gaf altijd ongaarne toe aan onze smeekbeden, omdat hij haar een saai mens vond.'

Edward ging naar Edinburgh om zich persoonlijk te verde-digen. Hij nam de sneltrein die op 2 januari om kwart over ne-gen 's morgens uit Londen vertrok en bereikte de Schotse hoofdstad om ongeveer tien uur 's avonds. De volgende mor-gen praatte hij twee en een half uur met George Combe in diens huis in Melville Street. Edward betuigde zijn onschuld in heftige bewoordingen. Isabella's dagboekaantekeningen wa-ren gefantaseerd, zei hij: haar religieuze twijfels hadden haar 'volledig in de war [gebracht] wat betreft gezond verstand en doodgewoon fatsoen'. 'Feit en fictie werden in haar dagboek roekeloos door elkaar gegooid' en 'maar al te frequent werd een wellustige & ziekelijke verbeelding de vrije loop gelaten'. Hij beweerde dat hij niet met Isabella had geflirt in Edinburgh; hij had juist altijd een boek meegenomen op hun ritjes naar de kust, opdat hij kon ontsnappen aan haar 'oppervlakkige' conversatie. 'Ik heb mevrouw R. nooit een regel geschreven,' zei hij, 'die niet op het marktplein zou kunnen worden uitgesproken.' De dokter zei dat hij ernaar uitzag Henry aan te klagen wegens smaad, maar zijn advocaat had hem aangeraden niets te ondernemen wat ruchtbaarheid aan het verhaal zou geven, daar hij zijn goede naam 'evenzeer door succes als door mislukking zou kunnen verliezen'.

Edwards verontwaardiging was oprecht. Isabella's beleving van hun verhouding vertoonde waarschijnlijk weinig gelijkenis met de zijne. De sentimentele bewoordingen waarin ze verhaalde van hun ontmoetingen, de hartstocht en het verlangen die ze hem toedichtte, kunnen hem inderdaad zijn voorgekomen als fantasieën die eerder ontleend waren aan romantische literatuur dan aan de werkelijkheid. Met de lyrische retoriek in sommige passages van haar dagboek kan ze zelfs hebben gesuggereerd dat ze gemeenschap hadden, terwijl dat niet zo was. Ze was ook onvoorzichtig geweest: door haar dagboek bij te houden en het rond te laten slingeren, leek ze hem en zijn gezin moedwillig te hebben gekwetst. Edwards enige toevlucht was zijn woord te stellen tegenover de aantekeningen in het dagboek en vol te houden dat Isabella alles had verzonnen. Hij keerde zich tegen zijn voormalige vriendin. Ze was 'een dweepzieke & hoogdravende dwaas', schreef hij, 'een naar & waanzinnig mens' dat overgeleverd was aan 'nachtelijke hersenschimmen'.

Edward was razend over het contrast tussen zijn positie en die van Henry Robinson. Henry kwam uit het journaal naar voren als 'het toppunt van menselijke kleingeestigheid, verachtelijkheid, schofterigheid & wreedheid', zei Edward tegen Combe; door zijn gedrag verlangde Isabella ernaar 'te ontsnappen, tegen bijna elke prijs, aan de banden van een echtvereniging die haar leven nagenoeg ondraaglijk had gemaakt'. Toch was deze verschrikkelijke echtgenoot, van wie bekend was dat hij een minnares en twee buitenechtelijke kinderen had, in de ogen der wet volkomen onschuldig.

George Combe liet zich overhalen. 'Ik was diep getroffen door de tegenspoed van die arme Lane,' schreef hij aan sir James Clark. 'Lane is volkomen ontreddert, & lady Drysdale en mevrouw Lane leven in een martelende angst voor publiciteit.' Nu hij Moor Park zo enthousiast bij zijn vrienden had aanbevolen, voelde Combe zich persoonlijk verantwoordelijk voor de eer van de dokter. Hij deed zijn best om zich van Isabella te distantiëren. Ze 'deed alsof ze zeer geïnteresseerd was in de nieuwe Filosofie,' vertelde hij Clark, 'maar mevrouw Combe & ik hebben haar nooit gemogen'. Hoewel ze 'een slimme, intellectuele vrouw was', 'gaf haar onvolkomen coronale domein haar intellectuele uitingen een koele, ordinaire toon, die haar beroofde van elke belangstelling voor ons'.

Combes vrienden stonden versteld van het verhaal. Isabella Robinson was 'een opmerkelijke vrouw', zei sir James Clark, 'de eerste... die ooit een verslag bijhield van haar eigen schande'. Marmaduke Blake Sampson, redacteur van *The Times* in de City en een enthousiast aanhanger van de frenologie, vond dat Edward een deel van de schuld op zich moest nemen, ook al was hij onschuldig aan overspel: 'door tijd te besteden aan haar ritjes in de morgen & een gemeenschappelijke omgang met de kinderen toe te staan... betoonde hij haar de grootste hoffelijkheid die de macht van een gewichtig man, met een positie in de maatschappij, hem toestaat te bewijzen. Hij ging met pek om en is erdoor besmet. Als hij de consequenties zou erkennen als de logische resultaten van zijn eigen gebrek aan doorzicht, waardigheid en zorgvuldigheid, zou ik meer vertrouwen hebben in enigerlei verklaring van zijn kant dan men kan gevoelen zolang hij zichzelf voorstelt als slachtoffer'.

Twee dagen na Edwards bezoek aan Edinburgh stuurde Henry Robinson een brief aan Combe met zijn eigen versie van de zaak. Onoprecht beweerde hij dat hij Combe het gênante verhaal had willen besparen, maar dat hij zojuist van Robert Chambers had vernomen dat het hem ter ore was gekomen − dus 'is mijn pen bevrijd en geef ik gehoor aan de natuurlijke opwelling dit trieste verhaal kenbaar te maken aan een vriendelijke en geeerde kennis'. Hij vertelde Combe dat hij gaarne enige onjuiste voorstellingen wilde corrigeren die Isabella zou kunnen hebben verspreid. Hij beschreef de verbijstering, de schrik, het verdriet en het afgrijzen die hij had ervaren bij het lezen van het dagboek en de 'vreselijke ontdekking' dat Isabella een 'amour' onderhield met Eugene Le Petit, 'hoewel er ruimte bestond te hopen dat die zich niet uitstrekte tot het criminele'. Hij zei dat het hem nog meer had geschokt te ontdekken dat zijn vrouw sinds 1850 'ten prooi aan een hartstocht voor dr. E. L.' was geweest, die in 1854 uitmondde in een 'criminele intimiteit'. Henry bood aan Combe het ondersteunend bewijs tegen Edward te tonen, mits hij het behandelde als 'strikt persoonlijk en vertrouwelijk'.

Combe bedankte: 'Welnu, uw aanbod mij *in vertrouwen* het bewijs van zijn misdadigheid voor te leggen, zou slechts onze moeilijkheden verergeren; want ik zou dr. Lane niet om enigerlei verklaring kunnen vragen en wij zouden hem moeten veroordelen zonder zijn verdediging te hebben gehoord.'

Henry en Isabella hadden beiden de grens overschreden tussen het persoonlijke en het publieke: Isabella door in haar journaal over Edward te schrijven; Henry door haar geheime woorden te lezen en te verspreiden. In reactie daarop deed Combe zijn uiterste best om het onderscheid tussen vertrouwelijke en vrije informatie te herstellen. Nauwgezet scheidde hij de publieke verklaringen van de gefluisterde aantijgingen en de te boek gestelde feiten van de geruchten. Door te weigeren het dagboek te lezen, maakte hij het voor zichzelf ook makkelijker in Edwards onschuld te geloven.

Edward bedankte Combe voor zijn bescherming: 'je hebt je tegenover mij niet alleen opgesteld als een warme vriend, maar ook als een man van eer – vastbesloten dat ik, als het aan jou lag, in ieder geval niet in het duister zou worden neergestoken'. Henry gedroeg zich daarentegen op een 'steelse', 'gluiperige & kwaadaardige' manier.

Edward volhardde in zijn hoop het schandaal te kunnen beperken. 'Ik spreek tot u,' schreef hij aan Combe, 'met alle... volheid van een zoon aan een vader', een smeekbede waarmee hij zich beriep op de eerlijkheid maar ook op de vertrouwelijkheid van de familiekring. Hij herinnerde Combe aan 'de bijzondere omstandigheden van mijn positie, die het vermijden van elke openbaarheid een kwestie van zo veel gewicht maakt'. Lady Drysdale was dezelfde mening toegedaan. 'Mag ik... u en mevrouw Combe dringend verzoeken deze brief te beschouwen als strikt vertrouwelijk,' schreef ze, 'want elke dag ben ik er meer van overtuigd dat *stilzwijgen* onze enige zekerheid is.'

In 1857 kwam er een schandaal tot uitbarsting waar een andere mevrouw Robinson bij betrokken was, wat leidde tot een controverse over het publiceren van vertrouwelijke achterklap. In maart publiceerde de romanschrijfster Elizabeth Gaskell een biografie van Charlotte Brontë, die in 1855 was gestorven, waarin ze een liefdesaffaire tussen Charlottes broer Branwell en Lydia Robinson beschreef, de laatste een 'rijpe en verdorven' getrouwde vrouw die Branwell in de jaren 1840 in dienst nam als leraar voor haar zoons. 'Het geval schetst het tegenovergestelde van wat gebruikelijk is,' schreef mevrouw Gaskell; 'de man werd het slachtoffer; 's mans leven werd verwoest, uit hem geperst door lijden, en schuld die schuld tot gevolg had; zijn familie werd gegriefd door de meest intense schaamte.' De vrouw in kwestie, inmiddels lady Scott geheten, dreigde in mei 1857 met juridische stappen tegen mevrouw Gaskells uitgevers, met het resultaat dat het boek uit de handel werd gehaald en aangepast.

Toen het Gerechtshof voor echtscheiding en huwelijkse zaken begin 1858 de deuren opende, was Henry Robinson de elfde persoon die een verzoek indiende tot scheiding *a vinculo matrimonii* – een ontbinding van zijn huwelijk. Deze vorm van scheiding had hetzelfde resultaat als de dood van een echtgeno(o)t(e): als Henry de zaak won, zou hij net als een weduwnaar vrij zijn om een andere vrouw te trouwen.

De nieuwe rechtbank behandelde haar zaken in het openbaar. Het hof streefde ernaar te worden gezien als beschermend en bestraffend; het wilde definiëren wat binnen het huwelijk geoorloofd was en de zo zichtbare schande aanschouwelijk maken die hun die de grens overschreden te wachten stond. Een van de essentiële bestanddelen van de echtscheidingswet voorzag in bescherming van de eigendom van een getrouwde vrouw, zodat echtgenotes wie onrecht was aangedaan hun eigen verdiensten mochten behouden, en een verlichting van de maatstaven met betrekking tot het aantonen van overspel. Het was vooral van belang dat het hele proces werd vereenvoudigd. Henry en anderen zoals hij zouden zich voor 1858 geen scheiding hebben kunnen veroorloven.

Daar hij het kerkelijk hof al had overtuigd van Isabella's overspel, had Henry goede redenen om erop te vertrouwen dat de nieuwe rechtbank zijn verzoek zou honoreren. Doctors' Commons vereiste twee getuigen van het overspel, de nieuwe rechtbank slechts een. Een handboek uit 1860 legde het uit: 'Het onvoorwaardelijk verlangen van twee getuigenverklaringen ten aanzien van feiten die vrijwel nooit anders dan geheim zijn, is in de meeste gevallen een garantie voor het verliezen van een zaak en een ontzegging van gerechtigheid.' Evenmin diende Henry's raadsman het overspel buiten redelijke twijfel vast te stellen; daar dit een civiel proces was en geen strafrechtelijk, hoefde hij de rechters er alleen van te overtuigen dat zijn zaak waarschijnlijker was dan die van Isabella.

Henry's advocaten deelden hem mee dat een man die een scheiding aanvroeg tegenwoordig de naam van de veronderstelde minnaar van zijn echtgenote moest noemen als medegedaagde. Hoewel zijn zaak tegen Edward Lane betrekkelijk weinig voorstelde, kon dit Henry financieel voordeel opleveren: als zijn aanvraag succes had, kon de rechtbank Edward opdragen hem een schadevergoeding te betalen. In februari 1858 diende Henry zijn verzoek tegen Edward en Isabella in.

Bij de kerkelijke rechtbank had Isabella Edward gedekt door zich niet tegen Henry te verweren, maar nu was de dokter onmogelijk buiten de seculiere procesgang te houden. Als ze Edward wilde beschermen, zou ze echtbreuk moeten ontkennen.

Isabella's raadslieden en die van Edward kwamen bij elkaar om hun zaak te formuleren. Op 22 april ontkende Isabella echtbreuk via haar advocaat en de volgende dag deed Edward hetzelfde. Hij zorgde dat het dagboek werd overgeschreven door ko-piïsten, wat hem 150 pond kostte, zodat zijn raadsman het voor zijn verdediging kon gebruiken.

In de eerste vijf maanden van 1858 werden er 180 verzoeken aan de rechters van het echtscheidingshof voorgelegd. Pas op maan-dag 10 mei sprak het hof de eerste scheiding uit, maar daarna volgden de ontbindingen elkaar snel op: de volgende dag rond lunchtijd had het hof acht stellen gescheiden. 'Ik kan niet anders dan mijn tevredenheid onder woorden brengen over de manier waarop de nieuwe wet werkt,' zei lord Campbell, de voorzitter van het Hogerhuis die de echtscheidingswet had helpen formu-leren. 'Nu staan alle klassen op gelijke voet.'

Verscheidene van de eerste aanvragers bij het hof waren advo-caten. Als juristen zagen ze al snel de mogelijkheden van de nieu-we wet; en evenals Henry Robinson waren ze moderne mannen uit de middenklasse, die meer geïnteresseerd waren in wraak dan in een goede reputatie en die liever hun vrijheid veiligstelden dan dat ze de eer van hun familie bewaarden. Het bewijs was noodge-dwongen van laag allooi. Op 12 mei beschuldigde een advocaat die Tourle heette zijn vrouw ervan dat ze de zoon van hun buurman had verleid. De getuigen waren: zijn neef, die mevrouw Tourle en de zoon van de buurman had betrapt in de zitkamer, 'rood en ver-ward'; zijn bediende, die beweerde dat hij had gezien hoe de jon-geman in november 1856 in de eetkamer zijn arm om het middel van mevrouw Tourle sloeg; een koetsier, die zei dat hij het stel in de zomer van 1857 in het bos had zien zoenen, en de staf van een hotel in Albemarle Street in Londen, die getuigde dat ze een ka-mer hadden gedeeld. Op basis van deze waarnemingen van een stel dat zich begaf op de rand van seks werd de scheiding toegewe-zen.

Terwijl de rechters hun schema afraffelden, maakten ze dui-delijk waarin wreedheid bestond en hoe men echtbreuk moest bewijzen, en wat de grenzen waren van de macht van een man over zijn vrouw en kinderen. Aldus bestookten ze het publiek met verhalen over huiselijke ellende. 'Iedereen met wie je het over een ongelukkig huwelijk hebt,' zo stond er eind mei in een redactioneel artikel in de *Daily News*, 'vergelijkt de kwestie terstond met een andere zaak, die weer doet denken aan geval nummer drie; zo wordt de verbeelding geplaagd door beelden van gedoemde huishoudens.' Zelfs koningin Victoria leek zich ineens zorgen te maken over het instituut: 'Ik denk dat mensen veel te veel trouwen,' schreef ze in mei aan haar pasgetrouwde dochter Vicky; 'het is per slot zo'n loterij, en voor een arme vrouw maar een zeer dubieus geluk.' Charles Dickens, wiens romans het Victoriaanse middenklasse gezin zeer hadden verheerlijkt, was zelf ook in een huiselijke crisis verzeild geraakt. Op vrijdag 11 juni, drie dagen voor de zaak Robinson begon, publiceerde hij een verklaring waarin hij aankondigde dat zijn vrouw Catherine en hij een akte van echtscheiding hadden ondertekend. Door een privé-overeenkomst op te stellen, vermeed Dickens althans de openbaarheid van de rechtszaal. In de pers weersprak hij de geruchten dat hij echtbreuk had gepleegd – ofwel met een jonge actrice, dan wel met de zuster van zijn vrouw. De 'adem van die lasterpraatjes,' zei hij, had zijn lezers overweldigd 'als een ongezonde lucht'.

HOOFDSTUK NEGEN

VERBRAND DAT BOEK
EN WEES GELUKKIG!

Westminster Hall, 15 juni 1858

Op dinsdag 15 juni werd het nieuws over het proces Robinson algemeen bekend. Toen het hof om elf uur 's morgens bijeenkwam, verdrongen verscheidene eminente advocaten zich in de benauwde zaal om de gebeurtenissen gade te slaan. Onder hen was ook de voormalige voorzitter van het Hogerhuis, lord Henry Brougham; hij was beroemd om zijn succesvolle verdediging van koningin Caroline tegen een aanklacht wegens overspel, toen George IV in de jaren 1820 van haar probeerde te scheiden. Lord Brougham kan op de hoogte zijn geweest van Isabella's afkomst, waar in de loop van het proces geen melding van werd gemaakt: in de jaren 1820 had hij in het Lagerhuis gezeten aan de zijde van haar grootvader, John Christian Curwen, net als hij een landeigenaar uit het noordwesten van Engeland. Die dag verschenen de eerste verslagen van de zaak Robinson vs. Robinson & Lane in de kranten.

Van de drie rechters die zitting hielden was sir Cresswell Cresswell het meest vertrouwd met de ingewikkeldheden van de nieuwe wet, daar hij al sinds januari de leiding had over het echtscheidingshof; sir Alexander Cockburn zou echter het proces leiden. Laatstgenoemde stond graag in de schijnwerpers en het proces Robinson trok nu al meer aandacht dan alle andere processen van dit hof tot nu toe. Hij koesterde een bijzondere belangstelling voor beweerde krankzinnigheid, omdat hij zijn naam als advocaat in 1843 had gevestigd met een vrijspraak op grond van verstandsverbijstering: hij had negen artsen naar de Old Bailey laten komen om te getuigen dat zijn cliënt, Daniel M'Naghten, in de ban was geweest van 'een hevige en ontstellende zinsbegoocheling' toen hij eerste minister Robert Peel probeerde te vermoorden. Het vonnis bracht een revolutie teweeg in het denken over waanvoorstellingen en criminele verantwoordelijkheid, en krankzinnigheid werd een alledaags verweer in de rechtszaal. Een advocaat kon nu aanvoeren dat zijn ogenschijnlijk gezonde cliënt in een ogenblik van waanzin een misdaad had gepleegd – of, zoals de advocaten in de zaak tegen Isabella zouden zeggen, dat ze een valse bekentenis had afgelegd terwijl ze ten prooi was aan krankzinnigheid.

Forsyth nam het woord namens Edward Lane. Gewoonlijk sprak eerst de raadsman van de gedaagde tot de rechters, niet die van de medeplichtige, maar Isabella had ermee ingestemd dat Edwards raadsman de leiding nam; dat betekende dat zijn advocaten haar getuigen wél een kruisverhoor konden afnemen, maar haar advocaten zijn getuigen niet. Ze hoopten dat de zaak tegen Edward alras niet-ontvankelijk zou blijken, en daarmee ook de zaak tegen Isabella.

'Mijn geleerde collega heeft toegegeven,' zei Forsyth, 'dat hij niet over voldoende bewijzen beschikt om de medegedaagde aansprakelijk te verklaren, maar voor dokter Lane zijn de consequenties van de verdenkingen zo ernstig dat het mijns inziens niet gerechtvaardigd ware als ik de gelegenheid voorbij liet gaan de edele heren toe te spreken en bewijzen te leveren. De eer van dokter Lane, zijn reputatie, zijn huiselijk geluk en zijn middelen van bestaan zijn bij dit onderzoek in het geding.'

De rechtbank had het dagboek wel toegelaten als bewijs tegen Isabella, maar niet als bewijs tegen Edward: 'Tegenover deze heer moet het worden beschouwd als niet-bestaand, als nooit geschreven zijnde. Ik zal derhalve alle toespelingen op en overwegingen ten aanzien van het dagboek verwerpen.'

'Zou er voor een aanklacht wegens overspel tegen een medegedaagde [zonder het dagboek als bewijsmateriaal] magerder bewijs kunnen bestaan dan in deze zaak?' vroeg Forsyth zich af. 'Ziehier dokter Lane, een jonge man met vrouw en kinderen die beschuldigd wordt van overspel met een vrouw van vijftig omdat men heeft gezien dat hij op zijn eigen terrein met haar wandelde, en dat hij aan tafel iets tegen haar fluisterde; omdat ze gezien is op zijn studeerkamer, waar alle huisgenoten vrij doorheen kunnen lopen; en omdat iemand hem trof toen hij uit haar kamer kwam.'

Hij herinnerde het hof eraan dat de dokter met alle vrouwelijke patiënten op Moor Park omging. 'De moeder van mevrouw Lane had er bij dokter Lane op aangedrongen zo veel mogelijk aandacht aan mevrouw Robinson te besteden – ritjes met haar te maken, in het park met haar te wandelen en paard te rijden. Er zullen vrouwelijke patiënten worden opgeroepen om te getuigen dat zij nooit iets hebben gezien wat de veronderstelling rechtvaardigt dat er zelfs maar een zweem van verdenking tegen de partijen was. Ik zeg zonder vrees dat niets in deze zaak, met uitzondering van de getuigenis van de heer Warren, aanleiding geeft tot verdenkingen. De tegenpartij heeft het niet aangedurfd zelfs maar een brief van dokter Lane aan mevrouw Robinson te overleggen, hoewel ze er vele hebben gewisseld. Men zegt dat dokter Lane werd gezien toen hij uit de kamer van mevrouw Robinson kwam; het is echter een feit dat de heer Lane de gewoonte heeft alle vrouwelijke patiënten op hun kamer te bezoeken. Mevrouw Robinson kan onwel zijn geweest en onder dergelijke omstandigheden ligt niets zozeer voor de hand dan dat dokter Lane haar op haar kamer heeft bezocht.' Hij verzekerde de rechtbank: 'Ik zal elk spoortje of snippertje verdenking tegen dokter Lane ontkrachten.'

Forsyths eerste getuige was Auguste Giet, een voormalige huisknecht op Moor Park die onder meer het toezicht op de voorraadkast naast de studeerkamer van de dokter als taak had.

Giet getuigde dat Levi Warren, een staljongen die de vorige dag had getuigd, in 1856 een reisje van Moor Park naar Londen had gemaakt. Naderhand, zei Giet, had de jongen hem verteld dat hij een bespreking had gehad met ex-inspecteur Field en Henry Robinson, tegen wie hij had gezegd 'dat hij dokter Lane nooit met zijn arm om het middel van mevrouw Robinson had gezien'. Giet voegde eraan toe: 'Hij zei ook tegen me dat hij ze nooit in die positie had gezien.'

Forsyth haalde twee brieven tevoorschijn die Warren aan Giet had geschreven, liet ze de huisknecht zien en vroeg hem te bevestigen dat ze in Warrens handschrift waren geschreven. Giet zei dat dat inderdaad zo was. Forsyth liet de rechtbank een van de brieven zien, waarin Warren de huisknecht vroeg niets te zeggen over wat hij hem had toevertrouwd.

De advocaat informeerde of Giet zich herinnerde dat hij mevrouw Robinson op Moor Park had gezien. Ja, antwoordde de huisknecht, maar hij had nooit opgemerkt dat ze met dokter Lane wandelde.

Forsyth vroeg naar de ligging van de studeerkamer waar Isabella en Edward overspel zouden hebben gepleegd. Giet bevestigde dat het personeel de studeerkamer gebruikte als doorgang van de voorraadkamer naar de eetzaal.

De huisknecht mocht de getuigenbank verlaten. Zelfs zonder zijn verklaring had men de getuigenis van een misnoegde staljongen makkelijk kunnen verwerpen; nu konden de rechters die volledig negeren.

Forsyth riep Caroline Suckling op, de drieënvijftigjarige vrouw van kapitein William Suckling, een ver familielid van lord Nelson. De Sucklings waren regelmatig te gast op Moor Park. George Combe ontmoette ze daar in 1856 en kreeg een hekel aan hun achtjarige dochter Florence Horatia Nelson Suckling; Combe beschreef haar in zijn dagboek als 'een verwend enig kind & erfgename over wie ik haar moeder van advies diende'.

Mevrouw Suckling getuigde dat ze in september 1854 op Moor Park verbleef en zich de aanwezigheid van mevrouw Robinson aldaar zeer goed herinnerde.

'Ik heb nooit enigerlei communicatie tussen de dokter en mevrouw Robinson gezien. Ik heb hen met elkaar in gesprek gezien; het waren gesprekken waar ik zelf vaak aan deelnam, maar er was geen verschil tussen dokter Lanes omgang met mevrouw Robinson en zijn omgang met de andere dames.'

Forsyth vroeg mevrouw Suckling naar Mary Lane.

'De dokter en mevrouw Lane hadden een uitstekende verstandhouding,' zei mevrouw Suckling. 'Ze was ongeveer vijfentwintig jaar en een vriendin van mevrouw Robinson.'

Toen haar uitgebreider werd gevraagd naar intimiteiten tussen de dokter en Isabella, zei mevrouw Suckling dat ze dokter Lane een keer met haar buiten op het terras had zien lopen. 'Maar hij had de gewoonte met alle patiënten te wandelen, met dames en heren, afwisselend op het terras en in het park.'

Mevrouw Suckling verliet de getuigenbank en Forsyth riep lady Drysdale op. Als medegedaagde was Edward niet gerechtigd in de rechtbank te getuigen en Mary evenmin, aangezien ze zijn echtgenote was. Maar lady Drysdale kon wel optreden als getuige ter verdediging van haar schoonzoon.

In antwoord op de vragen van Forsyth vertelde Elizabeth Drysdale de rechtbank dat ze sinds hun huwelijk had samengewoond met haar dochter en Edward Lane. De Lanes, zei ze, hadden lange tijd een zeer innige band gehad met het gezin Robinson. Forsyth vroeg naar het gedrag van dokter Lane tegenover mevrouw Robinson.

'Zijn houding jegens mevrouw Robinson was steeds precies dezelfde als die tegenover de andere dames in huis,' zei lady Drysdale. 'Ik heb er vaak bij dokter Lane op aangedrongen vooral vriendelijk tegen mevrouw Robinson te zijn.'

Forsyth wilde weten waarom.

'Omdat ik dacht dat het huishouden van mevrouw Robinson geen gelukkig huishouden was,' antwoordde ze.

Forsyth vroeg lady Drysdale of ze wist van de wandelingen die de dokter maakte met mevrouw Robinson.

'Mevrouw Lane en ik wisten er altijd van wanneer de dokter uit rijden of wandelen ging met mevrouw Robinson,' zei ze. 'Hij maakte wel vaker wandelingen met dames die in het kuuroord verbleven.'

Had ze ooit enige ongepaste vrijpostigheden tussen dokter Lane en mevrouw Robinson zien plaatsvinden?

Nee, zei lady Drysdale. Dat had ze niet gezien.

Forsyth had verder geen vragen.

Jesse Addams, die Montagu Chambers bijstond in Henry's zaak, stond op om lady Drysdale aan een kruisverhoor te onderwerpen.

Dr. Addams had Henry in december 1857 vertegenwoordigd

toen deze bij de kerkelijke rechtbank zijn scheiding van tafel en bed verwierf. Isabella bracht eveneens haar vertegenwoordiger tijdens het proces van december mee naar deze nieuwe rechtbank, dr. Phillimore; en een zekere James Deane was aangewezen ter verdediging van Edward Lane. Daar ze voorheen in Doctors' Commons hadden gewerkt waren zij doctor in het burgerlijk recht, en als lid van de Queen's Counsel waren ze tevens bevoegd om in deze nieuwe rechtbank op te treden.

Addams vroeg lady Drysdale naar het karakter van Mary Lane.

'Mijn dochter is een heel zachtaardig mens,' zei lady Drysdale.

En hoe oud was ze ten tijde van de vermoedelijke affaire?

'Ongeveer zevenentwintig jaar,' zei lady Drysdale.

'En zij vermoedde niets?'

'Zij koesterde geen verdenkingen tegen haar echtgenoot,' zei lady Drysdale. 'Daar had ze geen reden toe.'

De advocaat vroeg haar naar de leeftijd van mevrouw Robinson.

'De leeftijd van de meeste vrouwelijke patiënten is rond de vijftig,' antwoordde lady Drysdale, 'of misschien vijfenvijftig. Ik zou zeggen dat mevrouw Robinson vijfenvijftig was, maar ik vrees dat ik dan te veel zeg.' Daar moesten sommige toeschouwers om lachen.

Isabella was in feite eenenveertig ten tijde van het beweerde overspel. Zelfs als lady Drysdale dat niet wist, dan moet ze toch hebben geweten dat haar eigen dochter Mary eenendertig was ten tijde van Edwards vermoedelijke dwaling, en geen zevenentwintig.

Een van de rechters vroeg lady Drysdale hoe het kwam dat de Robinsons en de Lanes zo vertrouwelijk met elkaar omgingen.

'Mevrouw Robinson was opmerkelijk lief voor de kinderen van dokter Lane – mijn kleinkinderen,' zei lady Drysdale, 'en dat leidde tot vertrouwelijkheid.'

Lady Drysdale mocht de getuigenbank verlaten. Haar verslag van het wederzijdse vertrouwen dat bestond tussen haar schoonzoon, haar dochter en haarzelf, zo meldde *The Morning Post*, was 'zeer treffend en ontroerend'.

Forsyths volgende getuige was de heer Reed, een opzichter, die een plattegrond van Moor Park tevoorschijn haalde. Hij wees de plaats van een tuinhuisje op de kaart aan. Hij getuigde dat iemand die op de plek stond die Levi Warren had aangeduid, helemaal niet in het tuinhuisje kon kijken, laat staan kon hebben gezien dat dokter Lanes arm het middel van mevrouw Robinson omsloot.

De laatste getuige voor Edward Lane was dr. Mark Richardson, een voormalige chirurg uit het Bengaalse leger, die Moor Park in 1856 had bezocht toen mevrouw Robinson er eveneens verbleef. Evenals alle patiënten van Moor Park vóór hem getuigde hij dat dokter Lane zich tegenover haar precies zo had gedragen als tegenover de andere vrouwelijke gasten.

Het slotpleidooi liet Forsyth over aan zijn ondergeschikte, John Duke Coleridge, een achterneef van de dichter. Coleridge herhaalde tegenover de rechtbank dat er geen bewijs was waarmee Edward Lane als schuldige kon worden aangewezen.

Vervolgens stond Phillimore op om de zaak van Isabella naar voren te brengen. Dat leek geen sinecure, niet in de laatste plaats omdat hij in het geheel niets ter verdediging had aangevoerd toen hij haar in Doctors' Commons vertegenwoordigde. Maar de regels waren veranderd – in het bijzonder de regel die van de eiser vroeg dat hij de identiteit van de veronderstelde minnaar van zijn vrouw openbaar maakte.

'Dit is een van de opmerkelijkste zaken waarvan ik ooit heb gehoord,' zei Phillimore. 'Het lijkt te zijn erkend dat de zaak tegen dokter Lane slechts berust op het dagboek van mevrouw Robinson, dat niet tegen hem kan worden toegelaten; zo zou het kunnen gebeuren dat dokter Lane wordt vrijgesproken van overspel wegens gebrek aan bewijs, en dat tegelijkertijd het huwelijk van mevrouw Robinson zal worden ontbonden omdat haar overspel met dokter Lane is aangetoond. Ik hoef nauwelijks te zeggen welke stand van de jurisprudentie daardoor zou worden weergegeven.' Hij wees erop dat een schuldigverklaring van mevrouw Robinson en een vrijspraak van dokter Lane zou betekenen dat het ogenblik van hun intieme omgang tegelijkertijd werkelijk en onwerkelijk was geweest, zowel feit als fictie. Wellicht zou worden bewezen dat zij wel gemeenschap had gehad met hem, terwijl hij zou worden vrijgesproken van het hebben van gemeenschap met haar.

De zelfverzekerde Robert Phillimore, een man met brede kaken, had meer dan vijftien jaar ervaring met zowel kerkelijk als gewoonterecht: in de kerkelijke rechtbanken had hij een grondige kennis opgedaan van de precedenten van het huwelijksrecht en hij was even goed op de hoogte van de procedures en het karakter van het seculiere systeem. Hij had goede contacten en was populair; hij was lid geweest van het parlement, de zoon en broer van uitstekende academische juristen, en een goede vriend van de voormalige minister van Financiën (en toekomstige eerste minister) William Gladstone. Phillimore was er waarschijnlijk onkundig van dat Gladstone in de jaren 1850 een dagboek bijhield waarin hij verslag deed van zijn 'reddingswerk' onder prostituees en van de daarop volgende episoden van boetvaardige zelfkastijding.

Cockburn bestreed Phillimores argument dat de zaak Robinson ongerijmd was geworden. Stel dat een vrouw overspel had bekend, zei de rechter, maar de identiteit van haar minnaar verborgen hield door de naam van een ander te noemen – dan kon de rechtbank niet de man veroordelen die zij valselijk beschuldigde, maar wel de vrouw zelf. Hij vroeg: 'U zou een echtgenoot toch niet dwingen bij zo'n vrouw te blijven, wel?'

'De heer Robinson moet zich houden aan zijn eigen klacht,' antwoordde Phillimore. 'Hij heeft zijn vrouw niet beschuldigd van overspel met "een onbekende" of met een van de andere personen over wie ze in haar schandelijke dagboek zo lichtzinnig spreekt. Hij heeft haar met name beschuldigd van overspel met dokter Lane; als overspel met hem niet kan worden bewezen, dient de klacht op alle punten niet-ontvankelijk te worden verklaard. De klacht staat of valt met de schuld of onschuld van dokter Lane.'

Phillimore ging over tot zijn volgende list: een aanval op de geloofwaardigheid van het dagboek. 'Er is in deze zaak geen sprake van een handeling, op enigerlei wijze aangetoond, die aan het overspel voorafging,' zei hij. 'Dus moeten we terugvallen op de zogenoemde bekentenis van de echtgenote, en die bekentenis, dat moet men toegeven, treedt hier in een geheel nieuwe gedaante aan het licht – het is een bekentenis die moet worden afgeleid uit bepaalde bewoordingen in een dagboek dat is bijgehouden door een dame. Dagboeken zijn spreekwoordelijk onwaar. Iedereen die thuis is in de literatuur weet dat bijvoorbeeld Horace Walpole opzettelijk dingen in zijn dagboek schreef die niet waar waren.' De dagboeken van Walpole stamden uit het midden van de achttiende eeuw; ze gaven een beschrijving van het leven aan de hoven van George II en George III, en werden uitgegeven in de jaren 1840.

'Ook onware dingen die hemzelf te schande maakten?' vroeg Cresswell.

'Integendeel,' gaf Phillimore toe, 'in het algemeen plaatste hij zijn daden in een fraai daglicht. Maar er is geen gebrek aan voorbeelden van personen die een morbide neiging hebben om slecht én goed over zichzelf te schrijven. Ik zou bijvoorbeeld de *Confessions* van Rousseau kunnen noemen, waarin allerlei dingen werden opgetekend die de schrijver te schande maakten.' De 'schandelijke' onderdelen van de autobiografie van Jean-Jacques Rousseau, die vier jaar na de dood van de auteur werd uitgegeven, betroffen zijn bekentenissen dat hij verscheidene buitenechtelijke kinderen had verwekt en dat hij masturbeerde.

'Ja,' zei Cockburn, 'maar we mogen niet aannemen dat ze onwaar waren.'

'Ik zou ook kunnen verwijzen naar het dagboek van Pepys,' hield Phillimore vol: '"Heb dit jaar 500 pond verdiend met valsspelen. Moge God het mij vergeven."'

'Ik vrees dat we niet kunnen zeggen dat dat onwaar was,' herhaalde Cockburn, waarmee hij de zaal aan het lachen maakte. Samuel Pepys' dagboek was beroemd om zijn openhartigheid. In de uitgave van 1848 waren veel passages geschrapt die, volgens de uitgever, 'van een zo onbehoorlijk karakter waren dat niemand met een gedisciplineerde geest dit verlies zal betreuren'. Pepys' dagboek was niet gekuist wegens onwaarheden, maar vanwege zijn buitensporige oprechtheid.

Om vast te stellen dat het in Isabella's dagboek om verdraaiingen ging, vestigde Phillimore de aandacht van de rechtbank op de regelmatige verwijzingen naar haar levendige dromen. 'De hele dag kon ik hem niet vergeten of nauwelijks beseffen hoeveel ervan waar was en hoeveel gelogen. Goeie hemel! Wat zijn wij voor marionetten van de verbeelding?' Phillimore nodigde de rechtbank uit om Isabella's waarnemingen met evenveel scepsis tegemoet te treden als zijzelf. In het dagboek ontsloot ze een gebied van seksuele en fantasievolle anarchie en gaf ze zich over aan luchtspiegelingen en waanvoorstellingen. Volgens Henry Hollands boek *Chapters on Mental Physiology* (1852) waren dromen nauw verwant aan krankzinnigheid: beide vertoonden 'het verlies, geheel of gedeeltelijk, van het vermogen een onderscheid te maken tussen irreële beelden die binnen het bewustzijn waren geschapen en feitelijke waarnemingen door de zintuigen – waardoor aan eerstgenoemde de schijn en invloed van werkelijkheden wordt gegeven'.

Phillimore beweerde dat Isabella en Edward geen overtreding hadden begaan; eerder had het dagboek een grens overschreden en was het in fictie veranderd. 'Ik stel met klem,' zei hij, 'dat het dagboek niet wordt ondersteund door zelfs maar een schijn van onomstotelijk bewijs. De passages waar de tegenpartij zich op beroept, zijn geen beschrijving van iets wat echt is gebeurd, maar louter hersenschimmen.'

Niemand kon het dagboek lezen, zei hij, zonder de indruk te krijgen dat het 'het product was van een onmatigheid, een opwinding en een geprikkeldheid die grensden aan, zo niet deel uitmaakten van het domein der waanzin. Er is nog nooit een document geweest dat zo duidelijk de sporen droeg van een uiterst lichtzinnige, overprikkelde, overspannen, romantische, dwaze en verwarde geest als het dagboek van deze mevrouw Robinson.'

Als het Phillimore, die zelf ook een dagboek bijhield, moeite kostte om voorbeelden van valse bekentenissen in dagboeken te vinden, dan kan dat het geval zijn geweest doordat zijn lectuur was beperkt tot dagboeken van beroemde mannen. Maar hier legde hij de vinger op een ontluikend, nauwelijks nog onder woorden gebracht gevoel van onbehagen omtrent dagboeken in het Engeland van halverwege de negentiende eeuw. Van alle te boek gestelde levensverhalen waar de Victorianen zo door ge-

boeid werden – biografieën, autobiografieën, memoires, reis-
dagboeken, gezondheids- en politieke journalen –, was het persoonlijke dagboek het meest subjectief en openhartig, het meest
onthullend wat betreft de problemen van het schrijven en lezen
over het ik.

Hoewel mensen al honderden jaren verslagen van hun huiselijk
en geestelijk leven bijhielden, nam die gewoonte in de vroege
negentiende eeuw plotseling enorm toe. Voordien waren de
meeste dagboeken huishoudelijke journalen, niet zozeer voorbehouden aan het individu als wel aan het gezin; geheime gedachten werden verwoord in brieven aan vrienden die men vertrouwde. De mode van persoonlijke dagboeken werd gevoed
door de populariteit van de romantische poëzie, die introspectie
hoog in het vaandel had, en door de eerste uitgaven van persoonlijke journalen: de zeventiende-eeuwse dagboeken van John
Evelyn verschenen oorspronkelijk in 1818, en die van Pepys in
1825. Het aantal dagboeken dat jaarlijks werd uitgegeven ver-
dubbelde in de jaren 1820 en bereikte in de jaren 1830 een hoogtepunt dat aanhield tot in de jaren 1850. In de meeste gevallen
hadden de auteurs van die journalen niet voor ogen dat hun
woorden op een dag door vreemden zouden worden gelezen. In
1842 werd een achttiende-eeuws dagboek van Samuel Curwen
gepubliceerd, een voorouder van Isabella wiens tak van de familie vanuit Cumberland was geëmigreerd naar de Verenigde Sta-
ten. In het voorwoord werd het volgende verzoek van Curwen
aangehaald: 'mogen [deze geschriften] een vermaak blijken te
zijn voor mijn vrienden, aan wie ik ze opdraag, met het verzoek
om hun zorgvuldige bescherming tegen inzage door alle anderen, daar ze in achteloosheid zijn geschreven en slechts bestemd
voor een open en vriendschappelijke blik'. De belofte van openhartigheid trok de lezer aan, terwijl de uitgever volhield dat publicatie van Curwens dagboek 'geenszins een overtreding van
zijn gebod' was, maar 'verschuldigd aan zijn nagedachtenis'.
Verzonnen dagboeken waren in de jaren 1850 eveneens ge-

meengoed. De briefroman van de achttiende eeuw, waarin een verhaal werd verteld middels brieven, had geleidelijk plaatsgemaakt voor de dagboekroman, waarin de heldin missiven aan zichzelf schreef. Het begin van deze verschuiving kan worden herleid tot Samuel Richardsons enorm populaire boek *Pamela* (1740), waarin de brieven van de verteller aan haar ouders naarmate ze meer in een isolement geraakt worden vervangen door iets wat meer op een dagboek lijkt. In Frances Sheridans *The Memoirs of Miss Sidney Bidulph, Extracted from her Own Journal* (1761) schrijft de heldin een reeks brieven aan een vertrouwelinge; de termen waarin ze haar belevenissen beschrijft lopen echter vooruit op de verhoogde mate van privacy van de dagboekschrijfster: 'alleen aan jou, mijn tweede ik... aan jou ben ik gehouden, door een plechtige belofte en door wederzijds vertrouwen, de diepste geheimen van mijn ziel te onthullen, en bij jou zijn zij even veilig als in mijn eigen boezem'.

Van enkele van de eerste dagboekromans uit de negentiende eeuw werd beweerd dat ze echt waren. *The Diary of an Ennuyée*, anoniem gepubliceerd in 1826, werd door de uitgever beschreven als een dagboek dat was aangetroffen tussen de bezittingen van een jonge vrouw die aan tuberculose was gestorven. Niet lang daarna werd het ontmaskerd als zijnde een verzonnen werk van Anna Brownell Jameson. In een voorwoord bij een latere uitgave verontschuldigde mevrouw Jameson zich ervoor dat ze had gedaan alsof het dagboek echt was: 'de bedoeling was niet om een illusie te scheppen, door aan een verdichtsel de schijn van waarheid te geven, maar juist om de waarheid te verbergen door er de sluier der fictie over te werpen'. Een ander boek dat oorspronkelijk voor authentiek werd gehouden, was *So much of the Diary of Lady Willoughby, as Relates to Her Domestic History, and to the Eventful Period of the Reign of Charles the First.* Het werd in 1844 uitgegeven met zogenaamd zeventiende-eeuwse versieringen: de tekst was in een antieke letter gedrukt op brede, roomwitte, geribbelde vellen papier waarvan de vergulde randen in een ruitpatroon waren ingekeept. De schrijfster, Hannah Mary Rathbone, publiceerde *Some Further Portions...* uit hetzelfde denkbeeldige werk uit 1848, met een voorwoord waarin ze erkende zich als een historische figuur 'te hebben voorgedaan'. Door het succes van haar pastiche ontstond in de loop der jaren 1850 een reeks imitaties, romans in de gedaante van pas ontdekte journalen van vergeten vrouwen, waarvan de meeste maar nauwelijks de schijn van waarachtigheid ophielden. Die gepubliceerde dagboeken, echt en denkbeeldig, profiteerden van de gedachte dat het dagboek een literair narratief was in zijn puurste vorm; tegelijkertijd ondermijnden ze die vorm.

Emily Brontë en haar zuster Anne gebruikten dagboeken als raamwerk voor de plot van hun roman, in respectievelijk *Wuthering Heights* (1847) en *The Tenant of Wildfell Hall*. Dinah Mulock, die regelmatig te gast was op Moor Park, schreef in 1852 een roman in de vorm van een geheim dagboek van een gouvernante, en Wilkie Collins publiceerde in 1856 twee verhalen, vermomd als journalen van vrouwen. De *Athenaeum* merkte op: 'Het dagboek lijkt de brieven te hebben verdrongen als het medium waarin men personen hun eigen verhaal laat vertellen.' De sensatie van die vorm lag vooral in de suggestie van waarachtigheid. De lezer van een dagboek kon een ondeugend plezier scheppen in het rondsnuffelen in een boek dat niet voor haar ogen bestemd was, of de rol op zich nemen van de vertrouwde vriendin naar wie de verteller verlangde. Of het nu was als spion, als vertrouwelinge of allebei, ze ervoer een prikkelend gevoel van nabijheid.

Om munt te slaan uit de mode van het schrijven en lezen van journalen drukte uitgever John Letts in de jaren 1820 de eerste dagboeken op groot formaat. Tegen 1850 verkocht het bedrijf van Letts een paar duizend dagboeken per jaar, in tientallen verschillende formaten. Dit waren de boeken waarin Isabella schreef; ze waren gebonden in een linnen band of in rood Russisch kalfsleer, dat een flauwe geur van berkenbast verspreidde, en ze konden worden voorzien van een beschermend omslag en veersloten. 'Gebruik uw dagboek met uiterste ongedwongenheid en vertrouwen,' raadde Letts de beginnende dagboekschrijver aan, 'houd niets verborgen voor zijn bladzijden, noch sta het andere ogen dan de uwe toe ze te lezen.' Het woord 'dagboekschrijver' werd voor het eerst genoteerd in 1818 en 'in een dagboek schrijven' in 1842 (dit waren equivalenten van de meer ingeburgerde termen 'journaliseur' of 'journalist' voor iemand die een dagboek bijhield, en 'journaliseren' of journalisme' voor de bezigheid zelf).

Vooral vrouwen gaven zich met hartstocht over aan het bijhouden van een dagboek. De trend werd in 1849 door het blad *Punch* op de hak genomen in zijn column *Het Dagboek van mijn Vrouw*, waarin zogenaamd een reeks fragmenten uit een damesdagboek verschenen die door een woedende echtgenoot zouden zijn gelezen, overgeschreven en stiekem doorgespeeld aan de uitgever van het blad. De interesses van de vrouw zijn baatzuchtig en banaal: ze is stiekem van plan de port voor haar man te verstoppen en zoete broodjes te bakken opdat hij haar mooie sjaaltjes en naaidozen geeft. 'Hij *sprak me tegen* over de mierikswortel,' klaagt ze, 'maar ik wist *zeker* dat ik gelijk had.' Dagboeken werden vaak weggezet als vergaarbakken voor vrouwelijke onnozelheden: 'de jongedame kan zich een gebonden boekwerk aanschaffen in elke gewenste maat, voor het vastleggen van haar overvloedige gepeinzen gedurende twaalf maanden', merkte een recensent van Letts dagboeken in 1856 op in de *Examiner*, 'netjes gebonden en gedrukt op goed papier'.

Toch vonden zelfs damesdagboeken hun weg naar de drukpers. In de tijd dat Isabella haar dagboek begon, waren de meest recent uitgegeven dagboeken van een vrouw die van de romancière Fanny Burney; ze verschenen na haar dood in 1840 in drie delen. In navolging van haar mocht een ambitieuze dagboekschrijfster de hoop koesteren dat het schrijven van haar journaal een soort leertijd was, een oefening in het romanschrijven; en ze zou zich zelfs kunnen afvragen of het journaal op een dag een publiek zou vinden. Het dagboek van Burney belichtte hoe kunstig-ongekunsteld de beste dagboeken waren: ze konden volledige eerlijkheid beogen ('een Journaal waarin ik *al* mijn gedachten moet bekennen zal mijn ganse Hart moeten blootleggen!') en tegelijkertijd aangrijpende geestdrift ('Helaas, helaas! Mijn arm Journaal! – wat zijt ge saai, vervelend, oninteressant! – ach, wat zou ik geven voor een avontuur dat de moeite van het beschrijven waard is – voor iets wat u zou verrassen – ja, verbluffen!'). Om de honger van het dagboek naar verhalen te stillen, zou de auteur ertoe gedreven kunnen worden een interessanter leven te leiden, of zich dat te verbeelden. Burney had haar journalen geredigeerd voor ze werden uitgegeven en de originelen vernietigd.

Dagboeken (van het Oudgermaanse *dagaz*) en journalen (van het Franse *jour*) waren per definitie dagelijkse verslagen, maar hun aura van directheid kon bedrieglijk zijn. In haar aantekeningen beschreef Isabella gebeurtenissen vaak een dag of nog langer nadat ze zich voordeden. Een dagboek kon de werkelijke tijd hooguit benaderen, aangezien het alleen achter de gevoelens aan kon lopen in zijn poging die vast te leggen. Een dagboek beïnvloedde de schrijfster, het dreef haar tot verheviging van haar gevoelens en wijzigde haar waarnemingen. Jane Carlyle, de vrouw van de historicus Thomas Carlyle, beschreef dit proces op 21 oktober 1855 in een passage in haar persoonlijke dagboek: 'Alle gevoelens in je journaal [vastleggen] verergert al wat er geveinsd en ziekelijk in je is; dat heb ik ervaren.' Het bijhouden van een dagboek deed veel waarden van de Victoriaanse samenleving eer aan – zelfvertrouwen, autonomie, het vermogen geheimen te bewaren. Maar als men die deugden overdreef, konden zij gemakkelijk in ondeugden veranderen. Zelfvertrouwen kon leiden tot een radicale afscheiding van de maatschappij en de codes, regels en beperkingen daarbinnen; heimelijkheid kon overgaan in bedrog; autonomie kon leiden tot solipsisme en introspectie tot monomanie.

In *Mr Nightingale's Diary*, een komische eenakter die zich in een kuuroord afspeelt, verdiepten Charles Dickens en zijn vriend Mark Lemon zich in het idee dat een journaal de fantasieën van de schrijver kon prikkelen en aanwakkeren. Dickens kreeg de inval voor het stuk nadat hij zijn vrouw in 1851 had vergezeld naar de beroemde hydropathische instelling in Malvern (Catherine was 'ernstig ziek en leed aan een soort zenuwzwakte', schreef hij). Het werd in mei opgevoerd voor de koningin en de prins-gemaal in Piccadilly, met Dickens, Lemon, Wilkie Collins en de schilder Augustus Egg in de bezetting.

Mijnheer Nightingale verbergt een echt geheim in zijn dagboek – hij betaalt zijn vrouw om te veinzen dat ze dood is –, maar de meeste aantekeningen betreffen lichamelijke zorgen. Het stuk is een parodie op de mode van zelfdiagnostische 'gezondheidsdagboeken'. 'Spijsverteringsklachten' staat ergens geschreven. 'Voel me alsof er een jong katje in mijn buik zit te spelen.' Door te blijven zeuren over zijn lichaam heeft Nightingale het volgestopt met ingebeelde ziekten; hij heeft een pathologische gevoeligheid ontwikkeld voor ieder plotseling pijntje en rillinkje, net zoals het bijhouden van een dagboek Isabella ertoe aanmoedigde elk detail van andermans gedrag te interpreteren in het licht van haar eigen vooroordelen. 'Je bent ziek, maar je weet het nog niet,' zegt Nightingale tegen een bediende van het kuuroord. 'Als jij op even goede voet stond met jouw binnenste als ik met het mijne, rezen de haren je te berge.'

Mijnheer Nightingale beschrijft het dagboek als zijn 'enige troost', maar het is een symptoom van zijn ziekte geworden, een oorzaak zelfs. Wanneer het gestolen en door anderen gelezen wordt, verraadt het journaal hem: het helpt hem niet naar zichzelf te kijken, het stelt anderen in staat hem te lezen; het zuivert hem niet van zijn zonde maar levert hem uit voor bestraffing. De passiviteit van het dagboek is een illusie. Aan het einde van het stuk krijgt Nightingale het advies: 'Verbrand dat boek en wees gelukkig!'

HOOFDSTUK TIEN

EEN WAANZINNIGE TEDERHEID

Westminster Hall, 15 juni 1858

Rond het middaguur trokken de rechters zich terug voor een lichte maaltijd – doorgaans een koteletje en een glas sherry –, waarna ze weer plaats namen op de rechterstoel, voor de middag.

Nadat dr. Phillimore de mogelijkheid had geopperd dat delen van Isabella's dagboek waren verzonnen, moest hij de rechtbank nog wel uitleggen wat haar tot het bedenken van zulke schandelijke taferelen had gedreven. Hij vertelde de rechters dat het journaal het resultaat was van een ziekte van de uterus.

'Ik zal kunnen bewijzen,' zei Phillimore, 'dat het kenmerkend is voor deze ziekte dat er seksuele wanen ontstaan van de meest buitensporige aard', waardoor een vrouw 'zichzelf schuldig acht aan de verschrikkelijkste en, inderdaad, onmogelijkste misdaden'. De ziekte was het gevolg van druk op de hersenen, zei hij, en soms van een slecht functioneren van de uterus zelf. Om dit te bewijzen zou hij een aantal medische getuigen oproepen.

Joseph Kidd legde de eed af. Hij was een Ierse quaker, lang, met fijne gelaatstrekken en blauwe ogen; in 1847 was hij als Fellow toegelaten aan het Royal College of Surgeons en in 1853 had hij zijn doctoraal in de geneeskunde behaald in Aberdeen. In de rechtbank werd geen melding gemaakt van de onconventionele tak van geneeskunde waarin hij was opgeleid: hij was homeopathisch arts, evenals John Drysdale, en hij was in 1847 tijdens de grote hongersnood teruggekeerd naar Ierland om te proberen het lijden van zijn landgenoten te verlichten met zijn alternatieve geneesmiddelen. Toen Isabella hem in Blackheath voor het eerst raadpleegde, was dr. Kidd vijfentwintig. Hij was haar type: jong, knap, slim, idealistisch en ontvankelijk voor nieuwe ideeën.

Kidd getuigde dat mevrouw Robinson tussen 1849 en 1856 zijn patiënte was geweest, met name in 1849 en de drie of vier jaar daarna. In 1849 had hij haar behandeld voor een aandoening van de baarmoeder. Hij baseerde zijn diagnose op de hoofdpijn, neerslachtigheid en onregelmatige menstruatie waar ze sinds de geboorte van Stanley aan leed en die, naar hij geloofde, allemaal symptomen waren van een postnatale ziekte van de uterus.

Men vroeg Kidd om een beschrijving van mevrouw Robinsons karakter.

'In het algemeen was ze geneigd tot een ziekelijke agitatie,' zei hij, met een toespeling op Isabella's verhoogde seksualiteit. 'Ik beschouwde haar gesteldheid als van nature ziekelijk en neerslachtig. Haar geest werd heen en weer geslingerd tussen opwinding en neerslachtigheid.'

Zouden die symptomen door de ziekte van haar baarmoeder kunnen zijn ontstaan? vroeg Phillimore.

'Ik voerde ze daar destijds niet op terug,' zei Kidd, 'maar op grond van de verklaringen in het dagboek denk ik dat ze aan die oorzaak kunnen worden toegeschreven.'

Phillimore vroeg Kidd of hij meende te kunnen verklaren dat mevrouw Robinson sinds 1852 aan nymfomanie of erotomanie leed.

Dat kon hij niet bevestigen, zei hij, aangezien ze in die periode niet zijn patiënt was geweest.

Phillimore bedankte Kidd en riep vervolgens nog drie artsen op als getuigen. Zij dienden te bevestigen dat de ziekte van de baarmoeder die Kidd had vastgesteld erotomanie of nymfomanie kon veroorzaken, aandoeningen waar Isabella volgens haar raadsman aan leed.

De eerste specialist was James Henry Bennet, een man van eenenveertig met een babyface, schitterende ogen en weelderig zwart haar. Dr. Bennet werkte in het Royal Free Hospital in Londen en vertegenwoordigde de moderne leerschool der gynaecologie. Hij was een autoriteit op het gebied van baarmoederontstekingen en een pionier op dat van vaginaal onderzoek met behulp van het speculum – een praktijk waarvoor de meeste artsen destijds terugschrokken. Het speculum was controversieel, deels vanwege de mogelijkheid dat het gebruik ervan vrouwelijke patiënten zou kunnen opwinden.

De tweede arts was sir Charles Locock, negenenvijftig en een tengere, grijze man met een droge, gedecideerde manier van doen. Sinds 1840 was hij de verloskundige van koningin Victoria; nadat hij haar negende kind ter wereld had geholpen, verleende zij hem in 1857 de titel van baronet. Hij was de auteur van vrijwel alle lemma's over vrouwenkwalen in het standaardwerk *The Cyclopedia of Practical Medicine* en koesterde in het bijzonder belangstelling voor hyperseksualiteit. Evenals Bennet was hij voorstander van het speculum. Hij had ervaring als medisch getuige: in 1854 was hem door de kerkelijke rechtbank op Doctors' Commons gevraagd een lichamelijk onderzoek naar Euphemia Ruskin te leiden. Na een huwelijk van zes jaar met de beroemde kunstcriticus John Ruskin diende zij een verzoek tot nietigverklaring in, op grond van het feit dat het huwelijk nooit was geconsummeerd. Locock had tegenover de rechter bevestigd dat mevrouw Ruskin nog maagd was.

De laatste medische getuige voor de verdediging van Isabella was Benignus Forbes Winslow, een zevenenveertigjarige zenuwarts en bewaarder in een gesticht. Als oprichter en redacteur van het *Journal of Psychological Medicine and Mental Pathology* was hij een bekende en strijdlustige pionier op het gebied van de psychiatrie. Dr. Forbes Winslow was een zelfverzekerde man, zo kaal als een biljartbal; hij was in het M'Naghten-proces verschenen als een van Alexander Cockburns getuigen-deskundigen en in een van zijn publicaties verdedigde hij het beroep op krankzinnigheid.

De rechters gaven de vrouwelijke aanwezigen opdracht de zaal te verlaten tijdens de medische bewijsvoering en de meeste kranten deden geen verslag van de daaropvolgende getuigenissen – *The Times* oordeelde dat ze 'zich duidelijk niet leenden voor een gedetailleerd verslag'. Zelfs het meest volledige verslag, dat in 1860 in een juridisch overzicht werd gepubliceerd, gaf slechts een beknopte beschrijving: Bennet, Locock en Forbes Winslow getuigden dat ziekten van de baarmoeder konden leiden tot een 'aandoening van de hersenen betreffende seksuele onderwerpen', die vrouwen ertoe aanzetten zichzelf 'zonder de geringste grond' te beschuldigen 'van de meest flagrante daden van onkuisheid'. Ze zeiden dat het voor zulke vrouwen gewoon was 'sterke en buitensporige geestelijke wanen' over seks te hebben, en tegelijkertijd volkomen gezond van geest te blijven met betrekking tot andere onderwerpen. Nadat hij de getuigenis van de artsen had aangehoord, schorste Cockburn de zaak tot de volgende dag.

※

Hoewel de pers zuinig was met haar verslag van de getuigenissen van de artsen, zette de medische literatuur van die tijd de kwalen die ze hadden beschreven tot in detail uiteen.

Gynaecologie was een nieuwe specialisatie en onder de diagnose 'aandoening van de uterus' werden allerlei vrouwelijke klachten geschaard, zowel emotionele als fysieke. Aangezien men geloofde dat de voortplantingsorganen van een vrouw een sterke invloed uitoefenden op haar geestelijke gezondheid, bracht een gynaecologische stoornis een geestelijke aandoening met zich mee, en omgekeerd – van ongeveer tien procent van de vrouwen met aandoeningen van de uterus werd gezegd dat ze in een gesticht terechtkwamen. Men beschouwde elke verandering op het vlak van seksualiteit of voortplanting als een kans op de manifestatie van emotionele ontsporingen – zoals de seksuele manieën die aan Isabella werden toegeschreven. Na een bevalling verloor een vrouw gewoonlijk alle erotische lust, schreef dr. Bennet, maar 'in plaats van de inertie die het gevolg is van een baarmoederlijke aandoening, worden seksuele gevoelens in sommige buitengewone gevallen overdreven. Ja, ik heb zelfs gezien dat die overdrijving leidde tot nymfomanie. Als dat het geval is, is er vaak sprake van een clitorisvergroting, met als bijverschijnsel plaatselijke irritatie'. Overigens kon hysterische nymfomanie ook in gang worden gezet door de menopauze: de vooraanstaande gynaecoloog E.J. Tilt (een collega van Bennet) bestempelde de 'overgangsleeftijd' of 'periode van mijding' als meest voorkomende oorzaak. Ook

Forbes Winslow merkte op dat vrouwen soms manisch-erotische toestanden meemaakten wanneer ze ophielden met menstrueren. Maar dan nog kon een Zinnelijke vrouw eenvoudigweg uit haar evenwicht raken door een plotselinge afname van de frequentie waarmee ze gemeenschap had: doordat ze weduwe geworden was, bijvoorbeeld, of doordat haar man langdurig voor zaken afwezig was. Tilt beweerde dat een 'subacute ovaritis' (die een derde deel van de baarmoederaandoeningen veroorzaakte) meestal werd veroorzaakt door seksuele onthouding. Toen Euphemia Ruskin haar verzoek om nietigverklaring van haar huwelijk indiende omdat het niet geconsummeerd was, wilde John Ruskin zijn afkeer van gemeenschap met zijn vrouw rechtvaardigen door de aandacht van de rechtbank te vestigen op haar 'enigszins nerveuze aandoening van de hersenen'. Zijn advocaat bracht hem op andere gedachten en wees erop dat de rechtbank Euphemia's veronderstelde gestoordheid waarschijnlijk zou zien als een gevolg van seksuele frustratie, en niet als een rechtvaardiging voor de weerzin van haar echtgenoot.

Seksuele bezetenheid bij vrouwen kwam in twee gedaanten voor: erotomanie en nymfomanie. Volgens het invloedrijke werk *Mental maladies: a Treatise on Insanity* van J.E.D. Esquirol waren dit twee verschillende ziekten: erotomanie was een stoornis van de hersenen, nymfomanie ontstond in de voortplantingsorganen. Erotomane vrouwen, schreef Esquirol, waren 'ongedurig, nadenkend, zeer neerslachtig van geest, opgewonden, geïrriteerd en hartstochtelijk'. Bij wijze van voorbeeld wees hij op een tweeëndertigjarige vrouw die een obsessie opvatte voor een jonge man van hogere stand dan haar echtgenoot. Ze leed aan een 'waanzinnige tederheid', zenuwpijnen en stemmingswisselingen. 'Nu eens is ze vrolijk en zit ze te lachen, dan weer is ze melancholiek en zit ze te huilen, om vervolgens boos te zijn en verwikkeld in solitaire gesprekken... Ze slaapt weinig en haar rust wordt verstoord door dromen, nachtmerries zelfs.' In haar dromen, zei Esquirol, copuleerde ze met succubi en incubi, mannelijke en vrouwelijke demonen. Nymfomane vrouwen waren minder onderhevig aan stemmingswisselingen en obsessies dan erotomane vrouwen, en meer ten prooi aan een weinig kieskeurige seksuele honger. De Amerikaanse arts Horatio Storer deed in 1856 verslag van een nymfomane patiënte van vierentwintig wier veel oudere echtgenoot moeite had een erectie te krijgen: steeds wanneer ze een man tegenkwam, werd ze overmand door verlangen. Eigenlijk kon iedere vrouw onder de bezetenen worden gerangschikt zodra ze een sterke impuls voelde om gemeenschap te hebben met een andere man dan haar echtgenoot.

Erotomanie en nymfomanie waren moeilijk van elkaar te onderscheiden. 'Ze kunnen naast elkaar bestaan,' merkte Daniel H. Tuke in 1857 op. 'Patiënten kunnen de grenzen van het fatsoen ver overschrijden zonder enig bewijs dat de primaire aandoening in de voortplantingsorganen is gelegen. Meer dan eens is het moeilijk te bepalen of de oorzaak van de kwaal daar ligt of in het hoofd.' Het kwam Isabella's raadsman hoe dan ook goed uit om in het midden te laten welke van de twee aandoeningen haar kwelde. Men eiste van haar dat ze aan symptomen van beide aandoeningen leed: het romantische waanidee van de stalker, die zich voorstelde dat haar liefde werd beantwoord, en de wellustige drift van de bezetene. Om alle mogelijkheden open te houden, bevonden zich onder Isabella's getuigen ook een hersenspecialist, Forbes Winslow, en twee specialisten op het gebied van de voortplantingsorganen, Locock en Bennet.

De toename van de diagnose van seksuele bezetenheid bij vrouwen hing samen met een hevige contemporaine bezorgdheid over onbevredigde vrouwelijke begeerte. Recent was aan het licht gekomen dat er in Engeland een overschot aan ongehuwde vrouwen was. Volgens de volkstelling van 1851 telde het land een half miljoen meer vrouwen dan mannen, hoofdzakelijk doordat mannen vroeger stierven en vaker migreerden. Op elke 100 mannen waren er 104 vrouwen. Vooral oudere vrouwen woonden alleen: van de vrouwen tussen de veertig en zestig was 42 procent weduwe of alleenstaand. De 'overtollige vrouwen' of 'onvrijwillige nonnen' die bij de volkstelling waren ontdekt, waren onderwerp van sociologische en medische bezorgdheid. Hoewel dr. William Acton in 1857 zijn beroemde uitspraak deed dat 'de meerderheid van de vrouwen (gelukkig voor hen) niet zeer werden geplaagd door enigerlei seksueel gevoelen', vreesden veel artsen dat alleenstaande vrouwen in feite krankzinnig konden worden door onderdrukte en onbevredigde seksuele driften.

De behandelingen van seksuele monomanie liepen uiteen. Sommige artsen richtten zich in het voetspoor van de frenologen op het cerebellum: de Schotse zenuwarts sir Alexander Morison beweerde een erotomane gouvernante van tweeëntwintig te hebben genezen door bloedzuigers op haar kaalgeschoren hoofd te plaatsen en de achterkant van haar schedel met koud water te douchen. Bennet raadde aan de vagina te injecteren met een pompspuit en het hele lichaam te onderwerpen aan zitbaden, ligbaden en douches. Storer meende dat de patiënte moest worden behandeld met sponsbaden, koude lavementen en boraxdouches, onthouding van seksuele gemeenschap en literaire bezigheden; dat zij moest slapen op een matras en kussen gevuld met haar en zich moest onthouden van vlees en brandewijn. Locock adviseerde het gebruik van elektriciteit op het bekken van de gekwelde vrouw of van bloedzuigers in de liesstreek, op de schaamlippen, baarmoeder of voeten. Een chirurg in Londen verloste tenminste één patiënte van haar seksuele gevoelens door haar 'vergrote' clitoris te verwijderen, een operatie die in 1853 werd beschreven in *The Lancet.*

Het belangrijkste symptoom van nymfomanie – dat die dinsdag in de rechtszaal werd gesuggereerd maar waarschijnlijk niet genoemd – was masturbatie. De Franse dokter M.D.T. Bienville, die de term nymfomanie populair maakte met een verhandeling die in 1775 in het Engels werd gepubliceerd, stelde vast dat 'heimelijke polluties' de sleutel tot de ziekte waren. 'Nymfomanie,' zoals Tilt gedetailleerd uitlegde, 'is het vrijwel onweerstaanbare verlangen om door wrijving de irritatie van de pudenda te verlichten.' Dit zou verklaren waarom Isabella erotische scènes had beschreven in haar dagboek – het waren fragmenten van verpersoonlijkte pornografie – en waarom ze überhaupt zo roekeloos was geweest: haar 'zelfbevlekking' of 'zelf-pollutie' had haar greep op haar gezond verstand verzwakt. In sommige gevallen, merkte Tilt op, kon een vrouw zichzelf enkel met woorden al prikkelen. Hij citeerde een Franse dokter die had waargenomen dat 'verzonnen voorstellingen de voortplantingsorganen effectiever konden verhitten dan de aanwezigheid van mannen' en die 'menigmaal de genitaliën op die manier opgewonden had zien raken zonder enige uitwendige actie of aanraking'. Het solitaire lezen en schrijven waar de meeste vrouwen van de middenklasse zich aan overgaven, zou meer vleselijke genoegens kunnen maskeren en ontketenen.

Dat gold in het bijzonder voor dagboeken. Alles wat masturbatie kenmerkte als seksuele gewoonte, kenmerkte ook het schrijven van dagboeken als literaire gewoonte. Als masturbatie een seksuele omgang met zichzelf was, dan was het schrijven van dagboeken een emotionele omgang van gelijke aard. Beide vereisten van een persoon dat hij/zij zich denkbeeldig in tweeën deelde en zowel subject als object van een verhaal werd. Beide waren persoonlijke, onafhankelijke activiteiten. De medische getuigen van het echtscheidingshof deden het voorkomen dat Isabella verstrikt was geraakt in een kringloop van verlangen en opwinding die was opgeschreven in haar dagboek, én erdoor geschapen: zodra ze op papier waren gezet, namen haar wellustige gedachten een schijn van werkelijkheid aan die haar erotische impulsen bevredigde. Haar journaal was niet slechts een echo van haar geheime leven, maar lokte dat leven ook uit. Het was zowel symptoom als oorzaak van haar ziekte. In hun pogingen om Edward te redden terwijl ze Isabella veroordeelden, hadden de advocaten een seksuele handeling te berde gebracht waaraan Isabella zich had kunnen overgeven zonder dat er een man bij betrokken was.

🙟

Isabella's verdediging was veel vernederender dan een bekentenis van overspel zou zijn geweest. Het verhaal over de manier waarop ze tot haar bewering kwam dat ze een waanzinnige seksverslaafde was, komt naar voren in een reeks brieven die ze in februari 1858 wisselde met George Combe.

Op 14 februari, net voordat Henry zijn verzoek tot echtscheiding indiende, stuurde Isabella een brief aan lady Drysdale, haar eerste boodschap aan een lid van Edwards familie. 'Lieve mevrouw Drysdale,' schreef ze vanuit haar cottage in Reigate, 'het spijt me buitengewoon dat er zo veel belang is gehecht aan de ongeremde en onbezonnen bewoordingen in mijn journaal, waarvan ik dacht dat het even heilig was als mijn gedachten, & ik betreur het des te meer omdat die bewoordingen gebruikt zijn om een ander zo ten onrechte te beschuldigen. Ik kan alleen maar plechtig verklaren dat [die ander] volmaakt onschuldig is aan de geringste betrokkenheid bij welke gedachte, woord of handeling ook die erin beschreven staat!' De verwijzingen naar Edward, zei ze, waren het 'onachtzame en zuiver denkbeeldige relaas van de gedachten van een dame, in onverstand aan een journaal toevertrouwd en nooit bedoeld om aan het licht te komen'.

Lady Drysdale stuurde de brief door naar George Combe, die inmiddels had besloten alles te doen wat hij kon om Edward bij te staan. Hij was er niet van overtuigd dat Isabella's ontkenning hun zaak zou helpen. De toon was 'te licht en te luchtig', zei hij tegen lady Drysdale. Wie haar brief las, zou meteen denken: 'O, ze ziet in dat ze Lane heeft benadeeld door hun geheim te verklappen, & nu denkt ze dat ze hem kan redden door alles te ontkennen.' Om de dokter te beschermen, zei Combe, moesten ze 'de geloofwaardigheid vernietigen van het Journaal als verslag van werkelijke gebeurtenissen'.

Een week later, op 21 februari, schreef Isabella aan Combe zelf. Ze zei dat ze wist dat Henry contact met hem had gehad (iemand leek haar ervan op de hoogte te houden hoe het verhaal in Edinburgh bekend werd). Ze smeekte hem: 'sta me bij, als u kunt, om een gemeenschappelijke vriend van elke blaam te zuiveren nu hij, met zijn gezin, de gevolgen ervaart van mijn onbedachtzame en achteloze gedrag; & wiens edelmoedige betrokkenheid & sympathie voor mijn ellendige sociale positie hun dit verdriet heeft aangedaan'. Isabella zei dat ze het journaal had beschouwd 'als mijn onvervreemdbaar eigendom, & als mijn enige vertrouweling', en het vervulde haar met afschuw dat het nu gebruikt zou kunnen worden om de mensen te kwetsen die haar vriendelijkheid hadden betuigd. Ze verzekerde Combe dat het haar 'vurige wens was alles goed te maken wat in haar vermogen lag, aan een familie die gehinderd & gekwetst is door bepaalde onzorgvuldige, onbedachtzame geschriften van mijn hand – geschriften die ik, gedreven door een al te levendige verbeelding, te boek stelde, & die door de vrijwel volledige afwezigheid van voorzichtigheid en geheimhouding behouden bleven'.

Combe greep de gelegenheid aan om de dokter te helpen. In zijn antwoord van 23 februari herinnerde hij Isabella in de eerste plaats aan wat er op het spel stond: 'als uw journaal de beschrijvingen bevat waar nu sprake van is, & als zij waar zijn, is dr. Lane geruïneerd als arts; want geen vrouw van naam zou nog onder zijn dak kunnen verblijven indien hem een dergelijke smet aankleefde. Zijn arme vrouw is beroofd van zijn genegenheid, & lady Drysdale moet er op haar oude dag getuige van zijn hoe de voorwerpen van haar genegenheid te schande worden gemaakt & geruïneerd.'

Hij liet Isabella weten dat hij verbijsterd was door de dagboekaantekeningen die hem waren beschreven. Hij kon niet geloven dat ze feitelijk waar waren, aangezien het niet was voor te stellen dat ze zo roekeloos was geweest een verslag van haar zonden bij te houden. 'Je wist dat je sterfelijk was, & bij een treinongeluk om het leven zou kunnen komen, of verdrinken tijdens een storm, of dat je zou sterven aan een hartaanval of een beroerte, in een oogwenk, of dat je ziek van de koorts kon worden, zoals ook feitelijk is gebeurd, en ijlhoofdig. In ieder geval zouden de verslagen van je eigen schande & de vernietiging van je vriend met zekerheid aan het licht komen. Daarom zeg ik je openlijk dat een verklaring voor je gedrag bij het neerschrijven van dergelijke verbeeldingen, *indien zij op waarheid berustten*, al mijn kennis van de menselijke geest te boven gaat.'

Hij liet doorschemeren dat Isabella de passages in haar dagboek van de hand kon wijzen als 'een uitlaatklep voor een overspannen geest', [als] 'de wildste speculaties omtrent alle onderwerpen, heilig & profaan, & de meest bezielde en hartstochtelijke verlangens'. Maar hij schreef haar ook dat Robert Chambers, die het dagboek had gelezen, lachte om het idee dat de beschuldigende passages verbeelding waren. De moeilijkheid, zei Combe, lag in het realisme van het journaal: 'je fratsen, zoals men ze mij beschrijft, hebben geen betrekking op waanideeën & bespiegelingen, maar op harde feiten, compleet met tijden, plaatsen & alle bijkomstigheden van de werkelijkheid'. Om het probleem te illustreren zoog hij een dagboekaantekening uit zijn duim. 'Veronderstel dat ik in mijn Journaal zou schrijven: "21 februari 1854, ben even langs geweest bij mevr. Robinson op Moray Place; we zaten samen op de sofa & bespraken allerlei filosofische & religieuze onderwerpen. Toen ik op mijn horloge wilde kijken hoe laat het was, merkte ik dat het was verdwenen. Ik had het nog gezien toen ik binnenkwam, daar ik maar een half uur de tijd had, & niemand anders dan zij kon het hebben afgenomen. Ik beschuldigde haar van diefstal & ze gaf me het horloge terug, & zei dat ze het voor de grap had genomen." Veronderstel nu dat mijn vrouw die notitie onder ogen krijgt, of mijn executeurs, zouden ze dan kunnen geloven dat ik louter mijn fantasie de vrije loop liet toen ik dat opschreef?' Hij vatte het nog eens samen: hoe was het mogelijk om de dagboekaantekeningen zo uit te leggen dat 'geesten van gewone wijsheid en ervaring zouden denken dat het *verzinsels waren?*'

Door haar erop te wijzen hoe ongeloofwaardig het dagboek leek, liet Combe doorschemeren hoe Isabella de beschuldiging kon wegredeneren: aangezien het bijhouden van het journaal een daad was die aan waanzin grensde, kon de inhoud ervan ook aan waanzin worden toegeschreven. Misschien waren de aantekeningen zo nauwkeurig omdat ze geen dromen betroffen, maar zinsbegoochelingen.

Combe zei tegen Isabella dat hij blij was met de gelegenheid 'je deze zaak zo duidelijk voor te leggen, in de oprechte hoop dat je in staat zult zijn het mysterie te verklaren op een manier die jou & dr. Lane van alle blaam zal zuiveren'. Dezelfde dag schreef hij de dokter een brief waarin hij de oplossing waarop hij Isabella had gewezen meer direct bij de naam noemde: ze 'schrijft als een zeer schrandere vrouw', zei hij, maar 'de enige verklaring is krankzinnigheid'. In een brief aan Henry Robinson had Combe ook al opgemerkt: 'Het ziet eruit als krankzinnigheid.' En aan sir James Clark schreef hij: 'De vrouw was niet gek in de gebruikelijke betekenis', maar 'ze moet gebukt zijn gegaan onder de spanning van seksuele neigingen, & omdat ze daar de facto geen uitlaatklep voor vond, daar ze niet aantrekkelijk was, leefde ze zich uit in onzedelijke fantasieën, & om het genot te verhogen schreef ze die op als feitelijk gebeurd.'

Op 26 februari 1858, drie dagen nadat Combe haar had geschreven, stuurde Isabella hem haar antwoord. 'Ik zal mijn antwoord zo helder & bevredigend voor u opschrijven als ik kan,' zei ze, 'maar ik vrees dat ik daar enige ruimte voor moet nemen, aangezien schrijven, in de grond van de zaak, een vermoeiende en omslachtige manier is om ons uit te drukken.' De brief telde bijna tweeduizend woorden, waarvan ongeveer de helft werd ingenomen door een vurige aanklacht tegen Henry, als echtgenoot en als man. Ze noemde zijn hardvochtigheid, zijn ondichterlijke geest, zijn gierigheid, zijn gluiperige plunderingen van haar vermogen, het onzedelijke karakter van zijn privéleven. Ze zette de trieste geschiedenis van hun huwelijk uiteen. Ze verweet zichzelf haar naïviteit en impulsiviteit – 'Als ik terugkijk op mijn leven, zie ik niets dan een reeks misstappen, wat wereldwijsheid & tact betreft' – en beweerde dat ze zich met haar lot had verzoend: 'Ik ben nu al zo lang ongelukkig geweest dat ik het verdriet geduldig & gelaten onderga; & misschien heb ik zelfs wat nuttige lessen geleerd.'

Toch bleef Isabella's berouw plaatsmaken voor woede en trots. De brief was doordrongen van razernij over de belediging die haar was aangedaan door iedereen die haar dagboek had gelezen. Het zonder verlof lezen van haar journaal, schreef ze, was 'een onrecht, een laagheid, diefstal'. 'Dat volkomen vreemde mannen zichzelf de vrijheid toekenden, zonder enige volmacht, om in mijn persoonlijke aantekeningen te neuzen, ze uit te pluizen, ze te laken, er stukken uit te lichten, met nieuwsgierige, onhoffelijke, verachtelijke handen, dat kan ik niet bevatten. Ik zou dat niet hebben gekund, zoals ik ook niet tersluiks zou hebben kunnen luisteren naar hun gebeden, het nachtelijk gefluister in hun slaap of het ijlen in hun koortsdromen; ik zou het als een belediging hebben opgevat als men mij alleen al had voorgesteld papieren te lezen die niet voor mijn ogen bestemd waren maar voor die van de schrijver.'

Door de opdringerige, lompe handen van de mannen die haar woorden lazen op te roepen, en het gretige afluisteren aan haar bed, schilderde Isabella het ongeoorloofde lezen van haar dagboek af als een welhaast seksuele aanranding. De verborgen ruimten van haar dagboek werden op één lijn gesteld met de verborgen ruimten van haar lichaam. Gustave Freytags *Soll und Haben*, dat in 1857 in het Engels werd uitgegeven onder de titel *Debit and Credit*, zinspeelde op dezelfde parallel. Voorafgaand aan een bal schuift de heldin van de roman haar dagboek – 'een dun boekje, in rode zijde gebonden' – onder haar korset: 'Het was geen vreemde toegestaan in dit kostbare boek te kijken – niemand mocht dit heiligdom zien of aanraken.' Wanneer een deugniet het dagboek van onder haar onderkleding steelt, bewijst haar beau zijn eer door het boekje te heroveren en het haar ongelezen te overhandigen.

Isabella gloeide van haat jegens Henry. 'Hoe had ik ooit kunnen dromen dat de man die zichzelf mijn echtgenoot noemde; die vanaf zijn verheven voetstuk van wereldwijsheid had geglimlacht om mijn dichterlijke uitbarstingen; dat die man wreed de kamer zou binnendringen waar ik ziek te bed lag (eigenlijk op zoek naar *geld*) & mij van mijn papieren zou beroven – die arme kleine schatten van een teleurgesteld karakter; & ze zou behouden, alle *onveranderlijke wetten* van *werkelijke* rechtvaardigheid ten spijt.' Volgens de Engelse wet waren de documenten van een vrouw het eigendom van haar echtgenoot – zoals de hervormster Caroline Norton klaagde, 'het auteursrecht van mijn werk is van hém; ja zelfs mijn eigen ziel en hersenen zijn niet van mij!'. Isabella merkte op dat haar broer Frederick, 'wie niemand kan aanwrijven dat hij dichterlijk of geestdriftig is', het met haar eens was dat Henry zich bruut had gedragen toen hij Isabella haar aantekeningen afdwong toen ze ziek was en ze vervolgens tegen haar gebruikte. 'Alleen een vróúw doet men die vernedering aan,' schreef ze. 'Een man zou zich teweerstellen, & de lafaards die zijn privéleven hadden durven schenden doen terugschrikken en beven.'

'Waartoe kon ik mijn toevlucht nemen?' vroeg ze, in de eenzaamheid van haar huwelijk. 'Wat kon mij troosten? Eenzaamheid & mijn pen. Hier leefde ik in een eigen wereld, een wereld waar vrijwel niemand anders binnentrad. Ik had tenminste het gevoel dat ik in mijn kabinet de scepter zwaaide; & dat alles wat ik schreef van mij was.'

Ze deed haar dagboek af als een verzonnen literair werk, maar ook daarbij kon ze niet nalaten haar aantekeningen in een romantisch licht te zetten: 'Ik doopte mijn pen maar al te vaak in de sprookjesinkt der poëzie; – het ware & werkelijke, het schimmige & fantastische liepen al te vaak dooreen – ik had de noodlottige gave – meer vloek dan zegen – om "aan 't ijdel niets een woning en een naam te schenken".' Haar ogenschijnlijke zelfbeheersing verhulde een emotionele en wanhopige fantasiewereld: 'Als ik een indruk van kalmte maakte, was dat doordat een ziedend dichterlijk leven meedogenloos werd onderdrukt binnen de muren der eenzaamheid, om daar te genieten van wellicht tweeërlei vrolijkheid, aangezien het een bij uitstek essentieel deel uitmaakte van mijn individualiteit, & het niet van buiten werd gevoed.'

Op de vraag waarom ze haar journaals had bewaard, 'kan ik alleen antwoorden dat ik vrijwel geen Voorzichtigheid heb – ik dacht dat als ik zou sterven, voor niemand enig kwaad zou voortkomen uit dingen die oud papier zouden zijn; dat niemand ze mij af zou nemen zolang ik leefde; overigens nam ik me altijd voor ze te ordenen, te vergelijken, te vernietigen en te schiften'.

Isabella beweerde dat ze niet wist wat ze verder nog kon doen om de dokter te helpen. 'Ik moet zeggen,' schreef ze, 'dat het me nogal verraste dat u zo uitzag naar mijn verklaringen omtrent mijn journaals, alsof ik nog iets kon verhelpen aan de indruk die ze hebben gemaakt, & het kwaad dat ze hebben aangericht. Ik begrijp niet hoe dat zou kunnen.'

Deze brief wekte even weinig twijfel omtrent het dagboek als de voorafgaande twee brieven die Isabella had geschreven. Hoewel ze beurtelings boos en berouwvol was, kwam ze erin naar voren als een volstrekt rationele vrouw. Ze had Combes bedekte aanwijzing zichzelf krankzinnig te verklaren genegeerd. In de loop van de volgende dagen ontdekte ze echter dat Henry bij de nieuwe rechtbank gerechtelijke stappen had ondernomen om een scheiding te verkrijgen. Ze las Combes brief nog eens door. Op zondag 28 februari, de dag na haar vijfenveertigste verjaardag, schreef Isabella hem voor het laatst.

'Ik heb uw brief, & mijn antwoord daarop, nogmaals doorgenomen, & het komt me voor dat dit antwoord u ietwat vaag & onovertuigend kan hebben toegeschenen. Staat u mij alstublieft toe enkele welomlijnde & definitieve opmerkingen over het onderwerp te maken.' De bezwarende aantekeningen in haar dagboek, zei ze, werden geschreven toen 'ik tijdelijk het slachtoffer was van mijn eigen hersenschimmen en waanideeën... Ik schreef voortdurend dingen op als feitelijkheden, terwijl het eigenlijk de wildste verbeeldingen waren van een geest die werd uitgeput door de tirannie van lange jaren, & die was overgeleverd aan denkbeeldige aantekeningen als enige troost voor haar dagelijkse lot.' In die aantekeningen had ze 'lucht gegeven aan de ingevingen van mijn verbeelding': 'waar zij betrekking hebben op onze vriend, en op hem in het bijzonder, zijn zij allemaal zuiver & geheel denkbeeldig & verzonnen'.

Isabella betuigde nederigheid en verdriet: haar berouw was 'van een hogere orde dan een ander dan ikzelf zich kan voorstellen. Ik heb daar geen woord aan toe te voegen, & kan dat ook niet'. Haar woorden hadden Edward en zijn familie niets dan leed gebracht; zij kon nu het best haar toevlucht nemen tot een hekeling van haar eigen verstand en er het zwijgen toe doen.

Zo had ze George Combe ten slotte voorzien van het antwoord dat hij nodig had. Ze had zich neergelegd bij zijn advies, zoals ze dat ook had gedaan toen ze gekweld werd door de tegenstrijdigheden van haar karakter. Hij gaf het goede nieuws door aan Edward. Isabella's laatste brief, zei Combe, was 'geschreven op een kalme, ernstige toon, die getuigt van de kwetsuren die ze je heeft aangedaan, en die plechtig verklaart dat alle aantekeningen in haar Journaal die verband houden met jou volledig zijn verzonnen'. Het dagboek, zei hij, was 'het verzinsel, ofwel van een waanzinnige geest, dan wel van een geest op de rand van waanzin'. In een brief aan lady Drysdale legde hij uit dat Isabella er niet in was geslaagd 'rationeel verslag' te doen van haar dagboekaantekeningen, maar dat ze ten minste had voorzien in een 'waanzinnig verslag'.

George Combe geloofde, of deed zijn best om te geloven, dat Isabella van haar zinnen was beroofd door onvervulde verlangens. Zijn eigen boeken hadden het idee vaste voet helpen krijgen dat een gedeelte van de geest in verwarring kon verkeren terwijl alle andere delen gezond bleven: een mens kon zelfs onderdak bieden aan een 'dubbel' of 'verdeeld' bewustzijn, waarbinnen de ene ik zich onbewust was van de handelingen van de andere (Forbes Winslow citeerde Combe over dit onderwerp in zijn *Obscure Diseases of the Brain and Mind*). In de weken daarna liet Combe de brieven van Isabella lezen aan zijn vrienden in Edinburgh en raadpleegde hij artsen en advocaten over de vraag hoe haar krankzinnigheid kon worden vastgesteld. Met dat doel schreef hij zijn neef dr. James Cox, een bestuurder van de Raad voor Krankzinnigheid van Schotland; zijn vriend William Ivory, een advocaat wiens vader, lord Ivory, echtscheidingszaken in Schotland besliste; en professor John Hughes Bennett, die in 1851 een essay had gepubliceerd over de fysiologische oorzaken van de mesmerisme-rage in Edinburgh.

Gezien de problematische geschiedenis van George kan de familie Drysdale er geloof aan hebben gehecht dat er bij Isabella een steekje los zat. Edward nam vlot aan dat ze gek was. In zijn antwoord aan Combe beschreef hij haar als 'een bizar, ijdel wezen, egocentrisch en half gek van ellende, & er door wilde hallucinaties toe gedreven alle fantasieën en verlangens van een uiterst ziekelijke & uiterst immorele verbeelding op te schrijven alsof het feiten waren'.

De gebroeders Drysdale, die inmiddels allemaal geneeskunde studeerden of reeds als arts werkzaam waren, en Edward zelf waren de aangewezen personen om een medische verdediging te helpen opstellen. De artsen die op 15 juni in Westminster Hall verschenen, waren nauw met hun eigen kringen verweven. Locock, de verloskundige van koningin Victoria, was een collega van Combes grote vriend sir James Clark; Bennet, een progressieve gynaecoloog, was een kennis van George Drysdale en James Young Simpson, een vriend van de familie Drysdale (ze waren alle drie *speculumisers*); Forbes Winslow was een van de eerste frenologen en een bewonderaar van Combe, en Kidd was een voormalige patiënt van de homeopaat John Drysdale.

Robert Chambers betwijfelde nog steeds of het dagboek een

product van geestesziekte was. Het journaal, zei hij tegen Combe, liet zich 'lezen als een verslag van gebeurtenissen, en als een journaal van gedachten, en ik moet het beschouwen als een van de vreemdste dingen die ooit onder mijn aandacht zijn gebracht, dat een vrouw welbewust in de loop van maanden en jaren de bijzonderheden van een misdadige intrige aan het papier heeft toevertrouwd waarvoor zij geen andere basis had dan haar fantasie, en waarin sprake was van mogelijke schanddaden van een andere, onschuldige persoon'. Nadat Combe hem Isabella's brieven had laten lezen, beweerde Chambers haar ontkenning van overspel te aanvaarden, maar zijn toon bleef ongelovig. 'Als je dat Journaal had gelezen,' schreef hij aan Combe, 'zou jij het wat amusant hebben gevonden om het beschreven te horen worden als een werk van verbeelding – dagdromen... Ik geloof niet dat Lane schuldig was; maar dat de dame in haar hart overspelig was, en willig en verlangend om ook in werkelijkheid overspelig te zijn – het zou waanzinnig zijn daar aan te twijfelen nu ik dit heb gezien.'

Edward hoopte nog steeds dat hij Henry's zaak kon tegenhouden. Zelfs op 16 maart vertelde hij Combe dat hij niet wist 'of vrede aan de orde van de dag zal zijn, of strijd op leven en dood': 'Alles samen vormt een zee van onzekerheid.' Maar op 25 maart besefte hij dat het proces onvermijdelijk was. Robert Chambers was pas naar Londen geweest om Henry te overreden van het proces af te zien, vertelde Edward aan Combe, en had ontdekt dat hij 'volstrekt ontoegankelijk was & vastbesloten': het is 'overduidelijk dat hij niet overtuigd wíl worden. Hij heeft een slechte vrouw en hij wil tegen elke prijs van haar af'. Hoe harder Edwards vrienden in Edinburgh het bewijs in het dagboek probeerden te bagatelliseren, hoe vuriger Henry verlangde naar een openbare overwinning. Vier jaar daarvoor had hij in de rechtbank het plezier gesmaakt van zijn jongere broer te winnen. Hij was nu uit op dezelfde eenduidige overwinning op zijn echtgenote en de geleerde heer die zij zo hoogachtte. In zijn haat jegens Isabella, zei Edward, leek Henry 'zo vastberaden dat het hem heeft beroofd van alle rede omtrent ieder die met haar te maken heeft, en hem heeft veranderd in een volslagen fanaticus'.

HOOFDSTUK ELF

EEN DIEPE POEL VOL GIF

16 juni tot 20 augustus 1858

Op woensdag 16 juni bereikte de hitte in Londen een hoogtepunt. Terwijl de temperatuur steeg tot bijna achtendertig graden, warmer dan ooit in de stad was geregistreerd, drong de dikker wordende brij van stank van de Theems door tot in de parlementsgebouwen en de gerechtshoven van Westminster Hall. De lome rivier lag donker en laag te stinken in de zon. Hij was 'verpestend, ontaard, niet meer dan een riool', schreef *The Morning Post*, en 'een zeer onaangename verrassing voor de neus'. Dagelijks werden enorme hoeveelheden uitwerpselen in zijn wateren geloosd, waarbij dampen vrijkwamen waarvan men geloofde dat ze de mensen die ze inademden besmetten. 'Men laat dag na dag en nacht na nacht,' klaagde de *Illustrated London News*, 'een diepe poel vol gif door de voornaamste stad ter wereld kruipen.'

In de rechtszalen van Westminster voldeden de rechters aan hun verplichtingen in een besef van naderend gevaar en handelden ze de zaken die hun werden voorgelegd zo snel mogelijk af. Het echtscheidingshof ging zoals altijd om elf uur open, maar Cockburn kondigde meteen aan dat hij het proces Robinson zou verdagen. De rechters, zei hij, waren overvallen door de positie van Edward Lane in de zaak. Ze hadden besloten tot een schorsing om te bespreken of ze de ongekende stap konden zetten om de klacht tegen de dokter in te trekken, zodat Isabella's advocaten hem konden oproepen als getuige. 'Met die vraag,' zei Cockburn, 'zijn zulke ingrijpende consequenties en zulke belangrijke beginselen gemoeid, voor wat be-

treft de rechtsbedeling onder de echtscheidingswet, dat wij vol-
gaarne bijstand vragen van alle leden van de rechtbank alvorens
wij een dergelijk precedent scheppen. We schorsen de zitting tot
Maandag en hopen tegen die tijd de conclusie mee te kunnen delen
die we dan wellicht hebben bereikt.'

De zaak had een lacune in de wet blootgelegd. Wanneer een
vrouw een scheiding aanvroeg, hoefde zij de naam van de minnares van haar echtgenoot niet te noemen – deels omdat haar
verzoek nooit alleen op overspel berustte; deels omdat 's mans
minnares, als vrouw, nooit kon worden gesommeerd de proceskosten te betalen; en deels, zoals een handboek over echtscheiding uitlegde: 'om de reputatie van een wellicht onschuldige
derde partij te behoeden voor bezoedeling achter haar rug om'.
Wanneer een man van zijn echtgenote probeerde te scheiden,
was hij echter verplicht de naam van zijn vrouws minnaar te
noemen. Voor veel Victoriaanse mannen zou een aantijging van
overspel niet rampzalig zijn, maar voor Edward Lane, wiens le-
vensonderhoud afhing van het vertrouwen dat men bij de zorg
voor dames in hem stelde, bepaald wel. Hij was even kwetsbaar
voor schandaal als een vrouw, en hij stond op het punt te worden
geruïneerd door de woorden van een vrouw.

Voordat de rechters de zitting schorsten om het probleem te
bespreken, vroeg Isabella's raadsman of hij John Thom als laatste getuige mocht oproepen. Cockburn stemde in met het horen
van zijn getuigenis.

Thom stelde zich voor als een heer 'met kennis van de literatuur' die mijnheer en mevrouw Robinson kende, 'de laatste intiem'. 'Ik maakte in 1854 kennis met hen in Reading,' getuigde
hij, 'en later ontmoette ik mevrouw Robinson op Moor Park.'

Phillimore vroeg hem mevrouw Robinson te beschrijven.

'Ze is een snel geëchauffeerde persoon,' zei Thom. 'In het algemeen is er een zekere mate van vormelijkheid in haar gedrag,
maar af en toe uit zij romantische en lichtzinnige opmerkingen.'
Volgens deze beschrijving zou Isabella een openbaar-ik en een
dagboek-ik hebben, en wilde innerlijke fantasieën onder een
omhulsel van welvoeglijkheid, hetgeen paste binnen het pleidooi van de verdediging.

Men vroeg Thom of hij een aantekening van 3 juni 1854 uit het dagboek wilde voorlezen, waarin Isabella haar indrukken van hem beschreef. 'Zijn prachtige ogen leken wel bleke viooltjes,' las Thom voor, 'beschut door zware, hangende oogleden; zijn wangen waren ingevallen en er lag een deken van diepe melancholie over hem.' In de rechtszaal werd gelachen om Thoms weergave van deze sappige beschrijving van zijn eigen persoon. Hij ging verder en las Isabella's verslag van haar eigen optreden tijdens hun ontmoeting voor: 'Ik bloosde, telkens sprongen de tranen me in de ogen en ik had een brok in mijn keel. We praatten lang en ernstig.'

Phillimore vroeg Thom hoe hij dat verslag duidde.

'Het is sterk gekleurd en overdreven,' antwoordde Thom, 'en ik was niet in een sombere of neerslachtige stemming.'

Phillimore vestigde Thoms aandacht op een aantekening van 4 juli 1854 over zijn ontmoeting met Isabella op Moor Park. Ook dat, zei de jonge man, was een 'in hoge mate gekleurde' weergave van de feiten.

Ten slotte vroeg Phillimore Thom naar de aantekening van 15 juli 1854, waarin werd verwezen naar 'die boom, waar ik niet naar kan kijken zonder aan mijn escapade met mijnheer Thom te denken'.

'Het woord "escapade" kan ik niet verklaren,' zei John Thom. 'Ik herinner me dat ik op een dag met mevrouw Robinson in de tuin zat te lezen onder een boom; toen mijnheer Robinson naar ons toe kwam liep ze vlug een hoek om, blijkbaar om haar echtgenoot te ontlopen.' Hij ontkende categorisch dat er iets onwelvoeglijks tussen mevrouw Robinson en hem was voorgevallen.

Bij het kruisverhoor gaf Thom toe dat hij een vriend van dokter Lane was: na zijn werk als leraar van de kinderen van de Robinsons was hij door mijnheer Robinson aan de dokter voorgesteld, met wie hij sindsdien 'op voet van intimiteit' stond.

Daarna werd het proces verdaagd.

In de drie weken die volgden, bracht de zaak Robinson het Gerechtshof voor echtscheiding in nog diepere verwarring. Toen

Cockburn, Cresswell en Wightman de zitting op maandag 21 juni voortzetten, zei Cockburn dat vijf van de zes rechters die bevoegd waren zitting te houden, hadden geconcludeerd dat ze Edward Lane niet uit de zaak konden schrappen. De enige die er anders over dacht was de bejaarde William Wightman, die betoogde dat er niets in de formulering van de wet was wat hen daarvan weerhield. Cockburn betreurde dat Wightman het niet met de meerderheid eens was en zei dat de zaak zou worden voortgezet zoals men zich had voorgenomen. Hij verzocht de advocaten om een samenvatting.

Aangezien de rechters het erover eens waren dat er geen zaak was tegen Edward Lane, hoefde Forsyth niet te spreken. Namens Isabella herhaalde Phillimore zijn argument dat het dagboek een verzinsel was; hij opperde dat zijn cliënte 'veronderstelde dat ze een soort roman schreef, waarbij ze klaarblijkelijk dacht dat de taferelen die ze beschreef geschikte hoogtepunten zouden zijn geweest'. Namens Henry vatte Chambers zijn argumentatie samen door erop te wijzen dat het dagboek 'onbetwijfelbaar is geschreven – zoals vrouwen soms schrijven – in een hoogdravende stijl, maar dat het wel een volstrekt accuraat verslag lijkt te zijn van dingen die werkelijk zijn voorgevallen. Mijn geleerde vriend heeft getracht het in diskrediet te brengen door passages aan te halen met betrekking tot mijnheer Thom, en door mijnheer Thom daarna te laten getuigen om de juistheid van die passages te ontkennen. Maar hij ontkent ze niet. Hij zegt alleen dat het aangedikte verslagen zijn van wat er werkelijk is gebeurd.' Chambers voegde eraan toe dat mevrouw Robinson in 1854 niet vijftig was, maar eenenveertig.

Cockburn deelde mee dat de rechters over iets minder dan twee weken uitspraak zouden doen.

Twaalf dagen later, op zaterdag 3 juli, perste een menigte elegant geklede dames zich de rechtszaal binnen om de uitspraak in de zaak Robinson te horen; ze werden echter algauw teleurgesteld. Cockburn kondigde aan dat hij van gedachten was veranderd. Evenals Wightman waren hij en de andere rechters er nu van overtuigd dat de klacht tegen dokter Lane niet-ontvankelijk moest worden verklaard, opdat hij kon verschijnen als getuige.

Sterker nog, zij hadden gehoord van een wetsvoorstel tot wijziging van de echtscheidingswet dat binnenkort aan het parlement zou worden voorgelegd; dit voorstel bevatte een bepaling volgens welke een medegedaagde kon worden ontslagen van rechtsvervolging in gevallen als dit. Cockburn had besloten het proces nogmaals te verdagen om de goedkeuring van het wetsvoorstel af te wachten.

De rechters behandelden in de tussentijd andere zaken. Op maandag 14 juni, de eerste dag van het proces Robinson, had de rechtbank gehoord dat een zekere mevrouw Ward wilde scheiden van haar dronken en gewelddadige echtgenoot om reden van overspel, wreedheid en kwaadwillige verlating. Volgens de getuigenis van hun huisbazin was ze 'een bedaarde, hardwerkende vrouw', die zich er na jaren van 'mishandeling' wel 'mee kon verenigen' dat haar echtgenoot haar verliet. De politie bevestigde dat mijnheer Ward zijn vrouw had geslagen. Maar Cresswell wees erop dat als mevrouw Ward haar echtgenoot liever zag gaan dan komen, de rechtbank de scheiding wellicht moest afwijzen. 'De daad van verlating,' merkte hij op, 'moet worden gedaan tegen de wil van de vrouw.' Echtscheiding kon niet plaatsvinden met wederzijds goedvinden, noch worden gerechtvaardigd door ongelukkig zijn alleen. Bij het formuleren van de nieuwe wet was de wetgevende macht erop gespitst geweest het voorbeeld van de Fransen te vermijden; die hadden in 1792 echtscheiding toegestaan op grond van onverenigbaarheid, met het gevolg dat in de tien jaar daarna één op de acht Franse huwelijken werd ontbonden, waarvan bijna driekwart op verzoek van de vrouw. Toch zag Cresswell een mogelijkheid om mevrouw Ward haar vrijheid te geven. Op woensdag 16 juni, na het optreden van John Thom in de zaak Robinson, vonniste Cresswell dat ze 'duidelijk recht had op een ontbinding op grond van overspel en wreedheid, ook al bleven er twijfels omtrent de verlating'. Dankzij de reglementen van de nieuwe wet zou het haar zijn toegestaan enig eigendom te behouden dat zij nadien zou verwerven.

Het huwelijk van de Wards was er een van negen die die dag werden ontbonden, een voortvarendheid die aanleiding gaf tot vragen in het Hogerhuis. Als de rechters te langzaam werkten, lieten ze een ellendig verbond voortleven in het nationaal bewustzijn; gingen ze te snel, dan leken ze het huwelijk als instituut te laten verdwijnen voor de ogen van het publiek.

Op 21 juni, na de derde verdaging in het proces Robinson, sprak Cresswell zijn vonnis uit in een zaak die oorspronkelijk was behandeld op vier dagen in mei: Curtis vs. Curtis, een verzoek tot scheiding van tafel en bed om reden van wreedheid. Daar het slechts een verzoek tot scheiding van tafel en bed betrof, kon Cresswell dit in zijn eentje beoordelen. Evenals in de zaak Robinson draaide de beslissing van de rechtbank om de interpretatie van een bewijsstuk dat door een vrouw geschreven was.

Frances en John Curtis waren een onevenwichtig huwelijk aangegaan, net als Henry en Isabella Robinson, en Cresswell stelde vast dat de ongelijkheid in sociale status de sleutel was van hun onenigheid. Fanny's vader was advocaat van Lincoln's Inn, dezelfde orde van advocaten waartoe de vader en grootvader van Isabella hadden behoord, en haar echtgenoot was evenals Henry een ingenieur. De ouders van Fanny mochten John Curtis niet. In de nacht voor het huwelijk maakte John vier uur lang ruzie met zijn aanstaande schoonvader over Fanny's huwelijkscontract. Hij had het gevoel dat hij op feestjes ten huize van Fanny's ouders als 'minderwaardig' werd behandeld. Fanny gaf toe dat haar moeder en vader het werk van haar man vaak betitelden als 'gerommel in machinerie', hoewel ze beweerde dat dat niet beledigend was bedoeld.

John werd in toenemende mate labiel, kreeg in 1850 een aanval van 'hersenkoorts' en begon er extreem religieuze standpunten op na te houden. In haar verzoek beweerde Fanny dat hij ook gewelddadig was tegen haar en de kinderen – hij sloeg zijn zoon bijvoorbeeld regelmatig 'met grof geweld en met hevige en opzettelijke slagen op zijn gezicht, hoofd en oren,' zei ze.

Toen de zaak in mei voorkwam, voerde John Curtis onder meer Forbes Winslow op als getuige, die verklaarde dat John volledig was genezen van zijn hersenkoorts. Ter verdediging tegen de beschuldigingen van gewelddadigheid legde John een brief over die Fanny aan haar moeder had geschreven toen het gezin in 1852 in New York verbleef.

De brief beschreef een middag waarop John thuiskwam en zijn kinderen zag spelen met de vier en zes jaar oude dochtertjes van een buurman, onder toezicht van een dienstmeisje. John ging tegen Fanny tekeer omdat ze de kinderen blootstelde aan vreemden – 'alle ellende in het leven', zei hij tegen haar, 'kwam voort uit het overnemen van immorele gewoonten van andere kinderen'. Hoewel ze zich verontschuldigde, wond hij zich meer en meer op over wat de kinderen zou kunnen overkomen, in – naar zij vond – 'walgelijke' en 'ontaarde' bewoordingen. Ze maakte een scherpe opmerking over zijn geestelijke gezondheid – 'Echt, als het zo doorgaat zie ik me gedwongen mijn kinderen onder bescherming van de regering te stellen' – en kreeg daar onmiddellijk spijt van. John werd razend, verbood haar de kinderen te zien, schold haar uit waar de kinderen en het dienstmeisje bij waren en zorgde ervoor dat hij de laatste aan tafel eerder bediende dan zijn vrouw. Tevens verscheurde en verbrandde hij Fanny's tijdschriften en verbood hij haar nog langer boeken en journaals in huis te halen zonder die eerst aan hem te laten zien.

'Ik wou bij God dat ik wist wat ik moest doen,' schreef Fanny aan haar moeder, 'maar hij lijkt zo in de kinderen op te gaan, dat ik ze niet graag mee zou nemen, hoezeer ik er ook onder lijd, en ik geloof ook niet dat ze momenteel gevaar lopen... Ik wou bij God dat hij iets deed wat mij de vrijheid gaf. Vaak zou ik willen dat hij me sloeg, maar dat probeert hij nooit – een tijdlang leek hij zelfs een stuk aardiger; maar het is overduidelijk dat hij het idee van zijn gezag volhoudt tot in het manische... Ik denk dat mijn eigen besluiteloosheid en zwakheid evenveel te verwijten valt als mogelijk is, maar het is heel moeilijk om erachter te komen wat ik moet doen.' Ze vreesde dat John zijn verstand aan het verliezen was. 'Dat buitengewone mengsel van arrogantie, eigenliefde en machtswellust met religieus sentiment en geestdrift gaat me boven de pet,' schreef ze, 'vooral wanneer daar nu en dan nog een zenuwinzinking bij komt, met huilbuien en andere ellende.' Kort nadat Fanny's ouders deze brief ontvingen, ging haar vader scheep naar New York en zorgde hij ervoor dat zijn schoonzoon werd opgenomen in een gesticht.

Toen John enkele maanden later uit het gesticht werd ontslagen, ging hij naar Spanje om daar als ingenieur bij de spoorwegen te werken; in 1857 kwam hij Fanny en de kinderen zoeken op het landgoed van haar vader in Ierland. John liet plakkaten ophangen waarop hij een beloning van 10 pond uitloofde voor informatie over hun verblijfplaats. Ze zagen eruit als gevonden voorwerpen-advertenties, of 'gezocht'-biljetten:

MRS. FRANCES HENRIETTA CURTIS, GEBOORTIG UIT ENGELAND, LEEFTIJD 35, LENGTE 5 VOET 3 DUIM, NEIGEND TOT GEZETHEID, HAAR DIEP DONKERBRUIN, BLAUWE OGEN, NIET ZEER OPVALLEND, LICHTE, FRISSE HUIDSKLEUR, NIET ZULKE ZWARE WENKBRAUWEN, NEUS LICHT WIPPEND, VRIJ GROTE VOORTANDEN, ONVERSTOORBARE GELAATSUITDRUKKING, BEHEERSTE EN RUSTIGE HOUDING.

Fanny vluchtte naar Londen, waar ze met haar kinderen onder andere namen leefde. Toen John hen wist op te sporen, nam ze haar toevlucht tot de wet.

Evenals Isabella's dagboekaantekeningen bood Fanny's brief het echtscheidingshof een levendig, persoonlijk kijkje in de dagelijkse gang van zaken binnen een ongelukkig huwelijk. Fanny Curtis was eenzaam en in de war en toegewijd aan haar kinderen, en ze deed haar best om zich aan te passen aan de rol van dienende echtgenote. Hoewel John de brief had ingediend als bewijs dat hij niet gewelddadig was, wekte de voelbare angst in Fanny's woorden sympathie bij de rechtbank. Haar wens dat John haar zou slaan, was het sterkste bewijs van haar ongeluk. De momenten van medelijden met haar geagiteerde echtgenoot getuigden van haar vermogen tot tederheid.

In de middag van 21 juni stelde Cresswell John Curtis in het ongelijk en wees hij Fanny de scheiding van tafel en bed toe waarom ze had gevraagd. In zijn oordeel gaf hij toe dat haar 'gevoelens van spanning haar ertoe dreven een wat sterk gekleurd verslag' te geven van het gedrag van haar echtgenoot – een hartstochtelijke partijdigheid die kenmerkend was voor de verzoeken bij de nieuwe rechtbank – en hij bracht zijn medeleven met John onder woorden, die door de familie van zijn vrouw was geminacht en geïntimideerd en ten prooi was gevallen aan radeloze onzekerheid en geestelijke obsessies. Maar hij nam in aanmerking dat er 'een schijn van waarheid, ernst en openhartigheid' over de brief lag, die 'een melancholiek beeld' gaf van Fanny's leven. Cresswell wees haar aanvraag toe en besliste dat John Curtis 'een gewelddadig en onredelijk gezag' aan de dag had gelegd, 'voldoende om een goed gefundeerde bezorgdheid voor toekomstige gewelddadige handelingen te wekken'. Hij onthield zich van een oordeel over de vraag of de kinderen bij hun moeder of hun vader moesten wonen. De wet op de voogdij over minderjarigen had vrouwen (overspelige vrouwen uitgezonderd) het recht gegeven voogdij aan te vragen, en het nieuwe echtscheidingshof had in theorie de macht om die toe te kennen. Maar Cresswell zei: 'de wetgevende macht heeft geen regels of voorschriften uitgevaardigd die bepalen hoe de rechtbank dient om te gaan met dit bijzonder gevoelige onderwerp'. Hij liet de kwestie over aan de kanselarij en verordonneerde dat de kinderen ten minste de volgende drie maanden bij Fanny Curtis moesten blijven.

Maar toen Fanny en haar vader bij de kanselarij om de voogdij vroegen, nam de rechter die hun zaak beoordeelde een radicaal ander standpunt in. Vicevoorzitter Kindersley had aanmerkingen op Fanny's gedrag jegens John: 'Ik geloof dat in het algemeen zeer weinig vrouwen hun plechtige verplichting van gehoorzaamheid en onderwerping aan de wensen van hun echtgenoot voldoende in acht nemen, al zijn die wensen grillig. Hoe ruw, hoe wreed een echtgenoot ook moge zijn, het rechtvaardigt niet het gebrek aan die gepaste onderwerping aan de echtgenoot, die haar plicht is zowel naar de wet van God als naar de wet van de mens.' Hij wilde wel aannemen dat John de kinderen had geslagen wanneer ze ongedurig waren tijdens het gebed in de kerk of voor de maaltijd, maar hij oordeelde dat dat viel binnen de grenzen van redelijk gedrag. En wat de doorslag gaf: hij vertrouwde de brief van Fanny aan haar moeder niet. Zij 'verhaalt niet alleen op een overdreven wijze over de feiten, maar tevens valselijk'.

Bij het toewijzen van de voogdij, zei Kindersley, kon de rechtbank niet in overweging nemen wat het beste zou zijn voor de kinderen, want daar kwam slechts chaos uit voort. Liever diende het gezag van de vader het zwaarst te wegen. Zelfs John Curtis' excessen betroffen immers zijn fixatie op twee grondbeginselen van de Victoriaanse maatschappij: de macht van de man over zijn gezin en de macht van God over de mens. De bescherming van het instituut van het huwelijk bracht bescherming van de superioriteit van de vader met zich mee. Kindersley verwierp Fanny's verzoek en wees de voogdij over de kinderen toe aan John.

Bij zijn oordeel in de zaak Curtis liet Cresswell zich leiden door meelevend gezond verstand; Kindersley oordeelde op grond van traditie en principes.

Vlak voor het proces Robinson begon, ontdekte George Combe dat hij er nog nauwer mee verweven was dan hij dacht. In mei 1858 waarschuwde Edward Lane hem per brief dat zijn naam opvallend vaak in Isabella's journaal voorkwam. Het dagboek bracht Combes naam meer dan eens ter sprake in verband met frenologie en de onsterfelijkheid van de ziel, zei Edward. Combe was ontsteld. Als hij betrokken raakte bij Isabella's zedelijke anarchie, kon dat de rechtschapenheid die hij de afgelopen decennia zorgvuldig had opgebouwd volkomen tenietdoen. Jarenlang had hij beschuldigingen van atheïsme ontkend. Nu liep hij het gevaar dat hem dat voor de voeten geworpen zou worden door toedoen van een seksueel overprikkelde vrouw tegen wie hij vriendelijk was geweest. Dat hij in verband werd gebracht met Isabella's journaals, vertelde hij Edward, kon 'mijn reputatie verwoesten & het gezag van mijn boeken aantasten'. Hij stelde met klem dat brieven van hem aan Isabella, waaruit zij had geciteerd, onder zijn auteursrecht vielen en, iets minder aannemelijk, dat enigerlei conversatie met hem inbreuk maakte op het recht op zijn eigen ideeën. Hij drong er bij Edward op aan meer te vertellen over de verwijzingen: leek hij godslasterlijke uitspraken te doen? Kwam hij er ongodsdienstig of onzedelijk uit naar voren?

Combe en zijn vrienden hadden er het grootste belang bij Isabella's onboetvaardige verslag van haar overspel te smoren. Haar verhaal was een geschenk uit de hemel voor hun vijanden. Isabella trok een logische en beklemmende conclusie uit de ideeën van Combe: de mens was een dier dat slechts door lusten werd beheerst; er bestond geen onsterfelijke ziel, dus konden mensen doen wat ze wilden zonder vrees voor bestraffing. Het dagboek behelsde een visie op hoe de maatschappij zou kunnen worden als het nieuwe, evolutionaire wereldbeeld vaste voet kreeg.

Lane, Combe en Robert Chambers lobbyden bij krantenmannen om steun te krijgen. Chambers schreef Marmaduke Sampson en Eneas Sweetland Dallas bij *The Times* en drong er bij hen op aan een commentaar te publiceren ter verdediging van Edward Lane. In antwoord daarop ontving Edward een brief van mevrouw Dallas, de voormalige Isabella Glyn, die in 1851 samen met Isabella Robinson ten huize van de Chambers had gedineerd. Ze verzekerde de dokter dat de redacteuren van *The Times* 'vanaf het begin sterk doordrongen waren' van de 'enorme last' van zijn positie, en dat een gedecideerd redactioneel commentaar van die strekking in de krant zou verschijnen.

Eneas Sweetland Dallas' commentaar werd gepubliceerd op 6 juli, drie dagen nadat Cockburn het proces had verdaagd. Het stuk beweerde dat Isabella werd geobsedeerd door een 'droomwereld'. Ze had niet opzettelijk dingen verzonnen, opperde Dallas, maar ze had zich overgegeven aan de krachten van haar onbewuste geest. 'De stevige barrières die werkelijkheden scheiden van schimmen – waarheid van verzinsel – de wakkere wereld van de dromende wereld – bestonden voor haar niet. Ieder wild verlangen dat zich meester maakte van haar gestel, iedere dwalende gedachte die haar door het verwarde hoofd schoot, was gekleurd door de kenmerken van haar persoonlijkheid. Ze leefde in een eigen innerlijke wereld.' Dallas beweerde dat het dagboek leek op een hoofdstuk uit Catherine Crowes onderzoek naar het bovennatuurlijke, *The Night Side of Nature*; het onderscheid tussen geheugen en verbeelding vervaagde.

'Elke daad van mevrouw Robinson laat ons slechts de keus uit twee conclusies,' schreef Dallas; 'of ze is het weerzinwekkendste en verdorvenste creatuur dat ooit de gedaante van een vrouw aannam, of ze is gek. In beide gevallen is haar getuigenis waardeloos.' Het was een cirkelredenering: door over overspel te schrijven had Isabella zichzelf buiten het domein van de rede geworpen. De woorden van een vrouw die haar eigen overspel bekende konden niet worden vertrouwd – ook haar bekentenis niet.

De *Examiner*, een weekblad dat werd geleid door Marmion Savage, een andere vriend van Edward Lane die regelmatig op Moor Park te gast was, nam het redactioneel commentaar van Dallas uit de *The Times* ogenblikkelijk over en publiceerde tevens een artikel met de titel 'Gebreken in de Wet – de zaak Robinson vs Robinson & Lane', dat verontwaardigd constateerde dat de rechtbank de dokter – 'een heer van onbetwistbare achtenswaardigheid' – geen spreekrecht had toegekend.

Combe schreef zijn vriend Charles Mackay, de redacteur van de *Illustrated London News*, om zijn hulp in te roepen. Mackay verzekerde hem dat hij al tot de slotsom was gekomen dat 'Mevrouw Robinson waanzinnig was – & dat dokter Lane volstrekt onschuldig was'. In de Londense clubs waar hij placht te verkeren, voegde hij eraan toe, 'neigt men ertoe dokter Lane van alle blaam te zuiveren'. Hij beloofde dat hij de minste toespeling op de zaak uit zijn krant zou houden.

Charles Darwin vertelde zijn vriend op 24 juni: 'Iedereen wie ik ernaar heb gevraagd denkt dat dokter L. waarschijnlijk onschuldig is – de getuigenis van mijnheer Thom (een zeer verstandig, aardig jongmens); de door hemzelf toegegeven koelte van de brieven van dokter Lane – de afwezigheid van enig ondersteunend bewijs – & meer dan alles het ongekende gegeven dat een vrouw tot in de kleinste bijzonderheden haar eigen overspel beschrijft, wat me nog minder waarschijnlijk voorkomt dan het verzinnen van een verhaal naar aanleiding van extreme wellust of hallucinatie – door dat alles neig ik ertoe te denken dat dokter Lane onschuldig is & dat dit een zeer wrede kwestie is. – Ik vrees dat het hem te gronde zal richten. Ik heb hem nog nooit een zinnelijke uitdrukking horen bezigen.' Drie dagen later schreef hij aan dezelfde vriend: 'Het doet mij zeer veel leed voor dokter L. en zijn gezin, aan wie ik zeer gehecht ben.'

Edward vroeg Combe of hij voor een goedgunstig artikel in de *Scotsman* kon zorgen en schreef persoonlijk aan bondgenoten in Edinburgh. Zijn naam was 'door het slijk gehaald', vertelde hij een bevriende advocaat op 25 juni, in 'een van de weerzinwekkendste, wreedste, & onrechtvaardigste zaken die ooit voor de rechtbank zijn gebracht... Zo zijn mijn handen volkomen gebonden, & ik loop alle kans op een dolksteek in de rug'. Hij bezwoer zijn onschuld 'op het woord van eer van een gentleman'. Het dagboek, legde hij uit, was 'het uitzinnige ijlen van een monomane, die al lang geleden ten prooi was gevallen aan een ernstige ziekte van de baarmoeder'. In zijn brief sloot hij kopieën bij van krantenartikelen waarin hij werd verdedigd.

De pers haastte zich het dagboek in diskrediet te brengen. De *Daily News* eiste een wijziging van de wet opdat Edward kon getuigen, evenals de *Observer*: anders, zo waarschuwde het blad, 'is niemand meer veilig die toevallig in gezelschap komt te verkeren van een dame op rijpere leeftijd, met een snel geprikkelde verbeelding en een cacoëthes scribendi. De schijn kan worden gewekt dat hij allerlei wandaden heeft begaan, terwijl hij feitelijk volmaakt onschuldig is, en aldus kan hij volledig te gronde worden gericht.' *Cacoëthes scribendi*, een term die voor het eerst door de Romeinse dichter Juvenalis werd gebruikt, was een onverzadigbare drang, of aanhoudende prikkeling, om te schrijven. Zo de wet niet werd veranderd, zei *The Times*, liep elke heer die privégesprekken voerde met vrouwen – zoals een geestelijke of arts – het risico door een valse beschuldiging te worden geruïneerd. *The Morning Post* verkondigde: 'Dokter Lane is een onschuldige en gekwetste man.'

Als hydrotherapeut was Edward in het bijzonder kwetsbaar voor aantijgingen van onwelvoeglijkheid. Een maand eerder, tijdens de debatten over de wet op de heelkunde van 1858, had een commentator in *The Lancet* hydrotherapeuten samen met mesmeristen en homeopaten beschouwd als 'mannen die de wetenschap hebben opgeofferd en de zedelijkheid onteerd'. De medische pers schaarde zich niettemin achter dokter Lane. Zijn behandelingen mochten dan onorthodox zijn, beweerde het *British Medical Journal*, om zijn toestand zouden alle artsen zich moeten bekommeren: als het dagboek als bewijs werd aanvaard 'kon iedere collega met "krullen en een glad gezicht", maar ook minder knappe, op een dag opeens worden weggerukt uit zijn situatie van huiselijk geluk en financiële voorspoed en in het verderf worden gestort'. Het periodiek eiste dat dokter Lane als getuige werd gehoord, 'opdat hij zich kon losscheuren uit het uitzonderlijke web dat de fantasie van mevrouw Robinson om hem gesponnen heeft'.

Meerdere kranten prezen het kunstenaarstalent van het dagboek, in uiteenlopende gradaties van ironie. 'Het hele werk is niet zonder tekenen van een aanmerkelijk literair vermogen,' was het commentaar van *The Morning Post*. De *Saturday Review* vergeleek Isabella met de Griekse erotische dichteres Sappho. De *Daily News* vergeleek de toon van 'hartstochtelijke sentimentaliteit' in het journaal met *Julie, ou La Nouvelle Héloïse* van Rousseau en de 'meer zinnelijke wellustigheden' met 'Eloisa and Abelard' van Alexander Pope. Zowel de briefroman van Rousseau uit 1791 als het gedicht van Pope uit 1717 was gebaseerd op het verhaal van Abélard en Héloïse, twaalfde-eeuwse geleerden en geliefden die een reeks vurige en erudiete brieven wisselden. Iets minder romantisch werd Isabella vergeleken met een heks (door *The Morning Post*) en met Messalina, de gewelddadige en promiscue vrouw van de Romeinse keizer Claudius (in een boek van dr. Phillimores broer John). Veel verslaggeving over het dagboek werd gebracht op een opgewonden toon die die van Isabella niet alleen evenaarde maar zelfs oversteeg. Sommige mannen die de zaak becommentarieerden kunnen de grilligheid van de zaak hebben benadrukt omdat ze vreesden dat hun lezers, vooral de vrouwelijke, zich in het verhaal zouden herkennen.

'Het dagboek vonnist zichzelf als krankzinnig,' zei de *Satur-*

day Review op 26 juni. 'Maar de gevolgen ervan zijn verschrikkelijk.' Het weekblad vergeleek Isabella met lady Dinorden, een
adellijke weduwe die diezelfde week werd veroordeeld wegens
smaad – ze had haar neef gebombardeerd met anonieme brieven
waarin ze hem aanwreef dat hij een gefailleerde krankzinnige
bastaard was. 'De moraal van het verhaal, mogen wij vrezen,
pleit tegen geletterde dames. De epistolaire stijl van lady Dinorden en mevrouw Robinsons beheersing van beschrijvend en
idyllisch proza heeft hen te gronde gericht. Zij zijn slachtoffers –
en ook anderen zijn slachtoffers – van een literaire vaardigheid
en van een gelukkige hand van schrijven.' Vrouwelijke auteurs,
die zich tegen 1850 steeds meer deden gelden, werden zo alle betrokken in de excessen van Isabella's journaal.

Een aanvullend redactioneel in hetzelfde nummer van de *Saturday Review* hekelde Isabella's 'hoogdravende sentimentaliteit' omdat haar dagboek schatplichtig zou zijn aan 'de uiterst
larmoyante sterfbedden van mooie kleine meisjes' in contemporaine romans, aan de deerniswekkende brieven van prostituees
die in de kranten stonden, en aan de vunzige pamfletten en
plaatjes die te koop waren in Holywell Street, een zijstraat van
de Strand en het centrum van de Engelse handel in pornografie.
De auteur van het stuk zag een direct verband tussen snotterig
sentiment en seksueel verval van zeden. Aangespoord door de
'tedere, in ononderbroken zoetheid lang uitgesponnen liefdes-
scènes' uit de populaire lectuur had Isabella liefdevol uitgeweid
over haar ondergang, lang stilgestaan bij haar teloorgang, haar
zondigen in een romantisch daglicht gezet. Daarmee had ze het
verband blootgelegd tussen romantiek en pornografie.

Isabella's dagboek was lang niet zo expliciet als de meeste verhalen die in Holywell Street werden uitgevent, maar het volgde
een populaire pornografische formule: de verteller was een
vrouw die zichzelf blijmoedig overgaf aan seks. De hartstochtelijke herinneringen lazen als een gekuiste versie van de uitroepen in *The Lustful Turk* (1828): 'Nimmer, o nimmer zal ik die
verrukkelijke extase vergeten die volgde op het stijve insteken;
en toen, ach!' Isabella's halfbewuste dromerijen 's morgens in
bed deden denken aan die van Fanny Hill in John Clelands *Me-*

moirs of a Woman of Pleasure, een publicatie uit 1749 die halverwege de negentiende eeuw twintig herdrukken had beleefd: 'Ik tastte om me heen in bed, alsof ik iets zocht wat ik in mijn half-slaap omvatte, en toen ik het niet vond kon ik wel huilen van verdriet, terwijl al mijn leden gloeiden van prikkelend vuur.'

Door haar wellustige gedachten op te schrijven had Isabella gezondigd, maar de kranten waren als haar uitgevers mede-schuldig aan haar vergrijp. Tijdens het proces Robinson, zei de *Saturday Review*, werden 'zo schunnige opstellen als ooit aan een menselijke pen ontsproten' integraal in de pers afgedrukt. Wekenlang braakten de kranten een 'stroom vunzigheden' uit, 'waardoor ze volledig ongeschikt werden als lectuur voor elke fatsoenlijke vrouw en tot hoogst gevaarlijke prikkels voor de on-gezonde lusten van de jeugd'. Het leek alsof de samenleving zich halverwege het Victoriaanse tijdperk even obsessief gedreven voelde tot het publiceren en lezen van seksscènes als Isabella tot het schrijven ervan.

John George Phillimore, regius hoogleraar burgerlijk recht uit Oxford en de broer van Isabella's raadsman, betoogde dat Isa-bella zichzelf in haar dagboek had 'ontsekst' – samen met haar eerbaarheid had ze ook haar vrouwelijkheid opgegeven. Hij waarschuwde ertegen dat de berichten over echtscheidingen, die 'ons met hun verderf troffen in huis en haard', zouden kun-nen resulteren in 'het wegvallen van de fundamenten onder de nationale zedelijkheid'. De integriteit van Engeland berustte op de integriteit van het huwelijk, schreef hoogleraar Phillimore: 'In geen enkel land was de verhouding tussen echtgenoot en echtgenote van een zo grote waardigheid en zo geheiligd als in het onze. Het bewaren van dit deel van onze nationale aard, dat een compensatie vormt voor zovele gebreken – het bewaren van deze niet te verkwanselen en o zo kostbare parel gaat iedere man aan in wiens aderen een druppel Engels bloed klopt.'

In 1857 had de regering van lord Palmerston in de zomerzit-ting van het parlement de wet op de huwelijkse zaken erdoor ge-drukt, waarmee tevens het echtscheidingshof werd opgericht, en de wet op obscene publicaties, die de verkoop van obsceen materiaal bestempelde tot wettelijk vergrijp. Beide wetten stelden vast dat seksueel gedrag een oorzaak was van maatschappelijke ontregeling. Een jaar later leken ze echter met elkaar in botsing te komen: de politie nam vieze blaadjes in beslag op grond van de zedenwet, terwijl advocaten en verslaggevers ze verspreidden onder de echtscheidingswet. 'De algemene wet die vraag en aanbod reguleert lijkt evenzeer de overhand te hebben in kwesties van openbaar fatsoen als in andere handelszaken,' merkte de *Saturday Review* in 1859 op. 'Blokkeer het ene kanaal, en de stroom zal een andere uitweg zoeken; en zo gebeurt het dat de rivier die in Holywell Street wordt ingedamd in het echtscheidingshof over de dijk slaat.'

Delen van het Lagerhuis werden tijdens de hittegolf ontruimd en de parlementsleden hingen met een chloorkalkoplossing doordrenkte lakens uit het raam om de vieze lucht buiten te houden. De rivier 'ligt te walmen en te stinken in deze meer dan Indiase hitte van de stad', meldde de *Saturday Review*. 'De doodsketel staat te zieden,' schreef de *Illustrated London News*. 'We kunnen de verste uithoeken van de aarde koloniseren (...) we kunnen naam en faam maken en onze rijkdom over alle delen van de wereld verspreiden – maar we zijn niet in staat de Theems te zuiveren.'

George en Cecy Combe waren in Londen toen het proces Robinson begon en overnachtten in een logement in de buurt van Edgware Road. Tijdens hun verblijf bezochten ze de zomertentoonstelling van de Royal Academy, waar het triptiek van Augustus Egg te zien was. Nadat het proces in juli was verdaagd, bezochten ze een zekere mijnheer Bastard, een vriend die een seculiere school in Dorset dreef; daarna gingen ze langs bij de Lanes en de Drysdales op Moor Park. Onder de andere gasten was ook Marmion Savage, die als redacteur van de *Examiner* de zaak van Edward Lane steunde. De gastheer en -vrouwen waren 'allemaal somber gestemd', schreef Combe in zijn dagboek, 'zij het ontheven van de bezorgdheid en het geploeter' waarmee de zaak hen had belast. Op 12 juli schreef hij aan sir James Clark, waarbij hij onder meer verslag deed van zijn recente heronderzoek van het hoofd van de Prince of Wales. Bertie was 'zeer vooruitgegaan,' zei hij, 'maar de cerebellaire problemen zijn gebleven'. 'Het probleem in kwestie,' merkte hij op – dat wil zeggen, seksuele verlangens – 'is een van de grote onopgeloste problemen van onze beschaving.'

Combe had zijn naam en die van vele anderen buiten de rechtszaal weten te houden: tijdens het proces waren geen namen genoemd van personen uit hun kringen, zoals Charles Darwin, de gebroeders Drysdale, Robert Chambers, sir James Clark, Alexander Bain, Dinah Mullock of Catherine Crowe. De bijverschijnselen van het dagboek waren binnen de perken gehouden. Het stond nog te bezien of Edward en zijn familie ook de ergste gevolgen bespaard konden blijven. Als het amendement op de echtscheidingswet werd goedgekeurd, zo werd hun gezegd, zou de dokter in november kunnen worden opgeroepen om te getuigen.

'Mijn lieve Cecy verjaart vandaag,' schreef Combe op 25 juli 1858 in zijn dagboek. 'Ze is gelukkig en loopt over van genegenheid jegens mij. Op een stormachtige dag volgde een zonnige avond en wandelden Cecy en ik naar de open plek. Ik vond beschutting tegen de wind onder hoge varens, waar ik op de grond ging zitten en zij op haar kampeerstoeltje, en ze zong een paar lievelingsliedjes voor me, met de zoete klanken en een expressie zoals voor mij geen enkele andere stem klinkt. God zegene haar, en moge Hij haar nog lang behoeden.'

De volgende dag voelde George Combe zich onwel en in de twee weken daarna kreeg hij last van hevige hoest, misselijkheid en 'koorts en opwinding in het hoofd'. Edward zorgde voor hem. Hij 'is erg vriendelijk,' schreef Combe in zijn dagboek, 'maar hij zegt dat men het best de natuur haar werk kan laten doen'. Op 4 augustus kwam sir James Clark zijn oude vriend opzoeken op Moor Park, wat erop duidde dat hij Edwards onschuld aanvaardde. Op 11 augustus was Combe niet tot schrijven in staat en dicteerde hij zijn aantekeningen aan Cecy. Op 13 augustus kon hij ook niet meer dicteren, dus zette Cecy het dagboek in haar eigen woorden voort. 'Vannacht om twee uur was ik bij hem, gaf hem te eten, probeerde zijn gezicht en zijn handen te wassen en hoorde hem "schatje" zeggen; maar hij wordt slecht verstaanbaar en zijn stem is zwak.' Op 14 augustus om tien uur 's morgens werd Combes ademhaling langzamer en stokte ze. Cecy legde het ogenblik vast in het dagboek van haar man: 'Dokter Lane zei "het is voorbij". Er viel een diepe stilte in de kamer.' De dood van Combe werd geweten aan longontsteking. 'Een zoon kon niet beminnelijker zijn geweest dan dokter Lane,' schreef Cecy, 'en een vriend niet attenter dan de hele familie.'

Op 15 augustus scheidden de begrafenisondernemers – Messrs Sloman en Workman – Combes hoofd van zijn lichaam, zodat de schedel aan een frenologische analyse kon worden onderworpen. Cecy nam zijn stoffelijke resten mee terug naar Edinburgh, waar het lichaam op 20 augustus werd begraven.

HOOFDSTUK TWAALF

DE UITSPRAAK

Westminster Hall, november 1858-maart 1859

In de maand waarin George Combe stierf, nam het parlement een reeks amendementen op de echtscheidingswet aan, waaronder een artikel dat de rechtbank machtigde een medegedaagde te ontslaan van rechtsvervolging opdat deze als getuige kon worden gedagvaard. Nu de wet in het voordeel van Edward Lane was gewijzigd, ontsloegen de rechters hem prompt van de zaak Robinson vs Robinson & Lane en riepen ze hem vervolgens op als getuige. Op vrijdag 26 november kwam de dokter naar Westminster om zijn goede naam te verdedigen. Hoewel de rechtbank hem technisch had vrijgesproken van overspel, zou zijn reputatie alsnog aan diggelen gaan, tenzij Isabella eveneens van blaam werd gezuiverd.

De morgen was helder, droog en ongewoon warm; de temperatuur in Londen was de voorgaande drie dagen gestegen van min tien tot plus veertien graden. In Westminster Hall namen Cockburn, Cresswell en Wightman opnieuw plaats op de rechterstoel.

De dokter nam plaats in de getuigenbank. William Bovill QC, Isabella's raadsman, stond op om hem te ondervragen. Bovill leek een goedmoedige, bebrilde hoogleraar, serieus in zijn manier van doen, zo mager als een lat en met een groot, glanzend hoofd dat bij de slapen uitpuilde. Hoewel hij zelf in juni niet in de rechtbank had gesproken, was hij de advocaat die samen met Phillimore de verdediging van Edward en Isabella had opgesteld.

'Ik ben arts,' zei Edward Lane in antwoord op Bovills vragen, 'afgestudeerd aan de universiteit van Edinburgh. Ik ben in 1847 getrouwd met de dochter van sir William Drysdale. Mijn vrouw is een- of tweeëndertig. Ik heb vier kinderen.'

Bovill vroeg de dokter naar zijn vriendschap met Isabella.

'Ik maakte voor het eerst kennis met mevrouw Robinson in de herfst van 1850, toen ik woonachtig was in Edinburgh,' zei Edward. 'Onze gezinnen kwamen op vertrouwelijke voet te staan. Ze was een dame met aanzienlijke literaire verworvenheden die correspondeerde met letterkundigen. Onze kennismaking werd hernieuwd op Moor Park, toen zij in Reading woonden. Toen mijn vrouw en ik in 1853 naar het vasteland gingen, lieten we onze kinderen een week of vier, vijf bij de Robinsons. Ze verbleven daar ook bij andere gelegenheden. Mevrouw Robinson was bijzonder vriendelijk tegen hen.'

Edward bevestigde de data waarop Isabella op Moor Park te gast was geweest, inclusief een bezoek na Henry's ontdekking van haar dagboek. In 1856 bleef ze een dag en een nacht, zei hij. 'Voor zover ik het mij kan herinneren was dat eind september of begin oktober.'

Bovill vroeg of mevrouw Robinson het kuuroord bezocht als vriendin of als patiënte.

De dokter antwoordde dat ze Moor Park meestal bezocht als huisvriendin, hoewel ze 'altijd ziekelijk was'. Ze raadpleegde hem voor het eerst beroepshalve in juni 1855, zei hij. 'Ze zei dat ze al verscheidene jaren aan een aandoening van de uterus leed. Tevens vertelde ze mij dat zij leed aan voortdurende hoofdpijn, hevige neerslachtigheid en onregelmatige maandstonden. Ze leek me tussen de veertig en vijftig jaar oud, een leeftijdsfase waarin zich bij vrouwen vaak een verandering voordoet.'

Bovill vroeg naar de aard van haar ziekte.

'De ziekte waar zij aan leed tastte de zenuwen aan,' zei Edward. 'Ze was afwisselend kalm en gespannen.'

'Ze was buitengemeen bezadigd in haar manier van doen, maar soms grillig in de omgang,' voegde hij eraan toe. 'Ik schreef haar geen medicijnen voor, maar gaf slechts advies en zei haar dat ze een opwekkende behandeling zou moeten ondergaan.'

Deze behandelingsmethode was gericht op het stimuleren van het lichaam en voorzag gewoonlijk in het drinken van ijzerhoudend bronwater of maagbitter (een aftreksel van schors of kinine in alcohol), in combinatie met beweging, goede voeding en koude baden.

Bovill vroeg naar de wandelingen die Edward en Isabella samen hadden gemaakt.

'Ik had de gewoonte iedere dag te wandelen met de verschillende dames en heren die bij mij logeerden,' zei Edward. Hij benadrukte dat die wandelingen verre van privé waren. 'Het terrein is mooi en uitgestrekt. Alle paden staan open voor patiënten, personeel en bezoekers. De buren, met wie wij bevriend zijn, hebben eveneens toegang.'

Bovill vroeg hem naar de gelegenheid waarbij men hem uit Isabella's kamer had zien komen.

'Ik was gewoon de dames op hun kamer op te zoeken wanneer zij niet aan het ontbijt verschenen,' deelde Edward de rechtbank mee. 'Ik kan ook in de kamer van mevrouw Robinson zijn geweest.'

Cockburn onderbrak hem: 'Maar naar ik zojuist begreep was ze daar niet als patiënt, maar als vriendin.'

'Als ik had geweten dat mevrouw Robinson onwel was, zou ik haar kamer hebben kunnen binnengaan,' legde Edward uit, 'maar ik herinner me niet dat ik dat heb gedaan. Ik kan er geen eed op doen dat ik het niet heb gedaan, maar ik heb er geen herinnering aan. Meestal had ze twee kamers wanneer ze op Moor Park verbleef: een zitkamer en een slaapkamer, die met elkaar in verbinding stonden.'

Bovill vroeg naar de studeerkamer waarin zij seks zouden hebben gehad.

'De studeerkamer was toegankelijk voor alle patiënten die mij wilden spreken, en er kwamen overdag en 's avonds voortdurend vrienden langs die mij gezelschap hielden. Het was mijn persoonlijke vertrek, en wie mij ook maar wilde spreken kwam mij er opzoeken.' Desgevraagd voegde hij eraan toe: 'Mijn studeerkamer heeft drie deuren. Eén leidt naar de eetzaal, en een andere bevindt zich tegenover de deur naar de voorraadkamer. Het personeel gebruikt die zo nu en dan als doorgang.'

'Hebt u, zolang u mevrouw Robinson hebt gekend, ooit enige overspelige betrekking met haar gehad?' vroeg Bovill.

'Nooit,' zei Edward.

'Hebt u zich ooit vrijheden tegenover haar persoon veroorloofd?'

'Nee, nooit.'

'Hebt u zich ooit op een onkiese of onbehoorlijke manier tegenover haar gedragen?'

'Nooit, niet in het minst.'

'Hebt u zich ooit tot haar gericht met een mededeling of opmerking van amoureuze aard?'

'Nee, nooit,' zei Edward. Hij voegde eraan toe dat hij haar eenmaal ingetogen had gekust. 'In oktober 1855 arriveerde ze met een van haar kinderen en werd ze in de hal ontvangen door mijn schoonmoeder en mijzelf, in aanwezigheid van enkele anderen. De hal dient ook als biljartkamer. Bij die gelegenheid gaf ik haar een kus. Ik zal u zeggen waarom. In september daaraan voorafgaand hoopten mijn vrouw en ik dat onze kinderen naar zee zouden kunnen voor verandering van lucht, maar we hadden het te druk om ons vrij te maken en mevrouw Robinson bood aan hen te vergezellen. Dat deed ze, en toen ze terugkwam op Moor Park begroette ik haar zoals ik zojuist beschreef.' Dit was het enige gebaar van liefde dat hij ooit had gemaakt, zei hij. 'Ik heb nooit mijn arm om haar taille gelegd of haar omhelsd, verleid of geliefkoosd. Ik heb nooit iets gedaan wat haar hartstochten op enigerlei wijze kon prikkelen.' Hij ontkende dat hij een gesprek met haar had gehad over 'het ondervangen van gevolgen'.

Hij had het dagboek gezien, zei hij, en de beweringen daarin waren 'volkomen en absoluut onwaar – ze vormen een web van romantische verdichtsels, van begin tot eind, voor zover ze mij betrekken bij enigerlei ongepastheid'.

Had ze hem ooit een lok van zijn haar afgeknipt?

'Ze heeft nooit een lok van mijn haar afgeknipt.'

En had hij met haar gewandeld in de avonduren?

'Het kan zijn dat ik op een zomeravond na het vallen van de

schemering met haar heb gewandeld, maar in de maand oktober heb ik nooit na theetijd met haar gewandeld.'

Bovill ging zitten en John Karslake, de assistent van Montagu Chambers, kwam naar voren om de dokter een kruisverhoor af te nemen. Karslake was een markante figuur – een meter vijfennegentig lang, 'indrukwekkend knap', volgens zijn vriend en sparringpartner John Coleridge, de assistent van Bovill in de zaak Robinson, 'manhaftig, oprecht en krachtig in al zijn uitlatingen'.

Snel en monotoon vroeg Karslake Edward naar de zogenoemde vrije toegang tot zijn studeerkamer.

De dokter gaf toe: 'Het sprak vanzelf dat het personeel niet zomaar door de studeerkamer liep als ik daar zat. Men placht doorgaans te kloppen voor men binnenkwam.'

Karslake vroeg hem iets meer te vertellen over de aard van zijn vriendschap met mevrouw Robinson.

Edward zei dat 'de vertrouwelijkheid tussen mijn gezin en de Robinsons [in Edinburgh] snel gegroeid was. We zagen elkaar bijna iedere dag. Als vrienden konden we haast niet op intiemere voet staan dan toen. Mevrouw Robinson en ik praatten regelmatig met elkaar over wetenschappelijke onderwerpen, boeken, frenologie en andere zaken. Ik schreef haar brieven wanneer ze de stad uit was, lange brieven soms.'

Tijdens een nader kruisverhoor gaf Edward toe dat hij Isabella een medaillon had gegeven.

'Ik heb mevrouw Robinson op een dag een medaillon gegeven, een geschenk van mijn vrouw, dat haarlokjes van mijn kinderen bevatte. Mijn vrouw en zij hadden medaillons uitgewisseld. Dat was in Edinburgh. Mijn vrouw gaf haar een of twee keer een dergelijk geschenk.'

Er werd hem nogmaals gevraagd naar zijn bezoek aan Isabella's kamer.

'Als mevrouw Robinson naar Moor Park kwam, sliep ze in een kamer die toevallig vrij was. Ik herhaal dat ik me niet kan herinneren dat ik ooit 's morgens op de kamer van mevrouw Robinson ben geweest. Ik ben in 1855 een keer vroeg in de avond op haar kamer geweest. Het kan zijn dat ik ook een andere avond bij haar langsging, maar ik kan me dat niet herinneren. Die ene keer trof ik daar tevens mijnheer Thom.'

Karslake vroeg of dat op haar slaapkamer was gebeurd.

'Het was in haar zitkamer, niet op haar slaapkamer,' antwoordde Edward. 'Ik ben 's avonds nooit in haar slaapkamer geweest.'

Wanneer kwam mevrouw Robinson in 1856 op bezoek, vroeg Karslake, en hadden ze elkaar sindsdien nog geschreven? Hij probeerde vast te stellen en welke mate ze omgang hadden na Henry's ontdekking van de dagboeken in mei.

'Het bezoek van mevrouw Robinson in 1856 viel in augustus of september,' zei Edward, iets afwijkend van zijn eerdere schatting van eind september of begin oktober. 'Het kan zijn dat ik na dat bezoek met haar heb gecorrespondeerd. Ik heb mevrouw Robinson voor het laatst gesproken in december 1856.'

Er werd hem gevraagd wanneer hij had vernomen dat Henry Robinson had besloten de zaak voor de rechter te brengen.

'Ik wist pas in juli 1857 met zekerheid dat mijnheer Robinson bij het kerkelijk hof een zaak tegen mevrouw Robinson had aangespannen. Ik hoorde het van mijn tuinman. In november van dat jaar las ik een verslag van een gerechtelijke actie. Het was in *The Times*, meen ik; in twee zinnen werd gemeld dat er een scheiding was uitgesproken. Mijn tuinman, John Burmingham, vertelde me dat zijn zuster was opgetreden als getuige.' De zuster was Sarah Burmingham, die ook in de lopende zaak voor Henry had getuigd.

En had hij nadien nog met mevrouw Robinson gecorrespondeerd?

'Ik heb in 1857 geen contact gehad met mevrouw Robinson,' zei Edward, 'noch met iemand anders in relatie tot de dame.'

Bovill stond op om zijn getuige opnieuw te ondervragen en vroeg hem uitgebreider te vertellen wat hij wist van het echtscheidingsproces.

'Het verslag dat ik las stond op 4 december 1857 in *The Times*,' zei Edward. 'Er werd uitsluitend in vermeld dat de zaak tegen mevrouw Robinson was aangespannen door mijnheer Robinson op grond van overspel, dat dr. Addams op het punt stond zijn pleidooi voor de echtgenoot te houden toen de advocaat van de admiraliteit zei dat hij geen verweer zou bieden, en dat de rechtbank de scheiding uitsprak.' Met 'scheiding' bedoelde hij hier een scheiding a mensa et thoro, van tafel en bed; de advocaat van de admiraliteit naar wie hij verwees was dr. Phillimore.

Cockburn vroeg Edward of Isabella contact met hem had gezocht toen de zaak voor de kerkelijke rechtbank diende.

'Er werd geen contact met mij gezocht namens mevrouw Robinson toen die zaak begon. Ik begreep dat ik betrokken was bij het proces dat door mijnheer Robinson was begonnen.'

Bovill herinnerde Cockburn eraan dat de dokter niet kon worden gehoord in de zaak die voor de kerkelijke rechtbank had gediend.

Cockburn corrigeerde hem: het was juist zo dat hij niet had kunnen worden ondervraagd *ex proprio motu* (uit eigen beweging), zei hij, maar als mevrouw Robinson had besloten zich te verweren, dan had ze hem kunnen doen getuigen.

Edward mocht de getuigenbank verlaten. Hij had zich beheerst gedragen, zich onthouden van aanvallen op Isabella en de aantijgingen van overspel kalm ontkend. Hij was hoffelijk, evenwichtig, emotieloos en vrij van rancune, hartstocht of heftigheid. In zijn brieven aan George Combe was hij veel openhartiger geweest. Toen ging het hem erom Combe van zijn onschuld te overtuigen; nu moest hij een schuld inlossen aan Isabella, die de aanvraag tot echtscheiding in zijn belang bestreed.

Bovill vatte de zaak samen namens Isabella. Henry's zaak berustte uitsluitend op het dagboek, zei hij. 'Ik zou ten eerste willen opmerken dat het geen uitdrukkelijke verklaring bevat van de schuld van mevrouw Robinson. Enkele van de uitnemendste lieden in het koninkrijk hebben bewezen dat de kwaal waaronder zij gebukt ging waarschijnlijk haar verbeelding prikkelde en allerlei voorstellingen opriep die nooit hebben plaatsgevonden. Het feit dat ze al meerdere jaren onder die aandoening leed is ook bewezen, en de middelen die zij en haar echtgenoot voor een zeker doel aanwendden hadden de neiging de kwaal te verergeren.' Dit was een eufemistische verwijzing naar de anticonceptiemethode die Henry en Isabella toepasten. Bovill trad niet in details: zij konden een spuit of een pessarium hebben gebruikt, iets wat lichamelijke irritatie veroorzaakte en daardoor, zo dacht men, geestelijke stoornissen; of misschien trok Henry terug voor de ejaculatie, met dezelfde gevolgen.

Bovill vestigde de aandacht van de rechtbank op de veelvuldige verwijzingen in het dagboek naar de geschriften van Shelley: met recht kon men afleiden, zei hij, dat ze eveneens onder de indruk was van gebeurtenissen in het leven van Shelley, en van het feit dat hij zich dingen had voorgesteld die nooit hadden bestaan. Hij hield vol dat de dagboekaantekeningen 'geen feitelijk verslag vormden, maar uitdrukkingen van gevoelen' en wees erop dat de ogenschijnlijk bezwarende aantekening van 7 oktober 1854, waarin Isabella en Edward elkaar voor het eerst kusten, niet dezelfde dag was geschreven maar de dag erna, 'na een nacht vol slapeloosheid en dromerijen'.

Bovill las nogmaals een paar passages uit het dagboek voor die wezen op Isabella's labiliteit en vestigde de aandacht op één ervan – van 25 mei, zonder jaartal – waarin ze beweerde dat ze Henry een maand voor hun huwelijk had bedrogen. Hij stelde dat Henry's raadsman er niet in was geslaagd Edward Lanes schuld te bewijzen: 'Al maanden kondigt men het verhoor van dokter Lane aan, maar mijnheer Karslake heeft hem geen enkele vraag kunnen stellen die bijdroeg aan het betwijfelen van zijn goede naam.' Hij keerde terug naar de centrale stelling van Isabella's verdediging, het argument dat het vastleggen van zulke schandelijke voorvallen door een vrouw op zichzelf al een bewijs van krankzinnigheid was. 'Indien wat zij beschrijft werkelijk is gebeurd,' vroeg hij, 'is het dan geloofwaardig dat zij dag in, dag uit eigenhandig haar schande kan hebben opgetekend?'

De erotische passages waren experimenten met het schrijven van een roman, stelde Bovill. De fragmenten waar Henry's advocaten zich op baseerden waren immers bekwaam opgebouwd. Waar Isabella verslag deed van haar eerste afspraakje op de open plek op Moor Park, flapte ze het buitengewone nieuws er niet zomaar uit; ze begon de aantekening met een weergave van de onschuld van de morgen en schreef niet in haar dagboek dat ze wist dat Edward naar haar verlangde. Dergelijke aantekeningen, zei Bovill, deden vermoeden dat Isabella overwoog een roman te schrijven.

'Ik hoop dat "overwoog een roman te schrijven" geen teken is van een verziekte geest,' zei Cockburn. In de rechtbank werd gelachen.

'Zeker niet,' zei Bovill, 'maar de roman die zij overwoog te schrijven stond in verband met gebeurtenissen waarin zij meende een rol te hebben gespeeld. Men heeft niet eerder getracht een dame op grond van zulk bewijsmateriaal schuldig te verklaren aan overspel.'

Montagu Chambers sprak de rechtbank toe namens Henry: 'Juist het dagboek toont aan dat mevrouw Robinson bij haar volle verstand is en in staat de moeilijkste en meest diepzinnige kwesties te bespreken. Het is het journaal van een zeer romantische, maar niettemin zeer schrandere vrouw die competent genoeg is om te discussiëren over wetenschap en genuanceerde onderwerpen.'

Cockburn onderbrak hem: 'Er is geen gesticht waar u geen mensen zult vinden die dat ook kunnen.' De toeschouwers schoten in de lach. De rechter had Bovill er droogjes op gewezen dat literaire aspiraties op zichzelf geen bewijs van krankzinnigheid waren; nu herinnerde hij Chambers eraan dat verstandelijk raffinement geen bewijs was van een gezonde geest.

'De grondslag van de verdediging,' ging Chambers verder, 'is dat mevrouw Robinson leed aan een ziekte van de uterus; maar die grondslag rust op zand. Er is geen bewijs aangevoerd inzake haar huidige gezondheidstoestand of het tijdstip waarop haar ziekte werd verondersteld te zijn genezen. We weten niet eens precies welke ziekte haar kwelde.'

Hij herinnerde de rechtbank aan de vroege aantekeningen over Edward Lane. 'Het blijkt dat hij de gewoonte had mevrouw Robinson fragmenten van gedichten voor te lezen, en ze doet zeer duidelijk verslag van haar eerste verliefdheid jegens deze heer. De eerste keer dat zij hem ziet, noemt ze hem een knappe man.' En toen Edward 'zich beschikbaar stelde voor een andere vrouw', voegde hij eraan toe, vond ze hem 'niet zeer aangenaam'. Het sierde de dokter, zei Chambers, dat hij de avances van mevrouw Robinson meerdere jaren had afgewezen, en dat hij haar toenaderingen beantwoordde met koelte en reserve. Maar uiteindelijk 'kon hij niet langer weerstand bieden aan de verleiding die op zijn pad kwam door de bekoringen van een gewillige en tedere vrouw'. Het feit dat niemand had gezien dat de dokter zich met grote vrijpostigheid jegens mevrouw Robinson had gedragen, zei Chambers, 'bewees alleen maar dat hij een voorzichtig man was en niet dat hij vrij was van schuld'.

Cockburn verdaagde de zitting. De rechters zouden de tijd nemen om hun beslissing te overdenken, zei hij.

De meeste kranten die in de zomer nog geneigd waren Edward Lane vrij te spreken, deden er nu het zwijgen toe. De *Daily Telegraph*, die het dagboek eerder dat jaar had beschreven als 'onzin in een opschrijfboekje', publiceerde zelfs een artikel dat suggereerde dat de dokter schuldig kon zijn: 'Niemand die haar journaal leest, waarin de dagelijkse gebeurtenissen tot in detail zijn vastgelegd, kan ook maar enigszins twijfelen aan de waarheid van wat daar is opgetekend.' De getuigenis van Edward Lane had het mysterie rond de zaak niet verdreven, beweerde de krant. Hij had alles wat in het dagboek stond bevestigd, op de seks na, en zijn kruisverhoor had de prikkelende vraag opgeworpen waarom Isabella het overspel niet had ontkend – en hem als getuige opgeroepen – toen de zaak voor de kerkelijke rechtbank diende. 'Dr. Lane heeft het geluk mogen smaken te kunnen profiteren van een wet die, naar het schijnt, speciaal tot zijn voordeel is aangenomen en die hem in staat heeft gesteld in de getuigenbank op te treden en zijn eigen onschuld te verzekeren. Maar niemand die weet heeft van de menselijke natuur zal de neiging voelen onvoorwaardelijk geloof te hechten aan de getuigenis van een heer in zulke bijzondere omstandigheden.' Het argument van zijn advocaat dat Isabella krankzinnig was, zei de *Telegraph*, was 'een zeer gerieflijke theorie'.

Sinds de zomer waarin het proces Robinson begon, waren beweringen van krankzinnigheid zeer omstreden geworden. In juni 1858 liet de romanschrijver Edward Bulwer-Lytton (ook een enthousiast voorstander van hydrotherapie) zijn vrouw Rosina gedwongen opnemen in een privégesticht nadat ze hem bij een openbare verkiezingscampagne voor leugenaar had uitgemaakt. Rosina werd krankzinnig verklaard door John Conolly, de zenuwarts die ook Catherine Crowe had behandeld; maar toen ze na verontwaardigde berichten in de pers opnieuw werd onderzocht, verklaarden Forbes en Conolly dat ze bij haar verstand was. In de krant verschenen tevens gedetailleerde verslagen over de zichtbaar ongerechtvaardigde opsluiting van ene mevrouw Turner, ene mijnheer Ruck en ene mijnheer Leech. De diagnose van krankzinnigheid, in het bijzonder waar die te pas kwam, werd nu met hernieuwde scepsis tegemoet getreden.

In de weken na de getuigenis van Edward Lane werd er een reeks lastige zaken voor de rechtbank gebracht. Op zaterdag 27 november kwam sir Cresswell Cresswell terug op het verzoek van Caroline Marchmont; zij verzocht om een scheiding van tafel en bed van haar echtgenoot, een voormalige geestelijke, op grond van wreedheid. Volgens het verzoek had ze de enorme som van 55.000 pond in hun huwelijk ingebracht, en haar man en zij hadden van het begin af aan ruzie gehad over geld. Mijnheer Marchmont had de gewoonte geld van haar te eisen, zei ze, wel honderd pond ineens. Hij placht voet bij stuk te houden, 'spierwit', met 'vlammende ogen'. Hij sloeg haar als ze weigerde en noemde haar een 'helse kat', een 'vuile slet', een 'dronken loeder' en erger. Mijnheer Marchmont beweerde dat hij werd getergd: zijn vrouw was krenterig en hield haar hand op de knip waar het haar geld betrof; ze was achterdochtig, grof in de mond en irritant, vooral wanneer ze te veel sherry had gedronken (wat regelmatig voorkwam).

Meerdere getuigen verklaarden dat mijnheer Marchmont zijn vrouw herhaaldelijk met geweld naar huis had gehaald (toen hij ontdekte dat ze zich verstopte bij haar zuster bijvoorbeeld, of in een kolenhok, of toen ze over het hek van de tuin wilde vluchten), maar ze waren het niet eens over de mate van geweld die hij had toegepast. Mevrouw Marchmont zei dat haar echtgenoot een keer hun beider slaapkamer was binnengedrongen en ontdekt had dat zij in een kasboek een verslag bijhield van de manier waarop hij haar mishandelde. Hij pakte het boek en smeet het in het vuur, en zij stak vervolgens haar handen in het vuur om het eruit te halen. Volgens mevrouw Marchmont greep hij het boek nadat ze het uit de haard had gered en sloeg haar ermee, waardoor ze zwarte vegen op haar gezicht kreeg. Mijnheer Marchmont beweerde dat zij degene was die hem met het brandende boek een klap in zijn gezicht had gegeven, zo hard dat het slotje hem een snijwond onder zijn oog had bezorgd. De jury moest beslissen of mijnheer Marchmont zijn rechten als echtgenoot had uitgeoefend of wreed gehandeld had. Op 30 november besloot de rechtbank ten gunste van mevrouw Marchmont en werd de scheiding van tafel en bed toegewezen.

De *Saturday Review* veroordeelde deze gang van zaken en stelde dat de provocaties van mevrouw Marchmont even kwalijk waren als de hebzucht en incidentele gewelddadigheid van haar man. In het belang van het grootste geluk voor het gewone volk, onderstreepte het blad, diende een scheiding van tafel en bed slechts in de 'ernstigste nood' te worden verleend: 'een gehuwd stel hoort een zeer aanzienlijke mate van ongemak, onverenigbaarheid, persoonlijk lijden en tegenspoed te verdragen en toch als man en vrouw te blijven samenleven'.

In Evans vs Evans & Robinson, een langlopende zaak die op 5 december werd hervat, was het bewijsmateriaal van de echtgenoot voor het overspel van zijn vrouw vergaard door Charles Field, dezelfde privédetective die door Henry Robinson was ingehuurd. Field hield een dagboek bij van zijn verkenningen. Hij huurde kamers in hetzelfde appartementencomplex in Marylebone als mevrouw Evans, en zorgde ervoor dat er een kijkgaatje werd geboord in de deur van haar zitkamer; door dat gaatje zagen verscheidene bedienden dat zij seks had met een andere man. Het bewijs was toelaatbaar, zei de rechter, maar de manier waarop Field het had verkregen keurde hij af. 'Het volk van Engeland,' verklaarde baron Martin, die het vonnis wees, vond het weerzinwekkend 'dat het werd gevolgd door mannen die aantekeningen maakten van wat het deed, waar men ook ging.'

Op 13 december bekende Esther Keats, de jonge vrouw van de eigenaar van het warenhuis Fortnum & Mason op Piccadilly, voor het echtscheidingshof dat zij in hotels in Londen, Dover en

Dublin overspel had gepleegd met Don Pedro de Montesuma, een Spaanse muzikant. De raadsman van mevrouw Keats beweerde dat Frederick Keats zijn vrouw had verwaarloosd door haar langdurig alleen te laten in Brighton terwijl hij zijn zaken deed in Londen, en dat hij haar ontrouw achteraf vergoelijkte door haar weer thuis binnen te laten. De raadsman van mijnheer Keats drong er bij de rechtbank op aan de aanklacht wegens verwaarlozing te verwerpen; 'wat zou er [anders] worden van de eega's der parlementsleden,' zei hij, 'die zes maanden per jaar om vier of vijf uur 's middags naar het Lagerhuis toogden en daar bleven tot twaalf of een uur 's nachts? – wat moest er worden van de wederhelften van leden van de juridische stand, die zes weken lang samen op tournee waren?' Als de afwezigheid van een echtgenoot een rechtvaardiging was van het overspel van een vrouw, was ontucht vrij vergund aan tal van getrouwde vrouwen uit de Engelse middenklasse. Mijnheer Keats' aanvraag tot echtscheiding werd toegewezen en Don Pedro werd opgedragen hem een schadevergoeding van 1000 pond te betalen.

Op 19 december merkte *Reynolds's Weekly* op dat de zaken voor het echtscheidingshof 'erop leken te wijzen dat [overspel] onder de hogere, deugdzame, fatsoenlijke en christelijke klassen (...) in een aanzienlijk bloeiende, zo niet onstuitbaar voortwoekerende toestand verkeerde'. Een week later vroeg koningin Victoria aan lord Campbell, de architect van de echtscheidingswet, of hij sommige rechtbankverhalen binnenskamers kon houden. 'Vrijwel dagelijks vullen [die zaken] een groot deel van de kranten en ze zijn zo schandaleus van aard dat het vrijwel onmogelijk is een krant aan een jongedame of een jongen toe te vertrouwen. De verwerpelijkste Franse romans, waartegen zorgzame ouders hun kinderen pogen te beschermen, zijn nog niet zo slecht als wat er dagelijks bij het ontbijt van elk ontwikkeld gezin op tafel komt, en de invloed ervan op de publieke moraal van het land is zonder twijfel hoogst verderfelijk.' Campbell antwoordde met spijt dat hij niet bij machte was om paal en perk te stellen aan de verhalen in de krant. Op 10 januari vertrouwde hij zijn zorgen over de nieuwe rechtbank toe aan zijn dagboek: 'Evenals Frankenstein ben ik bang voor het monster dat ik heb geschapen'.

De verhalen die via het echtscheidingshof naar buiten kwamen, bleken op twee manieren verontrustend: in hun beestachtige gewelddadigheid en wellust, en in de ongewisheid van hun betekenis. De rechtbank probeerde het huwelijk als instituut te hervormen door het aan nauwkeurig onderzoek te onderwerpen, maar men leek er alleen in te slagen de tegenstrijdigheden ervan bloot te leggen. Een gebroken huwelijk bracht steevast tegenstrijdige verhalen voort, precies zoals een dagboek steevast een partijdig verhaal schiep. Het kon weleens niet duidelijk worden wat er was gebeurd, laat staan wat rechtvaardig was, of men nu persoonlijke verhalen las of een intieme relatie onderzocht door haar publiekelijk ter discussie te stellen. De gebroken huwelijken die voor de rechter werden gebracht, leken een samenleving te kenschetsen waarin mannen en vrouwen zich in aparte werelden hadden verschanst.

Het kostte de rechters van het echtscheidingshof drie maanden om in de zaak Robinson vs. Robinson & Lane tot een oordeel te komen. Op woensdag 2 maart 1859, in Londen een mooie, zachte, droge dag, namen Cockburn, Cresswell en Wightman weer plaats op de rechterstoel. Het licht lekte naar binnen door de daklichten en de ventilatieopeningen boven de deuren.

Cockburn sprak de rechtbank toe. In een uitspraak die de kranten kenschetsten als 'uitvoerig en welsprekend', begon hij alle argumenten die waren aangevoerd te ontkrachten en maakte hij zich op om op een nieuwe manier vonnis te wijzen.

Daar al het ondersteunend bewijs was verworpen, zei Cockburn, berustte de zaak van Henry Robinson uitsluitend op de ontboezemingen in het dagboek. De rechters hadden het journaal ongewoon onthullend bevonden: 'Zelfs daar waar men geheimhouding nog het meest zou verwachten, worden de diepste gedachten [van mevrouw Robinson] zonder aarzelen of terughoudendheid uiteengezet'. Zij kwam uit de bladzijden naar voren als een 'vrouw van meer dan gemiddelde intelligentie en niet onaanzienlijke kundigheden' die een 'grote en oprechte genegenheid' voor haar kinderen bleek te bezitten. Het ontbrak haar aan gezond verstand en oordeelsvermogen: haar verbeelding was te levendig en haar hartstochten te sterk.

Cockburns beschrijving van Isabella was veel milder en meelevender dan de portretten die in de kranten waren geschetst. Het kan zijn dat zijn privéleven zijn opvattingen over Isabella heeft beïnvloed – als minnaar van een ongetrouwde vrouw die hem twee kinderen had geschonken, wist hij dat een 'gevallen' vrouw niet per se een verdorven vrouw was. Tevens was hij zich bewust van Isabella's ellendige huwelijk: zijn mederechters en hijzelf hadden het hele dagboek gelezen en wisten dus van Henry Robinsons ontrouw en hebzucht, die in de rechtszaal niet ter sprake waren gekomen.

De rechters achtten niet bewezen dat mevrouw Robinson krankzinnig was, zei Cockburn. Als de scènes waar Isabella over vertelde 'waandenkbeelden van een verwarde geest' waren geweest, zoals de advocaten van de verdediging beweerden, 'dan zouden wij zonder twijfel, zoals gebruikelijk is in dergelijke gevallen, de mededeling of bekentenis ervan aan anderen hebben gevonden en niet slechts een verslaglegging die zich bevond tussen andere gebeurtenissen in haar leven, in een geheim dagboek dat alleen voor haar ogen was bestemd'. Dat Isabella in staat was tot geheimhouding, zo gaf hij te verstaan, was het bewijs van haar geestelijke gezondheid.

In de daaraan voorafgaande zomer waren niet alle rechters die mening toegedaan: Wightman betoogde op 21 juni 1858 dat het 'evident' was dat Isabella 'gebukt ging onder wanen van een bijzondere aard, voortkomend uit een chronische ziekte'. Ofwel hij was er in maart 1859 intussen toe gebracht zijn standpunten te wijzigen, of hij was overstemd door Cockburn en Cresswell.

Als Isabella krankzinnig was geweest, vervolgde Cockburn, 'dan zouden wij waarschijnlijk ook duidelijker en ondubbelzinniger mededelingen hebben gevonden over de volledige vervulling van haar verlangens dan in het dagboek te vinden zijn. Vast en zeker zouden wij niet zo vaak klachten hebben gevonden over onvolledig genot of pijnlijke teleurstelling.' Zoals Cockburn opmerkte berustte het realisme van het dagboek niet alleen op naturalistische details en de nauwkeurigheid met betrekking tot data, tijden en weersomstandigheden, maar ook op de verslaglegging van seksuele frustratie (de 'half verwezenlijkte gelukzaligheid' van haar eerste ontmoetingen met Edward) en vernederende afwijzing (zowel door Thom en Le Petit als door de dokter). In verscheidene passages liet Isabella zien dat ze zich pijnlijk bewust was van de discrepantie tussen haar fantasieën en haar ervaringen. Dergelijke aantekeningen konden moeilijk worden opgevat als voortbrengselen van waanvoorstellingen.

Vervolgens ging Cockburn in op de argumenten van Henry's advocaten, en ook die verwierp hij. Het dagboek, zei hij, was geen bekentenis van overspel. Het bevatte 'geen heldere en ondubbelzinnige erkenning dat overspel had plaatsgevonden'. De passage waarin consummatie het sterkst werd gesuggereerd, zei Cockburn, was die waarin Edward na een hartstochtelijk samenzijn met Isabella 'wenste dat zij zorg droeg voor het "ondervangen van gevolgen", maar zelfs hier is het mogelijk dat de "gevolgen" waarnaar wordt verwezen betrekking hebben op de ontdekking van een verboden intimiteit, en niet op de gevolgen van feitelijk overspel'.

In Isabella's beschrijving van haar amoureuze ogenblikken met de dokter, zei Cockburn, 'is het taalgebruik dubbelzinnig. Men kan het opvatten alsof het betrekking heeft op feitelijke consummatie, of slechts op onwelvoeglijke vrijpostigheden en liefkozingen.' Hij gaf toe dat de rechtbank in de regel geneigd was 'het grootste belang te hechten' aan dit soort verslagen, en overspel af te leiden uit scènes van ongeoorloofde intimiteit, maar hij meende dat de taal waarin Isabella's dagboek was gesteld 'naar andere maatstaven [moest] worden geanalyseerd'. Als zij schreef over mannen tot wie ze zich aangetrokken voelde, voerden haar verbeelding en hartstocht haar 'tot voorbij de grenzen van rede en waarheid', en was ze 'geneigd tot overdrijving en een te sterke kleuring van alle omstandigheden die bijdroegen aan haar bevrediging'. Aangezien Isabella erotisch genot schepte in het opschrijven van haar ervaringen, opperde hij, lag het voor de hand dat ze de waarheid had aangedikt en overdreven: het voornaamste doel van het dagboek was niet het documenteren van haar verleden, maar het opfleuren van haar heden. 'Het is duidelijk dat zij met oneerbare voldoening blijft stilstaan bij het schetsen van die scènes, en bij de details van de ongeoorloofde genegenheden en liefkozingen die zij beschrijft,' zei Cockburn. 'Het staat ons niet vrij om wat dan ook uit aldus tot stand gekomen beweringen af te leiden.'

Het echtscheidingshof hoorde zelden directe getuigenissen van geslachtsgemeenschap. Het hing ervan af of die kon worden afgeleid uit een bewijs van begeerte en gelegenheid. Ten aanzien van beide heerste er weinig twijfel in deze zaak. Maar hoewel er tussen Edward en Isabella overduidelijk iets ongeoorloofds had plaatsgevonden, beweerde Cockburn dat hij niet precies wist wat. Door zijn weigering om zelfs uit een geschreven bekentenis iets af te leiden, deed hij in feite afstand van de macht van de rechtbank om een situatie te interpreteren.

Cockburn besloot zijn betoog met de afwijzing van Henry Robinsons verzoek om echtscheiding. 'Wij betreuren de positie van de verzoeker,' zei hij, 'op wie de last blijft drukken van een echtgenote die aldus de bekentenis van haar wangedrag heeft opgetekend; althans, zelfs als men de zaak van zijn voordeligste kant beschouwt, in elk geval de bekentenis van ontrouwe gedachten en onkuise verlangens; maar wij kunnen uitsluitend redres verschaffen op grond van wettig bewijs van overspel, en dat bewijs kunnen wij niet vinden in de onsamenhangende verklaringen van een zo irrationeel en onbetrouwbaar verslag als dat van mevrouw Robinson.'

Van de driehonderd en twee verzoeken tot echtscheiding die in de eerste vijftien maanden bij de rechtbank waren ingediend, was dat van Henry één van slechts zes die werden afgewezen. Isabella had gewonnen.

Nadat Cockburn zijn vonnis had uitgesproken, vroeg Bovill de rechtbank Isabella's kosten te erkennen – dat wil zeggen, te beslissen dat Henry, als verliezer, haar proceskosten diende te betalen. Die kwamen op een bedrag van 636 pond, waarin inbegrepen de honoraria van de rechtbank, rechtskundige adviseurs en advocaten, de kosten van het kopiëren van het dagboek, en vergoedingen voor de getuigen. Cockburn wees het verzoek kordaat van de hand. Gezien de bijzondere omstandigheden van de zaak en het feit dat Isabella een onafhankelijk inkomen had, zo zei hij, moest ze voor haar eigen rekening opdraaien. Bovill vroeg of de rechtbank van mijnheer Robinson verlangde dat hij Edward Lanes kosten zou vergoeden. Cockburn zei dat hij dat verzoek niet had verwacht en ook niet was voorbereid op het nemen van een besluit dienaangaande. Edwards advocaten konden de kwestie op een ander tijdstip ter sprake brengen, zei hij, en hij voegde er bijtend aan toe, 'als zijn raadsman het gepast acht binnen de uitoefening van zijn bevoegdheid'. Na deze ternauwernood behaalde overwinning, liet hij doorschemeren, zou het onverstandig zijn aan te dringen.

Cockburn en Wightman trokken zich terug en lieten de overige zaken van die dag over aan Cresswell.

De weinige redactionele commentaren op het oordeel van Cockburn meldden eenvoudigweg dat dr. Lane van blaam was gezuiverd. De *Examiner* – onder redactie van Marmion Savage, een patiënt van Moor Park – verklaarde luchtig: 'het volstaat om te stellen dat de scheiding niet is toegewezen, met het resultaat dat de onschuld van de mannelijke gedaagde materieel zowel als formeel is vastgesteld. Het oordeel zal het publiek in hoge mate bevredigen, vanwege dokter Lane. Nu blijkt dat de publieke opinie hem even welgezind was als hem toekwam, toen de zaak vorige zomer zo dikwijls het gesprek van de dag was'. De *Medical Times & Gazette* beweerde dat 'dr. Lane het slachtoffer is geweest van het manisch-erotische ijlen van de ongelukkige vrouw van wie werd bewezen dat zij in haar hart overspel had gepleegd'.

Het verhaal dat bleef hangen was dat Isabella's journaal verzonnen was en dat dokter Lane volkomen onschuldig was. De advocaat John Paget haalde in 1860 de zaak aan als voorbeeld van de macht van zinsbegoocheling: 'niets kon zo duidelijk zijn, zo expliciet of verbazingwekkend' als het dagboekverslag van Isabella's affaire met Edward Lane, schreef Paget; maar 'het was zonder een spoor van twijfel aangetoond dat de dame, hoewel ze zich blijkbaar gedroeg als ieder ander en geen uiterlijke tekenen vertoonde van een verward intellect, juist op dit punt geheel krankzinnig was'.

Maar in zijn vonnis had Cockburn niets van dien aard gezegd. Hij had Isabella als geestelijk gezond beschouwd en haar dagboek als in essentie waarheidsgetrouw. Hoewel het journaal melodramatische elementen en sentimentele verzinsels bevatte, vonden de rechters dat het over het geheel genomen een genuanceerd verhaal vertelde, dat nog won aan geloofwaardigheid door zelfverwijt, ontgoocheling en twijfel. Dezelfde overdrijvingen en buitensporigheden waren maar al te bekend bij iedereen die een dagboek bijhield, verliefd was of wanhopig ongelukkig. Het was per slot geen product van de waanzin, maar van realisme, een verslag van de grenzen van romantische dromen. Eigenlijk had de rechtbank besloten Edward te laten gaan op grond van een technisch detail: aangezien Isabella geen expliciete beschrijving van geslachtsgemeenschap had gegeven, zo oordeelden de rechters, kon de mate van haar intimiteit met Edward onmogelijk worden gepeild.

Cockburn en zijn collega-rechters verschaften de redacteuren achteraf een juridische samenvatting van de eerste zaken die het echtscheidingshof had behandeld, inclusief de delen van Isabella's dagboek waarop ze zich hadden gebaseerd. Aangezien het vonnis geheel had afgehangen van het dagboek, werd het 'raadzaam geacht de volgende uittreksels uit dat journaal in druk over te nemen, en is er de nodige moeite gedaan om die gedeelten te kiezen die een eerlijk idee geven van het geheel'. De uittreksels telden samen ongeveer negenduizend woorden, bijna twee keer zoveel als er tijdens het proces in de krant was verschenen. Ze omvatten de helft van de aantekeningen die Isabella in 1850 en 1852 maakte in Edinburgh, bijna alle aantekeningen uit de periode op Ripon Lodge tussen 1852 en 1854, en de meeste aantekeningen die ze maakte op Moor Park en in Boulogne in 1855. Deze laatste reeks, waarin Isabella schreef over Edwards hartstocht die verwaterde tot onverschilligheid, bevestigde zeer indrukwekkend het waarheidsgehalte van het journaal. Het extra materiaal verscheen in een boek voor juridische specialisten – Swabey en Tristrams *Reports of Cases Decided in the Court of Probate and in the Court for Divorce and Matrimonial Causes: Volume I* (1860); in de pers werd er geen aandacht aan besteed.

❦

Edward was na het proces vrij om terug te keren naar zijn gezin en zijn werk. Isabella bleef berooid achter, geschandvlekt en zonder vrienden, met dezelfde verwarde verlangens die haar in deze misère hadden doen belanden: haar drang om te schrijven, haar verlangen naar seks, haar hunkeren naar kameraadschap, haar intellectuele nieuwsgierigheid en haar verlangen bij haar zoons te zijn.

Toch had ze een paar van haar wensen verwezenlijkt: ze had Henry verslagen, ze had zichzelf opgeofferd voor Edward, en ze had het enigszins goedgemaakt met de vrouwen wier vertrouwen ze had beschaamd. Op aanraden van George Combe had ze de krachten van haar bovenmaatse vermogens in het gareel gebracht: ze had zich verzet tegen de echtscheidingszaak omdat ze, met haar Zinnelijkheid, Edward Lane liefhad; omdat ze, met haar Aanhankelijkheid, de band koesterde die ze had met hem en zijn gezin; omdat ze, met haar Liefde voor Goedkeuring, verlangde naar hun respect; en omdat ze met haar kleine orgaan van Verering geen waarde hechtte aan de sociale en juridische systemen die van haar gehoorzaamheid eisten aan haar echtgenoot of aan de wet. Volgens haar eigen ethiek verdiende Henry te worden gestraft en moesten Edward, Mary en lady Drysdale worden ontzien.

Zoals ze in haar laatste brief aan Combe schreef had ze, na het verlies van het dagboek en haar zoons, nog maar één wens: 'in zekere mate bij deze vriend en zijn gezin het ernstige leed & verdriet goed te maken dat ik hun zo lichtzinnig maar onopzettelijk heb berokkend'. Jegens hen, schreef ze, 'heb ik nooit anders dan de meeste hoogachting & dankbaarheid gekoesterd, *en niets anders*'. Haar 'bekentenis' dat het dagboek een waanvoorstelling was, was 'de enige armzalige genoegdoening waar ik nu over beschik'. Het leed dat ze zichzelf en haar drie zoons had berokkend was in elk geval onherstelbaar.

Isabella had laten zien dat ze in staat was tot terughoudendheid en zelfopoffering: in de loop van het proces had ze toegestaan dat ze tot middelpunt werd van de heftigste onrust van die dagen ten aanzien van onderdrukte vrouwelijke seksualiteit en waanzin. Toch was haar trots niet gebroken. Ze was nog steeds opstandig én berouwvol, boos op de wereld én op zichzelf. Ze was razend op Henry – door haar dagboek te lezen beging hij een veel groter misdrijf, vond ze, dan zijzelf toen zij het schreef – en ook op de samenleving die Henry's seksuele gedrag had gewettigd maar het hare had veroordeeld: 'Wordt zijn eigen eerloze privéleven niet in aanmerking genomen?' vroeg ze zich af.

In augustus 1859 nam het parlement nog een reeks amendementen op de echtscheidingswet aan, waaronder een bepaling ter bescherming van de openbare zedelijkheid: 'Als de rechtbank dat ten behoeve van de Algemene Welvoeglijkheid aangewezen acht, kan zij haar Zittingen achter gesloten Deuren houden.' De deuren van een rechtbank kon men soms maar beter gesloten houden – evenals het omslag van een dagboek.

HOOFDSTUK DERTIEN

IN DROMEN DIE ZICH
NIET LATEN BEZWEREN

1859 & daarna

Na de felle hitte van het proces keerden de Robinsons, de Lanes en de meeste van hun medestanders terug naar een leven in betrekkelijke anonimiteit.

Edward Lanes reputatie overleefde het schandaal. 'Tot mijn genoegen kan ik zeggen dat geen van de patiënten van dokter Lane hem de rug heeft toegekeerd,' noteerde Charles Darwin in 1859, '& hij krijgt er vrij regelmatig nieuwe bij.' Darwin publiceerde eindelijk zijn boek over de evolutie. De daarmee gepaard gaande zorgen brachten op hun beurt aanvallen van ongesteldheid met zich mee, en dus regelmatige bezoekjes aan Moor Park.

In 1860 verhuisden Edward en Mary Lane en lady Drysdale naar een kuuroord op Sudbrook Park in Richmond, Surrey, voorzien van een van de eerste Turkse baden in Engeland. Toen Darwin in juni van datzelfde jaar op het nieuwe landgoed kwam kuren, was hij inmiddels beroemd: 'De controverse die is ontstaan door het verschijnen van Darwins merkwaardige werk *On the Origin of Species*,' schreef de *Saturday Review* in mei, 'heeft de grenzen van de studeerkamer en de collegezaal overschreden en heerst nu ook in de zitkamer en op straat.'

Edward bleef de weldadigheid van goede voeding, frisse lucht, veel beweging en warm en koud water aanprijzen. Hij had er in 1857 een boek over gepubliceerd – *Hydropathy; or, the Natural System of Medical Treatment: an Explanatory Essay*; in 1873 schreef hij er een vervolg op, *Medicine Old and New*, en in

1885 nog een brochure, *Hygienic Medicine*. Het is waarschijnlijk dat de familie Drysdale hem zijn liaison met Isabella Robinson vergaf, zoals ze ook George hadden vergeven toen zijn seksuele driften hem er in de jaren 1840 toe dreven zijn eigen dood te fingeren. De band tussen Mary en Edward was gesmeed in de pijn en het verdriet van Georges instorting, en lady Drysdale wist hoe ze een verloren zoon welkom moest heten.

De romancière Catherine Crowe had zich na haar naakte escapade in Edinburgh uit de openbaarheid teruggetrokken; ze bezocht Sudbrook Park in december 1860. Lady Drysdale was 'even jong en vrolijk als altijd', zag ze. Hoewel mevrouw Crowe blijkbaar weer bij zinnen was, stond ze nog steeds in nauw contact met geesten: 'de Liefde van mijn jeugd, ja, de liefde van heel mijn leven... beschermt me en zorgt voor me', schreef ze die winter in vertrouwen aan een vriend. 'Ik ben volkomen bereid de eeuwige geloften af te leggen en hij zegt hetzelfde over hemzelf. Ik zou op ieder moment de hele wereld voor hem hebben opgegeven en ik zou het nu doen als hij "menselijk" was, dat wil zeggen, wat hij verstaat onder lichamelijk.' Ze was verliefd op een geest.

John Thom kreeg een baan bij *Home News*, een maandelijkse krant die werd bestierd door Robert Bell, een patiënt van Edward, en die in India en Australië werd verspreid. Na enkele jaren in een vochtig kantoor in de City te hebben doorgebracht, besloot hij zelf echter eveneens te emigreren. Charles Darwin droeg 20 pond bij aan de reiskosten en Thom ging in 1863 scheep naar Queensland.

Atty, de oudste zoon van Edward en Mary, stierf in 1878 op Sudbrook Park na een leven vol problemen met zijn gezondheid, negenentwintig jaar oud. Het gezin verhuisde het jaar daarna naar Harley Street, een rij Georgiaanse herenhuizen in Marylebone die bekendstond om zijn medisch specialisten. Ze bleven er tien jaar wonen. Lady Drysdale stierf in 1887 op honderdjarige leeftijd en liet het aanzienlijke fortuin van 47.000 pond na aan haar kinderen. Toen Edward en Mary haar volgden in de dood – in 1889 en 1891, op de leeftijd van zesenzestig en achtenzestig – lieten zij hun geld na aan hun zoons William en Sydney, beiden effectenhandelaar. Hun jongste zoon Walter was in 1888

uit zijn vaders testament geschrapt vanwege 'bepaalde familieomstandigheden'.

George en Charles Drysdale zetten hun artsenpraktijk voort tot
in de twintigste eeuw en lobbyden intussen voor vrouwenkies-
recht, anticonceptie en vrijere seksuele verhoudingen. George
herzag en herdrukte meerdere malen het radicale boek over seks
dat hij als medisch student had geschreven en dat na 1861 bekend
werd onder de titel *The Elements of Social Science*. Charles werd
woordvoerder voor het gedachtegoed van de beide broers. Hij re-
digeerde het tijdschrift *The Maltusian* en schreef tientallen boeken en pamfletten over geslachtsziekten, armoede, prostitutie en
overbevolking.

Noch George noch Charles trouwde, maar allebei woonden ze
samen met een vrouw. Charles kreeg twee zoons met Alice Vickery, een van de eerste vrouwen in Engeland die een medische
graad behaalden. George deelde in Bournemouth in Dorset een
huis met Susannah Spring, een weduwe die in de volkstelling
van 1901 stond genoteerd als zijn huishoudster en aan wie hij
twee panden in de stad naliet. Na George' dood in 1904 onthulde
Charles dat zijn oudere broer de auteur was van *The Elements of
Social Science*, dat inmiddels aan zijn vijfendertigste editie toe
was; er waren negentigduizend exemplaren van verkocht. Het
was anoniem uitgegeven, zei Charles, om hun moeder te beschermen tegen het schandaal. Charles overleed drie jaar later.

Na het proces Robinson bleef sir Cresswell Cresswell nog
vier jaar belast met het echtscheidingshof, waar hij een reputatie opbouwde als vriend van getrouwde vrouwen. 'Sir Cresswell
Cresswell vertegenwoordigt vijf miljoen Engelse echtgenotes,'
stond er in 1860 in *Once a Week*. 'Broeders echtgenoten! Wij
zijn verraden!' Toen hij in juli 1863 na een val van zijn paard
overleed, had hij in meer dan duizend huwelijkse zaken uitspraak gedaan, waarvan er slechts één in beroep was terugge-
draaid. Lord Palmerston, die in 1857 de echtscheidingswet
door het parlement had geloodst, werd vier maanden na
Cresswells dood zelf genoemd als medegedaagde in een echtscheidingsproces; de zaak werd alleen afgewezen omdat niet
duidelijk was of eiser en gedaagde getrouwd waren. In 1867,

bij de tiende verjaardag van de echtscheidingswet, beweerde *The Times* dat dit staaltje wetgeving 'een van de grootste sociale omwentelingen van deze tijd' teweeg had gebracht. De omwenteling in seksuele opvattingen die bespoedigd werd door de publicatie van George Drysdales boek – en zelfs door de uittreksels uit het dagboek van Isabella Robinson –, zou al even gewichtig blijken.

Sir Alexander Cockburn bleef in de rechtbanken beroemde processen voorzitten. Een enkele keer werd hij bekritiseerd om ijdelheid en zwakke plekken in zijn logica, maar als rechter werd hij bewonderd om zijn wereldse gezond verstand. In 1864 weigerde koningin Victoria hem in de adelstand te verheffen vanwege zijn 'berucht slechte zedelijke reputatie'. Hij werd in 1875 tot opperrechter benoemd en overleed vijf jaar later; het grootste deel van zijn fortuin liet hij na aan zijn buitenechtelijke zoon.

Het bleek dat George Combe gelijk had gehad met zijn voorspellingen omtrent de seksuele vergrijpen van de Prince of Wales. Koningin Victoria was ervan overtuigd dat de dood van haar man in 1861 deels te wijten was geweest aan het schokkende bericht dat de negentienjarige Bertie zijn maagdelijkheid had verloren aan een actrice in Ierland. In de loop van de overige veertig jaar van zijn moeders heerschappij kreeg de toekomstige Edward VII de reputatie van onvermoeibare rokkenjager.

Evenals Isabella had Combe niet de kans gekregen zijn persoonlijke documenten door te pluizen voor ze in handen van derden vielen. Zijn correspondentie werd na zijn dood in 1858 bewaard door Cecy en in 1950 door zijn bewindvoerders gedoneerd aan de National Library of Scotland. Mogelijk hebben ze niet opgemerkt – zoals het ook Isabella bij eerste lezing ontging – dat hij mevrouw Robinson in zijn brieven van februari 1858 naar een beroep op krankzinnigheid had geloodst.

Eneas Sweetland Dallas, de journalist die het redactioneel commentaar in *The Times* ter verdediging van Edward Lane had geschreven, publiceerde in 1866 *The Gay Science*, een boek waarin de theorie werd uitgewerkt van 'de menselijke ziel als dubbelganger', of 'althans een dubbelleven leidend', bezeten van 'een geheime gedachtenstroom die niet minder krachtig is dan de bewuste stroom, een afwezig innerlijk dat ons achtervolgt als een geest of een droom'. In bewoordingen die vooruit grijpen op de theorie van Sigmund Freud over het onbewuste beschreef Dallas een intense en grillige innerlijke wereld: 'In de duistere krochten van het geheugen, in ongenode ingevingen, in onbewust gevolgde gedachtegangen, in menigvuldige, alle tegelijk flitsende en razende golven en stromen, in dromen die zich niet laten bezweren... vangen wij glimpen op van de grote eb en vloed van het leven die daar rimpelen en deinen en beuken waar wij het niet kunnen zien'. Vijftig of honderd jaar later zou Isabella de bron van haar stormachtige temperament en haar verlangens wellicht in dit wilde en onbestuurbare domein hebben gezocht, in plaats van in haar Orgaan van Zinnelijkheid of een aandoening van de uterus. En nog later zouden neurologen terugkeren naar de principes waardoor George Combe zich had laten leiden en betogen dat de oorzaak van waanzin en depressie uiteindelijk misschien toch fysiologisch was.

Het huwelijk van Eneas Sweetland Dallas liep stuk in 1867 toen zijn vrouw, Isabella Glyn Dallas, een brief las die hij aan een andere vrouw had geschreven en hem op grond daarvan beschuldigde van overspel. Hij wees de aanklacht van de hand en eiste dat mevrouw Dallas een document ondertekende volgens hetwelk haar beschuldigingen op krankzinnigheid waren gebaseerd. Toen ze weigerde, liet hij haar in de steek. Zeven jaar later vroeg ze echtscheiding aan op grond van kwaadwillige verlating en overspel door haar echtgenoot, en omdat ze weigerde ter zake dienende documenten te overleggen werd ze korte tijd vastgezet in de gevangenis van Holloway. In tegenstelling tot Isabella Robinson wist Isabella Dallas wel greep te houden op haar persoonlijke documenten, maar ze moest er haar vrijheid voor opgeven. De scheiding werd evenwel toegewezen.

Twee van de vrouwelijke auteurs die op Moor Park te gast waren geweest, zouden later romans over dagboeken schrijven. Georgiana Craik, met wie Darwin de degens had gekruist, publiceerde in 1860 *My First Journal*. De roman begint wanneer de elfjarige vertelster van haar oom een rood ingebonden dagboek krijgt, als een inwijding in de wereld der volwassenen. Nadat hij haar heeft aangemoedigd over haar gedachten en gevoelens te schrijven, probeert hij te lezen wat ze heeft geschreven. 'Oom Robert... probeerde over mij schouder mee te lezen en te zien wat ik zei, maar dat wilde ik niet en ik deed het dagboek dicht, en toen probeerde hij het me af te pakken, en ik hield het zo stevig vast dat hij het niet te pakken kreeg, en we moesten er toch zo om lachen.' Dinah Mulock (die later zou trouwen met George Lillie Craik, vijftien jaar jonger en een neef van mejuffrouw Craik) schreef *A Life for a Life* (1859), een 'dubbel dagboek' dat beurtelings verhaalt vanuit een vrouw en vanuit de dokter op wie ze verliefd wordt. Aan het eind van de roman dringt de nieuwe echtgenoot van de dagboekschrijfster erop aan dat ze het journaal in zee gooit, maar ze verzet zich daartegen: 'Het zou zijn alsof ik een kindje in dit "wild en woest en woelend graf" zou werpen.'

Wilkie Collins had al eerder geheime dagboeken gebruikt als medium voor zijn verhalen en in *The Woman in White* (1860) nam hij een scène op waarin een dagboek wordt ontdekt: wanneer Marian Halscombe ten prooi valt aan ijlkoortsen, opent graaf Fosco haar journaal en leest hij over haar haat jegens hem. In *Armadale* (1866) behandelt Collins de vraag waarom een vrouw een verslag zou bijhouden van haar duistere daden. 'Waarom houd ik eigenlijk een dagboek bij?' vraagt zijn doortrapte heldin Lydia Gwylt zich af. 'Waarom hield die sluwe dief gisteren (in de Engelse krant) in de vorm van een verslag van alles wat hij had gestolen juist dat onder zich wat hem zou veroordelen? Waarom zijn wij niet volmaakt rationeel in al ons handelen? Waarom ben ik niet voortdurend op mijn hoede en nooit strijdig met mezelf, als een slecht romanpersonage? Waarom? Waarom? Waarom? Het kan me niet schelen waarom! Er is een reden die niemand kan noemen – ikzelf evenmin.'

De piekerende, dromende, ontevreden echtgenote werd een vast personage in de *sensation novels* uit de jaren 1860. 'Het is vreemd,' merkte Eneas Sweetland Dallas in 1866 op, 'dat een van de eerste resultaten van een toenemende vrouwelijke invloed op onze literatuur juist datgene tentoonspreidt wat in vrouwen het meest onvrouwelijk is.' Dinah Mulock verdedigde boeken over 'verloren vrouwen': je kon beter zulke verhalen lezen, vond ze, dan 'voor immer in de luren van zijden bedrog worden gelegd'.

Velen van de ongelukkige heldinnen in die romans droomden alleen maar van ontsnapping, maar de bestseller *East Lynne* van mevrouw Henry Wood, in 1860 en 1861 in feuilleton verschenen, schetste een onthutsend sympathiek portret van een vrouw die handelde naar haar overspelige verlangens. Lady Isabel Carlyle is getrouwd met een advocaat op het platteland en raakt in toenemende mate verliefd op een 'boeiende' jonge man, voor wie ze evenmin haar verlangen kan onderdrukken 'als het besef van haar eigen bestaan'. Wanneer ze wordt gescheiden van het voorwerp van haar obsessie 'wordt ze bekropen door een ellendig gevoel van apathie: een gevoel alsof alles wat ze in de wereld liefheeft is gestorven en haar levend en eenzaam heeft achtergelaten. Het was een smartelijke neerslachtigheid, deze leegte in haar hart die zich in al haar gretige intensiteit deed voelen.' Lady Isabel wordt door dromen gekweld: 'O, die dromen! Zij waren pijnlijk om uit te ontwaken; pijnlijk wegens hun contrast met de werkelijkheid; en even pijnlijk voor haar geweten in zijn streven naar het juiste.' Ze bedriegt haar echtgenoot in Boulogne-sur-mer. Als hij verneemt dat zij hem ontrouw is, scheidt hij van haar. De rest van haar leven wordt ze geplaagd door het verlangen naar haar kinderen.

Henry Robinson was woedend over de uitspraak van het echtscheidingshof: door het proces was hij platzak, hij was vernederd en, zoals de hele wereld inmiddels wist, hij zat opgescheept met een vrouw die hem verachtte. De indruk die de dagboeken op hem hadden gemaakt, zei hij, kon nimmer worden uitgewist: hij zou altijd blijven geloven dat Isabella overspelig was geweest, of toch ten minste 'overspelig in de geest'. Hij bleef tot in het obsessieve schadevergoeding eisen en tekende in 1859 bij het Hogerhuis beroep aan tegen het vonnis; na twee jaar was hij echter gedwongen zijn verzoek weer in te trekken omdat hij de kosten voor het opnieuw kopiëren van de processtukken en het dagboek niet meer kon opbrengen – naar verwachting 400 à 500 pond. Toen hem werd gelast Isabella's kosten in de mislukte zaak te betalen, verzette hij zich. Zijn positie, zei hij tegen de commissie van beroep, was er een van 'grote tegenspoed', nu hij op zijn zaken in West-Indië grote verliezen had geleden door de burgeroorlog in Noord-Amerika.

Na het schandaal raakte Isabella vervreemd van haar vrienden en haar moeder. Kort na de ontdekking van het dagboek in 1856 liet Bridget Walker een testament opmaken waarin ze haar eigen bescheiden bezit (een kleine 2000 pond) naliet aan haar zoons Frederick en Christian en haar jongste dochter Julia, de vrouw van Albert Robinson. Isabella werd niet in het testament genoemd. Begin 1859 schreef Bridget een brief aan het zoontje van Christian waarin ze benadrukte hoe belangrijk het was om intellectuele inspanning te stutten met geloof: 'kleine Kinderen & hun goede Leraren moeten zich alle moeite getroosten om te onderrichten en te leren; maar zij mogen niet vergeten tot de Lieve Heer in de Hemel te bidden opdat hun arbeid gezegend zij'. Toen Bridget in mei van datzelfde jaar stierf, viel het landgoed Ashford Court toe aan Frederick. Als gevolmachtigde en wettelijk vertegenwoordiger van Isabella zou hij later namens haar de strijd tegen Henry aangaan; met een akte van beschuldiging eiste Frederick bij de kanselarij dat Henry de spoorwegaandelen zou teruggeven die hij met Isabella's geld had gekocht. Henry bleef erbij dat Isabella ermee had ingestemd dat hij de aandelen zou kopen en beheren voor hun zoons.

In haar kleine huurhuisje in Reigate nam Isabella twee onderhuurders: Joseph Humphrey, een plaatselijke timmerman van in de dertig, en Emilia Lucretia Wright, een meisje van vier van wie de ouders en broer een deur verder woonden. Deze regeling verschafte Isabella wat extra inkomen en het gezelschap van een jongere man en een kind. In antwoord op vragen tijdens de volkstelling van 1861 gaf ze haar huwelijkse staat op als 'weduwe' en deed ze zich vijf jaar jonger voor. Ze bleef Alfred onderhouden, al was hij vaak van huis – kort na 1860 ging hij in de leer als scheepsbouwkundig ingenieur, eerst in Liverpool en later in Bolton in Lancashire. In 1860 steeg haar inkomen met 30

pond nadat ze met Henry overeen was gekomen dat hij de spoorwegaandelen die hij met haar geld had gekocht zou behouden,
onder voorwaarde dat hij haar de dividenden zou betalen; in
1861 had ze pas 100 pond weten te betalen van de 636 pond die ze
voor het echtscheidingsproces schuldig was.

In datzelfde jaar verkocht Henry Balmore House en huurde
hij twee panden in Londen: een huis aan Talbot Square in Marylebone, waar Otway en Stanley in de vakantie woonden, en
een kantoor in Park Street, nabij Hyde Park, waar hij een neef in
dienst nam die Tom Waters heette.

Otway kwam in 1861 op zijn zestiende van Tonbridge School,
ontvluchtte prompt het huis van zijn vader en trok in bij zijn
moeder in het cottage in Reigate. Henry was razend: 'niettegenstaande en in weerwil' van zijn wensen, zei hij, had Isabella 'heimelijk invloed op Otway uitgeoefend' en de jongen ertoe bewo-
gen weg te lopen. Alfred had met Otway samengespannen, zei
Henry. Toen Otway in maart 1862 zeventien werd, kreeg hij
wettelijk het recht om te kiezen waar hij wilde wonen. Hij bleef
bij zijn moeder.

In 1863, zeven jaar nadat hij detectives begon in te huren om
bewijs tegen zijn vrouw te verzamelen, kreeg Henry eindelijk
het bewijs van overspel in handen dat hij nodig had. Louis Philip Vincent, een kantoorbediende van een advocatenkantoor, en
een man die William Lines heette, waren er getuige van dat zij
op 19 en 20 juni 1863 met een man een kamer deelde in het Victoria Hotel in Londen, en op 27 juni met dezelfde man een andere kamer in het Grosvenor Hotel. Het prachtige Victoria Hotel,
gebouwd in 1839, flankeerde de grote Dorische boog tegenover
Euston station; het Grosvenor Hotel, dat dateerde van 1861, was
een moderner en even weelderig etablissement nabij Victoria
station, voorzien van een hydraulische lift of 'stijgende kamer'.
Isabella ontkende het overspel, maar rechter James Wilde, die
na de dood van Cresswell rechter van het echtscheidingshof was
geworden, oordeelde in juni 1864 dat de zaak voldoende was bewezen. Zonder enig bericht in de pers werd het huwelijk van de
Robinsons op 3 november 1864 ontbonden.

De gebeurtenissen van de voorbije jaren hadden Isabella er

niet van weerhouden haar verlangens na te streven, maar zij kunnen haar hebben aangezet tot een zorgvuldiger partnerkeuze. De minnaar met wie ze in 1863 in de hotels verbleef was Eugene Le Petit, de leraar op wie ze in Boulogne verliefd was geraakt. Le Petit had in Engeland geen reputatie te verliezen, en na de afspraakjes in Londen kon hij terugkeren naar Frankrijk, waar hij zijn leven als leraar voortzette. Hij speelde geen rol in het echtscheidingsproces. In de jaren 1860 gaf hij les aan de zoon van een Ierse edelman en in de jaren 1870 leidde hij een inspectie van plaatselijke lagere scholen.

Henry Robinson kreeg op zijn achtenvijftigste eindelijk de vrijheid om een andere vrouw te nemen. In mei 1865 huwde hij Maria Arabella Long, de vierentwintigjarige dochter van een voormalige griffier van de Ierse kanselarij. Hij was een van de eenenveertig gescheiden mannen die dat jaar hertrouwden. Nadat hij begin jaren 1860 een bedrijf had opgericht en verkocht dat stoompakketboten exploiteerde in Singapore en Batavia, zette hij de handel in suikermolens voort vanuit zijn kantoor in Londen. Zijn nichtjes, de dochters van een zuster die in Brighton woonde, herinnerden zich dat hun broer Tom het 'verschrikkelijk' vond om op het kantoor van oom Henry te werken, 'en geen wonder'. Henry brak zijn belofte dat hij bij zou dragen aan de kosten voor Toms reis naar het Verre Oosten, waar Albert Robinson een ijzergieterij (in Shanghai) en een scheepswerf (in Yokohama) opzette. Ook zijn eigen sukkelende en vergeetachtige vader betoonde hij weinig loyaliteit. Anders dan de zachtmoedige Albert, schreef een van de nichtjes, 'zal HOR geen enkele moeite doen voor de arme oude man'. Onder elkaar betitelden Henry's zuster Helena en haar dochters hem als 'de Turk'.

Stanley, het jongste kind van Henry en Isabella, werd weinig contact met zijn moeder toegestaan. Hij had een moeilijke puberteit. In de vroege jaren 1860 logeerde hij vaak bij zijn tante Helena Waters in Brighton, die weduwe was, maar zijn nichtjes en zijzelf vonden hem maar lastig. Toen hij in de vakantie bij hen op bezoek was, zou hij een vrouw die er op kamers woonde oneerbare voorstellen hebben gedaan. In november 1863, toen Henry juist zijn tweede verzoek om echtscheiding had ingediend, schreef Helena aan een van haar dochters dat Stanley 'heel graag weer bij ons [schijnt] te komen, de arme jongen, en ik zal hem niet graag weigeren – maar ik zou het veel prettiger vinden als hij bij iemand anders onderdak vond, aangezien hij me veel zorg en last bezorgt'. Een maand later schreef ze: 'Stanley is naar zijn ouwe heer in Londen en ik hoop dat hij niet meer bij me terugkomt – de afgelopen dagen was hij zeer onhandelbaar.' Henry haalde Stanley het jaar daarop van Tonbridge School en schreef hem in aan de academie van Edinburgh. Stanley verdwijnt na zijn afstuderen in 1866 uit de annalen – het kan zijn dat hij Engeland verliet en zich bij een van de vele Robinson-ondernemingen in het buitenland meldde.

Rond 1868 verhuisde Henry met zijn nieuwe vrouw terug naar Edinburgh en nam hij in Glasgow een scheepswerf over aan de Clyde, die de Theems verdrong als middelpunt van de bouw van ijzeren schepen. In 1869 patenteerde hij een ontwerp ter verbetering van de werking van baggermolens, boten die een eindeloze ladder van emmers gebruikten om modder en slib van de rivierbodem te halen.

Eveneens rond 1868 verliet Isabella Reigate en verhuisde ze naar een huurhuis aan de brink van Frant in Kent. Henry's zuster Helena woonde een paar kilometer verderop sinds ze met haar gezin van Brighton naar Tunbridge Wells was verhuisd. Ondanks alle onthullingen van het dagboek en de rechtszaak leken Helena en haar kinderen Isabella hoger aan te slaan dan Henry. In april schreef een van de dochters van Helena in het gezinsdagboek dat ze een brief van Isabella had gekregen: 'ze schrijft prachtige brieven! (...) en wat voor fouten ze ook mag hebben, [ze] is een goede moeder voor haar zoons. Ik kan haar niet anders dan heel interessant vinden'. Helena nodigde Isabella uit om op bezoek te komen. Op 4 april schreef haar zoon Ernest in het gezinsdagboek: 'Mevrouw Robinson (de moeder van Stanley) kwam zaterdag op uitnodiging van moeder op de thee, na een wandeling vanuit Frant van zo'n vijf kilometer. 's Avonds heb ik haar naar het Station gebracht.' Op een tegenbezoek in Frant ontmoette Ernest ook Alfred, die inmiddels was afgestudeerd als scheepsbouwkundig ingenieur.

In 1874 trouwde Alfred, toen drieëndertig, met de achttienjarige Rosine Cooper, dochter van een zilversmid. Twee jaar later ging hij een vennootschap aan met zijn jongere halfbroer Otway, die in de jaren 1860 in de katoen had gerommeld en nu bij de koopvaardij zat. Otway en Alfred kochten en exploiteerden ijzeren vrachtschepen: de *Trocadero*, de *Frascati*, de *Alcazar* en de *Valentino* in de jaren 1870 en de *Harley* in de jaren 1880. Soms trad Otway op als gezagvoerder van een schip en Alfred als eerste machinist.

Henry verhuisde weer terug naar Engeland en woonde in 1876 in Norwood in Surrey. 'Hij is een nogal afgeleefde oude man geworden,' merkte een nichtje van hem op. 'Hij is bijna zijn geheugen kwijt.' Ook Henry's zaken kwakkelden – 'de firma levert nu geen cent meer op' – en in 1877 brak Tom Waters met zijn oom: 'Hij kon diens idiote bemoeienissen niet meer verdragen.' De tweede mevrouw Robinson, die door Henry's zuster Helena werd betiteld als 'arme "Marietje"', schonk haar echtgenoot drie zoons.

Isabella, even rusteloos als altijd en misschien op de vlucht voor haar reputatie, verhuisde van Frant naar St Leonards-on-Sea in Sussex en later naar een huis in Bromley in Kent dat Fairlight heette.

Alle beroemde overspelige vrouwen uit de literatuur van de negentiende eeuw – Flauberts Emma Bovary, Tolstoys Anna Karenina en Zola's Thérèse Raquin – sloegen de hand aan zichzelf, door hun zonden ondergedompeld in verdriet en schaamte. Ook Isabella sloeg de hand aan zichzelf, zij het in minder sensationele omstandigheden. Op 20 september 1887 ontdekte ze een ontstoken abces op een van haar duimen. Drie dagen later stierf ze met Otway aan haar zijde aan bloedvergiftiging. In het overlijdensbericht gaf hij op dat ze zeventig was en weduwe. In december daarop stierf Henry op zijn tachtigste in Dublin.

Isabella liet alles wat ze bezat aan Otway na – ze had haar testament gemaakt in 1864, kort nadat hij zich van zijn vader had vervreemd door bij hem weg te lopen en bij zijn moeder te gaan wonen. Otway trouwde niet. Toen hij in 1930 in het kustplaatsje Whitstable in Kent op vijfentachtigjarige leeftijd stierf, liet hij zijn land, cottages en meubels (ter waarde van 6000 pond) na aan een vriend en buurman die Alfred Harvey heette. In zijn testament liet hij opnemen dat hij de rest van zijn (land-)goederen – ter waarde van zo'n 7000 pond – naliet aan Duitse dienstplichtigen die in de Eerste Wereldoorlog gewond waren geraakt; en als dat onmogelijk zou blijken, aan de soldaten die in de Boerenoorlog door Engelse troepen gewond waren geraakt. Tegen Harvey zei hij dat hij 'Engeland zat was', een uitspraak die *Time magazine* als kop gebruikte boven een kort artikel over het ongebruikelijke legaat van Captain Robinson. Otways sympathie lag bij de soldaten van landen die door het Britse Rijk waren verslagen: mannen die net als hij waren meegesleept in oorlogen die door anderen waren uitgeroepen, en die gewond en vernederd waren door gevechten die ze niet waren begonnen.

De originele dagboeken en de kopieën die ervan werden gemaakt zijn, voor zover we weten, vernietigd.

GUNT U ZICH TIJD VOOR MEDEDOGEN?

Voor een rechtbank was Isabella's dagboek van twijfelachtige waarde. Zoals alle boeken in zijn soort was het evenzeer een werk van hoop als van herinnering – het was voorlopig, het was wankel, het bestond op het randje van denken en doen, verlangen en vervulling. Maar als rauwe, emotionele getuigenis was het een onthutsend geschrift, een reveil of een alarmkreet. Het dagboek gunde zijn Victoriaanse lezers een flits van de toekomst, zoals het ons een blik gunt op onze eigen wereld terwijl die in het verleden vorm krijgt. Het dagboek vertelt ons misschien niet precies wat er in Isabella's leven voorviel, maar wel wat ze wilde dat er gebeurde.

Isabella's journaal bood een glimp van de vrijheden waar vrouwen naar zouden kunnen streven als ze hun geloof in God en het huwelijk opgaven – recht op geld en bezit, op de voogdij over hun kinderen, op seksueel en intellectueel avontuur. Tegelijkertijd wees het op de droefenis en verwarring die die vrijheden met zich mee zouden brengen. In hetzelfde decennium waarin de Kerk afstand deed van zijn zeggenschap over het huwelijk en Darwin de geestelijke oorsprong van de mensheid in nog grotere twijfel trok, was haar journaal een teken van het tumult dat de samenleving te wachten stond.

In een ongedateerde aantekening richtte Isabella zich uitdrukkelijk tot de toekomstige lezer. 'Er is alweer een week van het nieuwe jaar voorbij,' begon ze. 'Ach! Mocht ik eens hopen op dat andere leven waar mijn moeder over spreekt (ik kreeg vandaag een lieve brief van haar en mijn broer), het leven waar we ons volgens mijnheer B van moeten verzekeren, dan zou ik vrolijk en opgeruimd zijn. Maar eilaas! Ik heb het niet en kan dát onmogelijk verwerven; en wat dit leven betreft, mijn ziel wordt overweldigd en verscheurd door woede, genotzucht, hulpeloosheid, en hopeloosheid, die mij vervullen van wroeging en akelige voorgevoelens.'

'Lezer,' schreef ze, 'u ziet het diepste van mijn ziel. U moet mij wel verachten en haten. Gunt u zich tevens tijd voor mededogen? Neen; want als u deze woorden leest, zal alles voorbij zijn voor iemand die "te meegaand was voor deugdzaamheid; te deugdzaam voor een trotse, succesvolle schurk".' Isabella citeerde losjes uit *The Fatal Falsehood* (1779) van Hannah Moore, waarin een jonge Italiaanse graaf — een 'mengeling van vreemde, tegenstrijdige onderdelen' — wanhopig verliefd wordt op een vrouw die aan zijn beste vriend is toegezegd.

De eerste keer dat Edward Lane het dagboek las, wekte vooral deze passage zijn woede en hoon: 'Verzoek aan de Lezer!' schreef hij aan Combe. 'Wie is de Lezer? Was dit bijzondere dagboek dan bestemd voor publicatie, of minder kwalijk, was het dan bedoeld als erfstuk voor haar familie? Op grond van beide veronderstellingen zeg ik dat hier duidelijk waanzin heerst — en als er in dat hele ratjetoe geen andere passages stonden ter rechtvaardiging van dat standpunt, zou naar mijn idee deze alleen al volstaan.'

Toch zou Isabella's verzoek aan een denkbeeldige lezer integendeel kunnen wijzen op de meest voor de hand liggende reden waarom ze haar dagboek bijhield. Deels wilde ze ten minste gehoord worden. Ze koesterde de hoop dat iemand die na haar dood over haar woorden zou nadenken, zou aarzelen alvorens haar te veroordelen; dat haar verhaal op een dag met mededogen of zelfs liefde zou worden ontvangen. Bij afwezigheid van een spiritueel hiernamaals waren wij de enige toekomst die ze had.

'Welterusten,' besloot ze, en met een mismoedige zegenwens: 'Moge u gelukkiger zijn!'

NOTEN

In de noten en bibliografie gebruikte afkortingen:
CD – Charles Darwin
EWL – Edward Wickstead Lane
GC – George Combe
HOR – Henry Oliver Robinson
IHR – Isabella Hamilton Robinson
Lady D – lady Drysdale
MD – Mary Drysdale
RC – Robert Chambers
HLA – House of Lords Archives, Londen
NA – The National Archives, Londen
NLS – National Library of Scotland, Edinburgh
NPG – National Portrait Gallery, Londen
ODNB – The Oxford Dictionary of National Biography (2004)
WG – Williams/Gray Papers, Tairawhiti Museum and Art Gallery,
Gisborne, Nieuw-Zeeland

BOEK I: DIE GEHEIME VRIEND

1   Hier mag ik staren en dromen
17   [...] toen zij die herfst naar Edinburgh verhuisden: De Robinsons
kwamen de stad binnen met introductiebrieven van de vrouw van
John Scott Russell, een voormalige collega van Henry. Zie brief GC
aan sir James Clark, 19 december 1857. Deze en alle volgende brieven van en aan George Combe worden bewaard in de Combe Collection, een archief in de NLS.

17   Een bediende liet Isabella binnen [...] en glanzende schoenen: Het verslag van het feestje van lady Drysdale is gebaseerd op korte verwijzingen in IHR's dagboek, ter zitting geciteerd op 14 juni 1858; op informatie uit Cecil Cunnington, *English Women's Clothing in the Nineteenth Century* (1952) en Penelope Byrde, *Nineteenth-Century Fashion* (1992); op afbeeldingen van de buitenzijde van de huizen aan Royal Circus in de vroege negentiende eeuw en plattegronden en persoonlijke waarnemingen van interieurs; op het weerbericht in de *Scotsman* van 4 december 1850; op beschrijvingen van New Town, verlichting inbegrepen, in John Stark, *Picture of Edinburgh* (1823). Robert Chambers verwijst eveneens naar het feestje in zijn dagboek, RC-documenten, NLS.

18   Hij was een 'ongezellige partner' [...] 'egoïstisch en trots': IHR's dagboek, 14 maart 1852. Deze en alle volgende aantekeningen in het dagboek zijn afkomstig uit de uittreksels die verschenen zijn in M. C. Merttins Swabey DCL en Thomas Hutchinson Tristram DCL, *Reports of Cases Decided in the Court of Probate and in the Court for Divorce and Matrimonial Causes*, deel I (1860).

18   [...] 'een man die alleen een commercieel leven leidde': Brief IHR aan GC, 26 februari 1858.

19   [...] 'mijn jeugdige onbezonnenheid [...] als vriendin, als minnares': IHR's dagboek, november 1850.

19   'Met hartstochten, dat weet ge' [...]: Robert Burns, *A Prayer in the Prospect of Death*, ongeveer 1781–82. Isabella haalde het origineel verkeerd aan en voegde een zweem van dwang toe, door in de regel 'Met hartstochten, dat weet ge,/ hebt ge mij wild en sterk gevormd;' het woord 'gevormd' te vervangen door 'gemaakt'.

19   Ze werd geboren op 27 februari 1813 in de Londense wijk Bloomsbury: Volgens de archieven van de St Pancras-parochie werd ze op 8 mei 1813 gedoopt.

20   [...] 'er was een mooie grote tuin, [...] honden & katten & jonge poesjes': Brief van Bridget Christian aan haar kleinzoon Thomas Walker, 3 januari 1859. Particuliere verzameling (Ruth Butler, geboren Walker).

20   Het huis lag te midden van drieënnegentig hectare [...] de rest verpachtte: Informatie over het landgoed van de Walkers in Ashford Carbonel komt uit Phyllis M. Ray, *Ashford Carbonel: a Peculiar Parish; A Brief History* (1998).

20   [...] Isabella en haar zeven broertjes en zusjes [...]: John Curwen werd geboren in 1811; Harriet Elizabeth in 1815; Caroline in 1817;

Julia in 1818; Charles Henry in 1822; Charles Frederick in 1823 en Christian Henry James in 1831. In 1825 werd nog een broer geboren, James Burrough, maar hij stierf nog datzelfde jaar. Zie de parochie-archieven van St Mary's Church, Ashford Carbonel. In 1810 was er nog een Isabella die stierf toen ze nog een baby was – haar dood wordt gemeld in Jackson, *Oxford Journal*, 27 oktober 1810.

20 [...] 'een onafhankelijke & voortdurende denker' [...]: Brief IHR aan GC, 24 oktober 1852.

20 De plechtigheid [...] vanaf haar huis: Parochie-archieven van St Mary's Church, Ashford Carbonel.

20 Edward Collins Dansey [...] was drieënveertig, weduwnaar en luitenant bij de Royal Navy: Volgens de Navy List (1835) werd hij geboren in 1794 en monsterde hij aan bij de marine in 1815.

20 [...] een 'koppige hartstocht': IHR's dagboek, 29 januari 1855.

21 Dansey bracht 6000 pond in [...]: Volgens het testament van zijn vader, Richard Dansey.

21 Dit kapitaal [...] 900 pond per jaar: Isabella's fondsen brachten meer dan 400 pond per jaar op en het inkomen uit Edward Danseys hogere inbreng zou nog meer zijn geweest.

21 [...] in februari 1841 [...] Alfred Hamilton Dansey: Volgens zijn geboortebewijs werd Alfred op 21 maart 1841 geboren en twee dagen later in St Lawrences Church in Ludlow gedoopt.

21 [...] 'in de balzalen' van Ludlow 'danspartijen gehouden' [...] hun eerste affaires gehad kunnen hebben.': Zie Henry James, *Castles and Abbeys* (1877).

21 Het huis van de Danseys [...] afliep naar de Teme: Zie David Lloyd, *Broad Street: Its Houses and Residents through Eight Centuries* (2001).

21 Isabella [...] gemeenschap van Shropshire: Bij de volkstelling van mei 1841 werden drie bedienden in hun huis geregistreerd.

21 [...] 'de arme mijnheer Dansey [...] pijnlijkste aller beproevingen': Brief van Bridget Walker aan haar broer Henry Curwen, 18 december 1841, Curwenarchief, Cumbria-rijksarchief en Bibliotheek, Whitehaven, Cumbria.

21 Vijf maanden later [...] 'een hersenziekte': Volgens zijn overlijdensakte stierf hij op 11 mei 1842.

21 [...] een jonge luitenant van de Royal Bombay fuseliers: Celestin Edward Dansey werd in 1824 in Frankrijk geboren uit Edward Danseys eerste vrouw, een Française. Hij trouwde in 1851 en stierf in 1859.

21 Isabella erfde niets: Edward Danseys testament werd op 27 januari 1840 opgemaakt in het Queen's Hotel in Cheltenham; de echtheid werd in Londen vastgesteld in juni 1842.

22 [...] die 36 duizend liter gedistilleerd per jaar produceerde: Zie *Accounts and Papers relating to Customs and Excise, Imports and Exports, Shipping and Trade*, 1831–32, documenten van het House of Commons, deel 34.

22 [...] snelgroeiende bedrijfstak [...] negenhonderd ingenieurs in Engeland: Zie R. A. Buchanan's 'Gentlemen Engineers: the Making of a Profession', in *Victorian Studies*, deel 26 (1983). Volgens de *Daily News* van 3 augustus 1854 gingen Henry en Albert in 1838 met hun vader in zaken. Toen Henry in 1841 werd verkozen tot compagnon van het Institution of Civil Engineers, deelde hij een rijtjeshuis in de buurt van Waterloo station met zijn vader James en zijn moeder Jane (volkstelling van 1841). In het Post Office Directory van 1843 (een plaatselijk handelsregister) stond Henry vermeld als civiel ingenieur voor de koloniën, met een kantoor aan 10 Old Jewry, Cheapside. Voor details over het vroegere leven van zijn ouders, zie Arthur William Patrick Buchanans boek over de familie van Henry's moeder, geboren Jane Buchanan: *The Buchanan Book: the Life of Alexander Buchanan, QC, of Montreal, Followed by an Account of the Family of Buchanan* (1911).

22 [...] 'ik heb mijn bezwaren [...] huwelijkse verbintenis aan': Brief IHR aan GC, 26 februari 1858.

22 Henry en Isabella trouwden [...]: Ze werden in de echt verbonden door de Dean van Hereford in St Peter's Church in St Owen's, Hereford. Hun beider vaders waren getuige van het huwelijk. Isabella gaf het adres van Henry's zuster in de parochie van St Owen's op als het hare. Henry gaf St Pancras in Londen op als zijn parochie.

22 Iets minder dan een jaar later [...]: Charles Otway Robinson werd volgens zijn geboortebewijs geboren in 78 Camden Road Villas op 20 februari 1845.

22 Henry en zijn broer Albert [...] ter plaatse boten en molens bouwden: In 1845 was Henry in Millwall gevestigd – in september nam hij een leerjongen uit Hereford in dienst, die Henry James heette. Zie lord Askwiths *Lord James of Hereford* (1930). Volgens de volkstelling van 1851 had Albert Robinson in Millwall 700 man in dienst. Zie ook *Survey of London*, deel 33/34. Scott Russell droeg bij aan de organisatie van de Great Exhibition of International In-

dustry in Hyde Park in 1851, waar het bedrijf suikermolens en modellen van stoomschepen tentoonstelde.

22 Albert ontwierp vijf schepen [...] in elkaar werden gezet: Het Gangesproject staat beschreven in Albert Robinsons *Account of Some Recent Improvements in the System of Navigating the Ganges by Iron Steam Vessels* (1848).

22 De gebroeders Robinson kochten [...] pond verkocht): Zie A.J. Arnolds *Iron Shipbuilding on the Thames* (2000).

22 Op de dag van de tewaterlating [...] in de rivier gleed: Zie *Illustrated London News*, 18 november 1848.

22 Henry's huwelijk [...] eigendom van zijn vrouw: Henry's eigendom ten tijde van zijn huwelijk bestond daarmee vergeleken uit een hoeveelheid meubels, pleet en porselein. Een bespreking van het systeem van huwelijkscontracten staat in Mary Lyndon Shanley, *One Must Ride Behind: Married Women's Rights and the Divorce Act of 1857* in Victorian Studies, deel 25 (1982); Mary Poovey, *Uneven Developments: the Ideological Work of Gender in Mid-Victorian England* (1988) en in Lawrence Stone, *Road to Divorce: England 1530–1987* (1990). Het systeem was niet zozeer gericht op bescherming van vrouwen, als wel op garantie van het onderhoud van kleinzoons als hun vader spilziek zou blijken.

23 Hij was 'iemand met een erg heerszuchtige natuur' [...] hoe ze moest boekhouden: Klaagschrift ingediend bij de kanselarij door Frederick Walker, namens IHR, op 26 februari 1858, en antwoord van HOR op 17 april 1858, NA, C15/550/R24.

23 [...] in de hoogste regionen van de hogere middenklasse: Volgens een analyse van de bevolking van het Verenigd Koninkrijk in 1867 in R.D. Baxters *National Income* (1868) verdiende 1.2 procent van de bevolking 300 pond of meer. Een negende deel daarvan (ongeveer 50.000 mensen) verdiende 1000 pond of meer; het resterende acht-negende deel (150.000 mensen) verdiende tussen de 300 en 1000 pond, het bedrag dat vereist was voor een huishouden met bedienden. De rest van het land – ongeveer tien miljoen mensen en zo'n 98 procent van de bevolking – verdiende minder dan 300 pond.

24 Toen haar vader [...] 1000 pond naliet [...]: Volgens zijn gedenkteken in St Mary's Church in Ashford Carbonel stierf Charles Walker op 23 december 1847, zesenzeventig jaar oud. In zijn testament (echtheid vastgesteld in Londen op 28 januari 1848) bevestigde hij de overdracht van fondsen ter waarde van 5000 pond aan Isabella, 4500 pond aan haar jongere zuster Julia en 5400 pond aan zijn

jongste nog levende kind, Christian. Voor de oudere zoons waren aparte voorzieningen getroffen.

24 [...] aandelen van de London & North Western Railway: Dit bedrijf ontstond uit een fusie tussen drie bestaande spoorwegmaatschappijen en exploiteerde treinen van Euston station naar de Midlands, het Noord-Westen en Schotland.

24 Isabella beweerde [...] naam stonden: Brief IHR aan GC, 21 februari 1858.

24 [...] 'besluiteloos' [...] 'ze bleef passief': Brief IHR aan GC, 26 februari 1858.

24 'In het volledige besef [...] van mij afnam.': Brief IHR aan GC, 21 februari 1858.

24 Ten tijde van zijn geboorte [...]: Volgens zijn geboortebewijs werd hij op 6 februari 1849 geboren aan 19 Cannon Place. Zijn roepnaam Stanley was de meisjesnaam van de vrouw van Isabella's oom Henry Curwen.

24 [...] dat haar klachten duidden op een 'aandoening van de uterus': Getuigenis van Joseph Kidd in Robinson vs Robinson & Lane, 16 juni 1858.

24 Henry was in 1849 zes maanden op zakenreis [...]: De beëindiging van zijn partnerschap met Scott Russell werd gemeld in *The Law Times*, 17 april 1849.

24 Isabella begon een dagboek bij te houden [...]: Volgens de raadsman van HOR in Robinson vs Robinson & Lane, 14 juni 1858.

24 'Ik weet niet wie [...] mijn enige troost.': IHR's dagboek, 27 maart 1852.

25 [...] een band 'van *ongewone* sterkte' [...]: Brief IHR aan GC, 21 februari 1858.

25 [...] omdat die stad bekendstond om zijn vrijzinnige en betaalbare scholen: Volgens Adam en Charles Black, *Black's Guide Through Edinburgh* (1851), 'trekken [de opleidingsinstituten] veel vreemdelingen aan die hun gezin tegen gematigde kosten van een vrijzinnige opleiding hopen te voorzien'.

25 Hun jongens [...] zouden moeten gaan: Brief GC aan sir James Clark, 19 december 1857.

25 Voor zo'n 150 pond per jaar [...]: Volgens *Black's Guide* (1851) bedroeg de huur van een huis aan Moray Place tussen de 140 en 160 pond per jaar. K. Theodore Hoppen schat in *The Mid-Victorian Generation*, 1846–1886 (1998) dat de middenklasse ongeveer 10 procent van haar inkomen aan huur uitgaf.

25 De Robinsons hadden vier bedienden [...]: In de Schotse volkstelling van 1851, waarin het gezin 'Robertson' wordt genoemd, staan de bedienden op 11 Moray Place genoemd als Andrew McIntosh, Agnes Thomson, Eliza Power en Mary Graham. Dit aantal personeelsleden was min of meer in overeenstemming met het gezinsinkomen. Volgens Mrs Beetons *Book of Household Management* (1861) zou een huishouden met 1000 pond per jaar er gewoonlijk vijf hebben: een kok, twee dienstmeisjes, een kindermeisje en een huisknecht.

26 [...] een 'aardbeienfeest' [...]: Dagboek van Robert Chambers, documenten RC, NLS.

26 [...] succesvolle schrijfsters als Susan Stirling [...]: Ze was de dochter van een hoogleraar en de auteur van de bestseller *Fanny Hervey, or, The Mother's Choice* (1849). IHR verwijst naar 'onze wederzijdse vriendin juffrouw Stirling' in een brief aan GC van 16 augustus 1852.

26 Volgens Charles Piazzi Smyth, directeur van de sterrenwacht in Schotland [...]: In een brief aan een vriend in 1851, aangehaald in Miriam Benn, *Predicaments of Love* (1992).

26 [...] Ik ben nog nooit [...] onbaatzuchtigheid bezat': Brieven van Elizabeth Rigby aan John Murray, 29 december 1842 en aan Hester Murray, 10 februari 1843, in *The Letters of Elizabeth Rigby, Lady Eastlake* (2009), red. Julie Sheldon.

26 Lady Drysdale was een hartstochtelijke filantrope [...] huwelijk: Onder de Italiaanse bannelingen in lady Drysdales kennissenkring was ook G.B. Nicolini, een vurige Republikein die een sprankelende geschiedenis van de jezuïeten schreef. IHR noemt hem in een dagboekaantekening van 31 augustus 1852. Lady Drysdales passie voor Poolse vluchtelingen wordt opgemerkt in lady Priestley, *The Story of a Lifetime* (1908).

26 Een foto van Henry [...] neus in een lang gezicht: Foto in de verzameling van de familie Robinson.

27 Isabella zei [...] buitenechtelijke dochters had: Brief IHR aan GC, 21 februari 1858.

27 Binnen een paar maanden [...] vrijwel dagelijks: Getuigenis EWL voor het echtscheidingshof, 26 november 1858.

27 [...] 'die te ontleden & interpreteren [...] of van iemand anders!': Brief IHR aan GC, 26 februari 1858.

27 Edward nodigde [...] op de rotsen en in het zand speelden: Brieven GC aan Jane Tennant en sir James Clark, 28 december 1857 en 4 januari 1858.

28 '[...] de haven van Leith, de Frith [...]': De Firth of Forth, waar de Forth uitmondt in de Noordzee, stond tot in de jaren 1860 beter bekend als de Frith of Forth.

28 'O, dacht ik [...] meer levensmoe, denk ik.': Haar beschrijving kwam terug in een passage in Charles Dickens' *A Tale of Two Cities*, uitgegeven in 1859, dat opperde 'dat ieder van die somber opeengedrongen huizen zijn eigen geheim bevat; dat iedere kamer in ieder huis zijn eigen geheim bevat; dat elk kloppend hart in die honderdduizend borsten daar, in sommige zijner gedachten een geheim blijft voor het hart dat ernaast slaat!'

28 Als Henry en zij uit elkaar gingen, [...] als ze maar een goede reputatie had: Zie Kelly Hager, *Dickens and the Rise of Divorce* (2010).

29 [...] sigaren roken [...] onvrouwelijk: Eerder dat jaar stond er in een artikel in Blackwoods *Edinburgh Magazine*: 'een man die ziet hoe zijn vrouw na het eten haar benen over elkaar slaat, haar voeten op de rand van de haard legt en een sigaar opsteekt, zal op zijn minst gevoelens van twijfel koesteren.' Zie het artikel over 'bloomerisme', het verschijnsel dat vrouwen knickerbockers (*bloomers*) dragen in plaats van rokken, aangehaald in Karen Chase en Michael Levenson, *The Spectacle of Intimacy: a Public Life for the Victorian Family* (2000).

29 Ze praatten over een essay dat Edward [...]: 'Pronouncers', een anoniem artikel, verzameld in *Chambers's Edinburgh Journal*, deel 17 (1852).

30 Edward en zij [...] Samuel Taylor Coleridges 'Dejection: an ode' [...]: In dit gedicht wordt verwezen naar de toneelschrijver Thomas Otway, naar wie Isabella haar tweede zoon kan hebben genoemd.

31 'In mijn hoofd is het een rommeltje,' [...] er komt maar geen eind aan.': In Isabella's woorden klinkt een regel door uit Alfred Tennysons *Mariana* (1830), waarin de eenzame maagd smacht naar haar minnaar: 'Ik ben zo moede, zo moede,/ Ach, ware ik maar dood!'. Het was een causerie uit een reeks: Zie Anna M. Stoddart, *John Stuart Blackie* (1895).

32 [...] een 'opgewekte en levendige' spreker [...]: Aangehaald in Stuart Wallace, *John Stuart Blackie: Scottish Scholar and Patriot* (2006), p. 142.

32 Tijdens het feest op Royal Circus [...] met lang, golvend haar: Gravure van Robert Chambers in de jaren 1840 door D.J. Pound, naar John Jabez Edwin Mayallin, in de NPG.

33 In mei [...] Isabella Glyn: Voor IHR's sociale betrekkingen met RC, zie RC's dagboek, papieren RC, NLS.

33 'Regels aan een miniatuur, door een dame' verscheen met de initialen IHR [...]: Verzameld in *Chambers's Edinburgh Journal*, deel 16 (1852).

2 *Arme, lieve Doddy*

35 Edward Wickstead Lane [...] Terrebonne in Quebec: Zijn ouders, Elisha Lane en Harriet Wickstead, trouwden op 27 maart 1819 in Christ Church Cathedral in Montreal.

35 Toen Edward negen was [...]: Arthur Benjamin Lane werd geboren op 28 januari 1828 en gedoopt in de Holy Trinity Church in Quebec. Harriet Lane stierf op 19 april 1832 op dertigjarige leeftijd. Zie *The Lower Canada Jurist*, deel 8 (1864).

35 Elisha Lane en zijn baas [...] een zaak op [...]: In 1851 staken hij en drie andere presbyteriaanse groothandelaars de koppen bij elkaar voor de bouw van een Free Church in Montreal, een afsplitsing van de gereformeerde Kerk die in Edinburgh werd opgericht door Eerw. Thomas Guthrie. Zie www.eglisesdequebec.org.

35 Binnen tien jaar beschikte zijn bedrijf [...]: Het bedrijf heette Gibb & Lane; zie de aantekening over James Gibb in Frances G. Halpenny en Jean Hamelin, *Dictionary of Canadian Biography*, deel 8 (1985).

35 De broertjes Lane woonden [...]: Samen met negen andere jongens woonden ze in 1841 bij ene mijnheer en mevrouw Morrison op 24 Northumberland Street, volgens gegevens van de volkstelling.

35 Edward won prijzen met zijn prestaties [...]: De prijzen worden genoemd in de *Caledonian Mercury*, 1 augustus 1840.

35 Later [...] eerste jaar zes prijzen won: Zie *Caledonian Mercury*, 7 mei 1842.

36 Edward studeerde rechten [...]: EWL werd toegelaten tot de Speculative Society [speculative in de zin van 'theoretisch'] op 15 november 1842, en in 1845 werd hem een buitengewoon lidmaatschap toegekend. Zie *The History of the Speculative Society* 1764–1904 (1905).

36 [...] de ouders van George, sir William [...]: William Drysdale werd geridderd in 1842.

36 Zij deelden een gemeenschappelijk verdriet om George [...]: George Drysdales biografie is afkomstig uit Tomoko Sato, 'George and Charles Drysdale in Edinburgh' in het *Journal of Tsuda College*, Tokyo, deel 12 (1980) en uit Benn, *Predicaments of Love*. Sato schreef in de jaren 1840 voor het eerst over George' crisis in 'George Drysda-

les Supposed Death and The Elements of Social Science', gepubliceerd in het Japans in de *Hitotsubashi Ronsu*, deel 78 (1977). Zijn verhaal wordt tevens besproken in Gowan Dawson, *Darwin, Literature and Victorian Respectability* (2007) en in Michael Mason, *The Making of Victorian Sexuality* (1994). Verslagen uit de eerste hand over George' leven staan in zijn *The Elements of Social Science* en in Charles Drysdale, *Memoir of the Author*, uitgave 1904.

36 In juni van dat jaar zat George op de universiteit van Glasgow [...]: Brief van William Copland (zoon van lady Drysdale uit een eerder huwelijk) aan John Murray, 5 december 1843. Murrayarchief, NLS.

36 George kreeg een zenuwinzinking: Van George en Charles werd in deze periode een foto genomen door de Edinburghse fotografen Octavius Hill en Robert Adamson. George is ongeveer achttien jaar oud, knap, mollig en met krullend haar; hij leunt peinzend tegen een stoel met een hand op zijn heup; hij kijkt naar beneden en weg van de camera. Charles is ongeveer zestien en zit dwars voor hem, met een smal gezicht, een hoog wit voorhoofd en een flinke haarlok dwars over zijn hoofd, zijn benen gestoken in een strakke geruite broek; hij staart voor zich uit naar buiten het kader (calotypie in de NPG).

36 'De moeder van de overledene [...] die ik ooit heb gekend': Brief van Cockburn aan Francis Jeffrey, 26 maart 1846, in *Lord Cockburn: Selected Letters* (2005), red. Alan Bell. Het gaat hier om Henry Thomas Cockburn, 1779–1854, een rechter van het Schotse Gerechtshof voor civiele zaken; niet te verwarren met sir Alexander James Edmund Cockburn, 1802–1880, opperrechter voor civiele zaken in 1856 en later lord opperrechter van Engeland, voor wie de zaak van de Robinsons in 1858 diende.

37 Maar in een brief aan een vriendin in Tasmanië [...] die hij heeft ondergaan': Brief MD aan Jane Williams, 19 maart 1846, in *Journals of Jane Williams (née Reid)*, staatsbibliotheek van Tasmanië, NS213/1/1/2.

38 Volgens de theorie achter de geneeskundige richting die zijn voorkeur had [...]: Simpson beschreef homeopathie als 'een geloof dat door negenennegentig van de honderd mannen wordt beschouwd als volkomen onjuist'. Zie J.Y. Simpson, *Homeopathy, its Tenets and Tendencies, Theoretical, Theological and Therapeutical* (1853).

38 Mary schreef aan haar vriendin [...] voor hij ons weer terug had gezien': Brief MD aan Jane Williams, niet gedateerd maar waarschijnlijk van mei 1846, staatsbibliotheek van Tasmanië, NS213/1.

40 In zijn onderzoek naar onwillekeurige ejaculatie [...]: In het Frans,

Des pertes seminales involontaires; in het Engels, *A Practical Treatise on the Causes, Symptoms and Treatment of Spermatorrhea*.

40 Het werk van Lallemand [...]: Voor de paniek rond zaadlozing, zie Ellen Bayuk Rosenman, *Unauthorised Pleasures: Accounts of Victorian Erotic Experience* (2003).

40 Masturbatie was het duistere gevolg [...]: Zie analyse van Victoriaanse standpunten over masturbatie in Thomas Laqueur, *Solitary Sex: a Cultural History of Masturbation* (2003).

40 'zich gedwongen zag snel naar huis terug te keren' [...] niet meer aan zal denken, de goede jongen': Brief MD aan John Murray, Murrayarchief, NLS.

41 Een voorbijganger [...] aan het gezicht onttrokken': Zie sir James MacPherson Le Moine, *Quebec Past and Present: a History of Quebec*, 1608–1876 (1876).

41 De plechtigheid had plaats [...] vierentwintig waren: Volgens *Blackwood's Magazine* werd Mary Drysdale geboren op 24 maart 1823 op 8 Royal Circus.

41 Mary vond dat haar broer er nog nooit zo goed uit had gezien [...]: Ongedateerde brief van Jane Drysdale aan John Murray, Murrayarchief, NLS.

41 Een jonge vrouw [...] een muur van graniet': Typoscript door Florence Fenwick Miller, aangehaald in Benn, *Predicaments of Love*, p. 30.

42 In Dublin raakte Mary zwanger [...]: Brief van lady D aan James Young Simpson, 30 maart 1848, bibliotheek en archief van het Royal College of Surgeons of Edinburgh. Het werd pas gebruikelijk om bij het baren chloroform toe te dienen nadat koningin Victoria in 1853 met behulp daarvan het leven had geschonken aan prins Leopold.

42 In 1848 bracht Mary [...]: Schotse volkstelling van 1851.

42 De Royal Infirmary [...] als gevolg daarvan waren gestorven: EWL's proefschrift, *Notes on Medical Subjects, Comprising Remarks on the Constitution and Management of British Hospitals, etc.* (1853).

43 Eén patiënt, [...] akoniet: Voor een verslag van de handelingen in de Royal Infirmary, zie Bill Yule, *Matrons, Medics and Maladies: Edinburgh Royal Infirmary in the 1840s* (1999). Akoniet is een zeer giftige alkaloïde uit de wortels van de monnikskap.

43 Om dit kwaad te bestrijden [...] Ze stemden allebei toe: Brief van 23 oktober 1852 in *The Letters of Charles Dickens*, deel 6 (1988), red. Madeline House, Graham Storey en Kathleen Tillotson.

43 In de loop van de tijd [...] beste menselijke bekwaamheid kan voorzien': Met zijn geloof in 'zelfgenezing' baseerde Edward zich op ideeën van zijn vriend Andrew Combe, de broer van George Combe en een gevierd arts die in 1847 in Edinburgh stierf aan tuberculose. Dr. Combe, schreef Edward in zijn dissertatie, 'deed met zijn geschriften en praktijken waarschijnlijk meer dan wie ook in zijn tijd voor het wekken van vertrouwen in de natuur en natuurlijke middelen zowel voor de behandeling van ziekten als de bevordering van gezondheid'. James Young Simpson, die in Edinburgh de leerstoel verloskunde oprichtte met hulp van sir William Drysdale, was eveneens een vurig voorstander van hygiëne in ziekenhuizen (ODNB).

44 John, de homeopaat, [...] naar hij zelf beweerde: Zie John Henry Clarke, *The Life and Times of James Compton Burnett* (1904).

44 Hij was overigens niet het enige object van haar genegenheid: Brief GC aan sir James Clark, 19 december 1857.

45 Hij was tweeënzestig [...] zijn vrouw Cecilia [...]: Toen Combe in 1937 met Cecilia Siddons trouwde was hij vijfenveertig en zij negenendertig; zij bracht 15.000 pond in, wat hem in staat stelde zich terug te trekken als jurist en zich aan de frenologie te wijden.

45 [...] 'tamelijk kinderlijk van aard' [...]: Brief IHR aan GC, 21 februari 1858.

45 [...] 'de exponent van een helderder & spiritueler geloof [...]: Brief IHR aan GC, 17 november 1854.

45 [...] 'een man [was] van bijzondere integriteit, [...] die ik ooit heb ontmoet': In Fanny Kemble, *Record of a Girlhood*, deel 1 (1879).

45 'Ik denk vaak aan je, [...] kan bespreken': Brief van Marian Evans aan GC, maart 1852, in *The George Eliot Letters*, deel VIII, 1840–70 (1978), red. Gordon S. Haight.

45 Van Combes boek [...] van Robert Chambers: Dit aantal werd alleen overtroffen door *Robinson Crusoe*, *Pilgrim's Progress* en de Bijbel, volgens de necrologie van Combe door Harriet Martineau in de *Daily News* in augustus 1858.

46 Het cerebellum, [...] dikkere nek dan andere wezens: Zie Combe, *A System of Phrenology* (1843).

46 Een andere proefpersoon [...] die binnenkort moeilijkheden gaat opleveren': Ze bezochten hem tijdens een koninklijk bezoek aan Edinburgh in 1850, en nogmaals in 1852, toen Combe zijn waarneming deed van Zinnelijkheid. Zie David Stack, *Queen Victo-*

ria's Skull: George Combe and the Mid-Victorian Mind (2007).

46 [...] 'wilde frisheid van de morgen' [...]: GC's dagboek, 25 juli 1857. Dit citaat en alle volgende citaten uit GC's dagboek zijn afkomstig uit manuscripten in de Combe Collection, NLS.

46 Voor de gewone lezer [...] waarachtige extase': Zie Combes vertaling uit het Frans van Josef Franz Gall, *Sur les fonctions du cerveau et sur celles de chacun de ses parties...* (1838). Zie ook Michael Shortland, 'Courting the Cerebellum: Early Organological and Phrenological Views of Sexuality', in het *British Journal for the History of Science*, deel 20 (1987).

48 De schrijfsters [...] tot het pijn deed': Zie Sally Shuttleworth, *Charlotte Brontë and Victorian Psychology* (1996).

49 Ze wandelden door de stad of naar zee [...]: Dagboek RC, NLS.

49 In de zomer van 1851 [...] om de tijd af te lezen: Ibid. en William Swan, 'On the Total Eclipse of the Sun on Jul 28, 1851, observed at Goteborg; with a description of a new Position Micrometer' in *Proceedings of the Royal Society of Edinburgh*, deel 3 (1857).

49 *Vestiges* [...] van de apen afstammen': Zie James A. Secord, *Victorian Sensation: the Extraordinary Publication, Reception, and Secret Authorship of Vestiges of the Natural History of Creation* (2000).

50 Het auteurschap [...] speculatie geweest: Ibid.

50 In zijn journaal van 1839 [...] bloedzuiger voelt': GC, *Notes on the United States of North America, During a Phrenological Visit in 1838–40*, deel 2 (1841).

50 [...] 'een natuurlijke historie van mijzelf' [...]: Herbert Spencer, *An Autobiography* (1904).

3 *De stille spin*

52 Albert en Richard Robinson trokken zich terug [...]: Brief IHR aan GC, 24 oktober 1852.

52 In zijn advertenties [...] dan weer te weinig': Zie de reclamefolders 'A Description of Robinson's Steam Cane Mill' (1845) en 'Robinson's Patent Sugar Cane Mills' in *The Mechanics' Magazine*, 2 oktober 1841.

52 [...] in Tirhoot in India [...]: De Robinsons overreedden in 1845 de telers van indigo in Tirhoot zich over te geven aan de suikerrage, maar de planters leden grote verliezen en ontdekten dat hun bodem niet geschikt was voor de teelt van suikerriet. Tegen 1850 verbouwden ze weer indigo. Een plaatselijk rijm luidde: 'The Lion King stretched out his hand/ Speaking of the cheapness of labour

and the richness of land .../ Then things went on right jolly/ Till
the district was dotted o'er with monuments of folly.' (De leeuwen-
koning beloofde goud,/ goedkope arbeid – hij prees de rijkdom van
het land ... / Toen liep de zaak volkomen fout/ De monumenten
van zijn waan staan nog in 't hele land'. Zie Minden Wilson, *History of Behar Indigo Factories* (1887).

53   In 1852 verhuisden Isabella [...] Welshe landschappen': Brief IHR
aan GC, 16 augustus 1852.

53   In april van dat jaar [...]: De spoorlijn van Shrewsbury naar Ludlow
werd in april 1852 voltooid. Volgens Phyllis M. Rays *A Peculiar
Parish* werd er in Ashford Bowdler een station geopend, dat echter
maar enkele jaren functioneerde – bij de volkstelling van 1861
werd in het dorp alleen een overwegwachter vermeld. De Shrewsbury & Hereford Railway Company beloofde de familie Walker
2500 pond voor twee hectare land waarop een deel van de spoorlijn
werd aangelegd. Zie *Report of Cases Decided in the High Court of
Chancery* (1853).

53   Een jonger zusje en een jonger broertje van Isabella [...]: Julia
Walker was vijf jaar jonger dan Isabella. Volgens de archieven van
St Mary's Church in Ashford Carbonel werd ze geboren op 22 december 1818 en trouwde ze met Albert in januari 1849. Charles
Henry stierf in 1834, twaalf jaar oud, afgaande op een gedenk-
steen in St Mary's. Caroline werd bij St Mary's begraven in 1838;
ze werd eenentwintig. Een ander zusje – Harriet, die geboren
werd in 1815 – was waarschijnlijk ook gestorven. Ze werd niet genoemd in haar vaders testament en ook niet in dat van haar moeder; evenmin lijkt haar naam voor te komen in volkstellingen of
huwelijksregisters.

54   'Er is zo veel vooringenomenheid uit eigenliefde' [...]: Uit 'Pronouncers', *Chambers's Edinburgh Journal*, deel 17 (1852).

55   Veel gezinnen uit de hogere middenklasse [...]: Andrea Broomfield,
Food and Cooking in Victorian England (2007), p. 65–66.

58   Reading lag in het vruchtbare dal [...]: Zie *Post Office Directory of
Berkshire* (1854) en *Murray's Guide to Berkshire* (1860).

58   [...] 'als een rivier van bloed': Zie Grace Greenwood, *Haps and Mis-
haps of a Tour of Europe* (1853).

58   Isabella verhuisde [...] naar de hoofdstad: Brieven IHR aan GC, 24
oktober en 11 december 1852.

58   Hoewel haar oudste [...] een zekere mate van koppigheid': Brieven
IHR aan GC, 16 augustus en 24 oktober 1852.

58 Henry was van plan [...] theologie: Brief HOR aan GC, 25 december 1853.

59 'zo koud als een zolderkamertje [...] in alle hoeken van haar hart': Citaten uit Madame Bovary zijn afkomstig uit de eerste Engelse vertaling, uitgegeven in 1886. De vertaler – Karl Marx' dochter Eleanor – liet het oorspronkelijke Franse *ennui* staan, waarvoor geen direct equivalent in het Engels bestond. In alledaagse taal kon men van een lijder aan *ennui* zeggen dat hij/zij geplaagd werd door bezoek van 'the blue devils' of 'the blues'. De verteller in Anna Brownell Jamesons populaire roman *The Diary of an Ennuyée* (1826) geeft haar journaal de alternatieve titel 'the Diary of a Blue Devil'. Dit gebruik is de oorsprong van de uitdrukkingen 'to have the blues' en 'to feel blue'. Zie 'The Blues', in *Eliza Cooks Journal* van 1 november 1851 en Eric Partridge, *A Dictionary of Slang and Unconventional English*, red. Paul Beale (achtste druk, 1984).

60 Haar vader Charles [...]: Charles Walker, geboren in 1775, werd volgens James Whishaw, *A Synopsis of the Members of the English Bar* (1835) in 1801 als advocaat bevoegd aan Lincoln's Inn. Bridget werd in 1788 geboren op Workington Hall.

60 Charles had wat land geërfd [...]: Charles' vader Thomas was in 1802 in Londen gestorven. Zijn oudste zoon Thomas erfde het grootste deel van zijn land in West-Yorkshire en Shropshire, benevens twee huizen in Lincoln's Inn Fields (geldigverklaring testament 16 februari 1802). De jonge Thomas stierf ongetrouwd in 1828 en liet zijn eigendom na aan Charles, wiens bezit daarmee aanzienlijk werd vergroot (geldigverklaring testament 28 februari 1828).

60 De Curwens vormden een oude [...]: Voor de geschiedenis van de families Curwen en Christian, zie John F. Curwen, *A History of the Ancient House of Curwen* (1928); Edward Hughes, *North Country Life in the Eighteenth Century* (1952) en A.W. Moore, *Manx Worthies* (1901). Informatie over de geboorte van Bridget en de eerste ontmoeting tussen Charles en Bridget komt uit een brief uit 1911 van hun jongste zoon Christian Henry James Walker (privécollectie, Ruth Walker). In de *Cumberland News* van 4 augustus 2000 beweert Denis Periam dat Wilkie Collins Ewanrigg gebruikte als model voor Limmeridge Hall, het huis van de heldin in *The Woman in White* (1860). Collins en Dickens bezochten Cumberland in 1857.

60 De moeder van Bridget, Isabella [...]: Romneys portret van Isabella Curwen, NPG.

60 Om uiting te geven aan zijn gevoel van verwantschap [...]: John Christian Curwen introduceerde in zijn district het Suffolkse paard en de ploeg uit Lothian, fokte een kudde Shorthornvee, en importeerde merinoschapen om te kruisen met een plaatselijk ras. Zie aantekening J.V. Beckett in ODNB.

60 Zelfs haar moeder [...] was voor haar gesloten: Volgens de volkstelling van 1841, toen Isabella en de meeste van haar broers en zusters het huis uit waren, woonden er op Ashford Court nog steeds drie mannelijke en zes vrouwelijke bedienden.

61 'veel vrije uren' [...] is gegund': Brief IHR aan GC, 24 oktober 1852.

61 'is een prettige streek [...] aangename kennissen zullen opdoen': Ibid.

61 'Je weet niet [...] als ik er alleen maar op zinspeelde': Brief IHR aan GC, 28 februari 1854.

62 [...] 'voor mij is alles donker, als ik eens deze wereld verlaat,': Ibid. In Matthew Arnold, *Dover Beach*, geschreven rond 1851 maar niet uitgegeven voor 1867, merkt de twijfelende dichter dat hij 'alleen op een duistere vlakte' staat.

62 Het verlies van haar geloof [...] van haar leven is geworpen': Brief EWL aan GC, 17 mei 1858.

63 Ze zei dat ze wist [...] om afkeuring uit de weg te gaan': Brief IHR aan GC, 16 augustus en 24 oktober 1852.

63 Combe raadde haar ten stelligste af [...] niet hoefde te leiden tot atheïsme: De Edinburghse filosoof sir William Hamilton waarschuwde in de jaren 1820: 'Frenologie impliceert atheïsme (...) Frenologie − Fysieke Noodzaak − Materialisme − Atheïsme − vormen (...) het hellende vlak van een logische verandering.' 'Correspondence between Sir William Hamilton and Mr Combe' in *The Phrenological Journal and Miscellany*, deel 5 (1829).

63 'schaft de algemeen aanvaarde mening af [...] van dierlijk bestaan?': Brief IHR aan GC, 11 december 1852.

63 Op zijn minst [...] & een zekere mate van barmhartigheid.': Brief IHR aan GC, 10 februari 1853.

63 'Er zijn immers nog mensen [...] naar het hun goeddunkt.': Brief IHR aan GC, 24 oktober 1852.

64 'Ik kom tot de conclusie [...] genoopt zien Edinburgh te verlaten.': Brief GC aan Robert Tait, 16 april 1853.

64 'Ik kan u veilig beloven [...] en besteedt er weinig tijd aan,' schreef ze: Brieven IHR aan GC, 10 februari en 27 mei 1853. Nadat ze de kladversie had gelezen schreef Isabella Combe een felicitatiebrief,

maar ze moest toegeven dat ze ook teleurgesteld was, omdat hij net niet zover ging als atheïsme. 'Ik ben gedwongen te leven zonder het geloof in een grote en Goedwillende Heerser wiens geest in verhouding staat tot de onze. Ik zou niet kunnen antwoorden in de volmaakte eerlijkheid die mij eigen is, tenzij ik deze opmerking maak met betrekking tot uw boek, – & toch, vrees ik, is het mijn eigen fout dat ik hierover niet dezelfde mening heb als u.' Brief IHR aan GC, 28 februari 1854. Een van zijn andere vertrouwde eerste lezers was daarentegen zo geschrokken van de klaarblijkelijke aanval op onsterfelijkheid van het manuscript dat hij Combe smeekte uitgave achterwege te laten. Desalniettemin nam Combe het essay op in zijn *The Relation between Science and Religion* (1857).

64 'wat zinnetjes' [...]: Brief IHR aan GC, 26 februari 1858.

64 'A Woman and Her Master': Zie *Chambers's Edinburgh Journal*, deel 19 (1853).

64 [...] een werk van 'intense en diepzinnige filosofie': Brief IHR aan GC, 11 december 1852, waarin ze verwees naar Herbert Spencers *Social Statics; or, The Conditions Essential to Happiness Specified, and the First of Them Developed* (1851).

65 [...] 'een ontaarding [...] atmosfeer van het gebod': Zie *Social Statics*, eerste druk, uitgegeven in 1851. Datzelfde jaar ontmoette Marian Evans Herbert Spencer en werd ze verliefd op hem. Hij wees haar af, en in de zomer van 1852 had Evans het gevoel tot een leven als vrijgezel te zijn gedoemd: 'Je weet hoe het voelt als een grote processie voorbij is getrokken,' schreef ze aan een vriend, 'als de laatste tonen van de muziek zijn uitgestorven en je achterblijft te midden van de velden in de openlucht.' Spencer verwierp vervolgens zijn proto-feministische ideeën en schrapte ze vrijwel geheel uit de uitgave van de *Social Statics* die in 1856 werd uitgegeven. Zie Nancy Paxton, *George Eliot and Herbert Spencer: Feminism, Evolutionism, and the Reconstruction of Gender* (1991).

66 Er was hem onlangs een patent verleend [...]: Patent verzegeld op 8 april 1853 en beschreven in Newtons *London Journal of Arts & Sciences*, in 1854.

66 Zijn broertjes hadden blond haar, hij was donker: GC's journaal, 30 augustus 1856. Combe onderzocht de hoofden van de broertjes Lane en merkte op dat Arthur grote organen had van Goede Wil, Aanhankelijkheid, Geweten en Verwondering; William, van wie zijn ouders dachten dat hij zachtaardig en saai was, had grote Liefde voor Voortplanting en Aanhankelijkheid; Sydney had een 'grote,

enorme verwondering' en een klein vermogen tot Geweten: 'Hij zal moeite hebben bij de waarheid te blijven', concludeerde Combe.

66 [...] vanwaar Edward een paar brieven aan Isabella stuurde: EWL's getuigenis voor het echtscheidingshof, 23 november 1858.

66 [...] zijn 'lommerrijke lanen' en zijn 'kabbelende rivier': *Chambers's Edinburgh Journal*, 3 april 1851 (EWL vastgesteld als auteur in auteursregister, RC-documenten, NLS).

66 Na hun terugkeer [...] een dag en een nacht bij de Robinsons: EWL's getuigenis voor het echtscheidingshof, 23 november 1858.

67 'om de somberheid van november te slim af te zijn' [...] zo veel van houdt': Brief HOR aan GC, 25 december 1853.

68 [...] de broer van haar eerste man, [...]: Volgens de volkstelling van 1841 woonden George Dansey en zijn vrouw in dat jaar in Ludlow, een paar huizen heuvelafwaarts bij Edward en Isabella vandaan.

68 [...] die met zijn gezin op Tasmanië woonde: John Walker was accountant bij een bank in Derwent, waar hij probeerde een bestaan als leraar op te bouwen: Zie bijvoorbeeld *The Hobart Town Courier & Gazette*, 14 juli 1847, p.2 en *The Colonial Times and Tasmanian*, 16 maart 1849, p.2.

69 Het was, schreef mevrouw Ellis, [...] eigen huis': Sarah Ellis' echtgenoot was de onderwijshervormer William Ellis, een vriend van Combe. De Combes en de Ellises reisden in de zomer van 1852 samen rond door Zuid-Wales, ondanks het feit dat Combe in Edinburgh verontrustende geruchten ter ore waren gekomen: er werd gezegd dat Ellis 'bepaald vrijpostig was in zijn gedrag tegenover vrouwen', schreef Combe in 1850 aan een vriend; 'hij had zijn vrouw zelfs een ziekte aangedaan'. Brief GC aan M.B. Sampson, juli 1850.

4 Een zo levendige verbeelding dat het wel werkelijkheid leek

70 In 1854 verscheen er een nieuwe man [...]: John Thom was eerder als leraar in dienst geweest in Duitsland en Edinburgh. Brief IHR aan GC, 28 februari 1854.

71 Als hij al schreef, [...] wat Isabella en hij elkaar schreven: In een conversatie waarvan sprake is in een brief van GC aan sir James Clark, 4 januari 1858.

72 Ze 'komen uit bepaalde delen [...] organen te corrigeren.': Catherine Crowe, *The Night Side of Nature* (1848), p. 42. 'Eén vermogen, of meer dan een, verbreekt zijn boeien,' schreef Robert Macnish in

The Philosophy of Sleep (1830), 'terwijl zijn kameraden geketend blijven slapen [...] en geeft zich aldus over aan de meest waanzinnige en buitensporige gedachten.'

73 'Droomde de hele nacht [...] en mijnheer Lane [...]': De aantekeningen spreken over Edward als 'mijnheer Lane' en niet als 'dokter Lane', wat doet vermoeden dat ze elkaar reeds schreven voor hij in de zomer van 1853 afstudeerde; Isabella lijkt hem echter niet eerder als 'dokter' te hebben betiteld voor ze hem in de zomer van 1854 in situ in zijn kuuroord zag.

73 [...] 'de opstapeling [...] wanneer ze naar bed gaan': Uit *Cassandra*, geschreven in 1852, maar niet bij leven van de auteur uitgegeven; aangehaald in Mark Bostridge, *Florence Nightingale* (2008), p. 372.

73 [...] 'hartstochtelijke aard' [...] het kwaad van het dromen'. In een aantekening van 24 december 1850, aangehaald in Bostridge, *Florence Nightingale*, p. 127.

74 Het verhaal van mevrouw Crowe [...] open en bloot: Catherine Crowe Collection, universiteit van Kent, F191882; De brieven van Charles Dickens en RC-documenten, NLS. De historie wordt onderzocht in *Naked as nature intended? Catherine Crowe in Edinburgh, Feb 1854*, een blogpost door Mike Dash van 29 september 2010 op www.aforteaninthearchives.wordpress.com. In de Catherine Crowe Collection zit ook een brief over de historie die Marian Evans stuurde aan GC, waarin zij haar sympathie voor mevrouw Crowe en haar grote vrienden, de Combes, onder woorden brengt.

75 Eind mei liet Henry zijn plannen [...] varen: Isabella zei dat de school geen steun kreeg vanwege de plaatselijke oppositie tegen sociaal en religieus liberalisme; en tevens omdat Henry het te druk had in Londen. Brief IHR aan GC, 25 september 1854.

76 Toen Thom die maand wegging uit zijn betrekking [...]: Rond 1850 had de buurt een minder goede naam gekregen – hoofdzakelijk vanwege de lelijke nieuwe legerbasis in Aldershot – en kwam ze binnen bereik van entrepreneurs als Smethurst en Lane. De eerste begon zijn vestiging op Moor Park in 1851, waarvoor hij advertenties zette in *The Lancet* en *The Critic*. Later zou hij terechtstaan voor bigamie en moord.

76 Thom nam Isabella's raad ter harte [...]: Brief van Mary Butler aan CD, december 1862. Voor deze en volgende brieven van en aan Charles Darwin, zie Darwins correspondentiedatabase op www.darwinproject.ac.uk.

76 Een consult kostte een guinea [...]: Informatie uit *Moor Park Hydropathic Establishment [a Prospectus]* (1856), Combe Collection, NLS, en brief CD aan William Fox, 10 april 1859.

77 [...] en Atty was nog steeds vatbaar [...]: De zesjarige jongen was er in de herfst van 1854 'in een onbestendige toestand', schreef Isabella aan GC in een brief op 25 september 1854.

77 Volgens de theorie [...]: Zie bijvoorbeeld E.S. Turner, *Taking the Cure* (1967), J. Bradley, *Taking the Watercure* (1997) en Alastair Duries essay in *Repositioning Victorian Sciences* (2006).

77 Edward Lane zei dat veel [...]: Edward Bulwer-Lytton merkte in *Confessions of a Water Patient* (1846) op dat hydrotherapeutische kuuroorden werden bezocht door degenen die 'snel en hoog' hadden geleefd, 'wijndrinkers en neutengenieters'.

77 [...] zijn 'eeuwigdurende soortenboek' [...]: Brief CD aan Charles Lyell, 13 april 1857.

78 'Ik heb veel gevallen [...] beangstigend hevig': Brief uit 1882 van EWL aan dr. B.W. Richardson, voorgelezen bij een lezing in St George's Hall, Langham Place, op 22 oktober 1882. Informatie over Darwins verblijf op Moor Park uit Ralph Colp, *Darwin's Illness* (2008), en uit Darwins correspondentie.

78 Edward zei dat hij als watertherapeut 'moest opboksen [...]: 'In de geest van velen,' schreef Lane, 'is een water-kuuroord een landelijk lustoord voor patiënten waar van 's morgens tot 's avonds een soort vrolijke inquisitie plaatsvindt, een schertsende marteling voor de grap. De patiënten worden afgeschilderd als onophoudelijk brabbelend in koude en natte lakens; naar men moet aannemen verkeren ze op zijn minst in een toestand van groot onbehagen, die alleen arme, misleide stervelingen kunnen doorstaan die goeddeels hun verstand verloren hebben.' Lane, *Hydropathy* (1857).

78 Ze nam vanuit Reading de trein [...] in zijn eigen tempo zijn gang kan gaan': Beschrijving van huis en terrein op Moor Park in dit en het volgende hoofdstuk uit Marianne Young, *Aldershot, and All About It* (1857), 'Moor Park, As It Was and Is', een anoniem artikel in het *New Monthly Magazine*, mei 1855, Black's *Guide to Surrey* (1861); Charles T. Tallent-Bateman, *A Home Historical: Moor Park, Surrey* (1885), *Sketches of the Camp at Aldershot* (anon., 1858), Thomas Babington Macaulay, *The History of England from the Accession of James II* (1848), Richard John King, *A Handbook for Travellers in Surrey, Hampshire, and the Isle of Wight* (1865), Egerton Brydges, *The Autobiography, Times, Opinions, and Con-*

temporaries of Sir Egerton Brydges (1834), Dinah Mulock, *The Water-Cure* (1855) en *A Life for a Life* (1860) en persoonlijke waarnemingen.

78 Rechts van het terras [...]: In Jane Austens *Mansfield Park* wordt verwezen naar 'een Moor Park', een soort abrikoos die door sir William Temple werd gekweekt.

82 'Zij die zich trouw [...] romantische lectuur' [...]: Aangehaald in Nancy Armstrong, *Desire and Domestic Fiction: a Political History of the Novel* (1987), p. 274.

83 Het terrein waarop Henry liet bouwen [...]: Bijzonderheden en grondplan in Balmore House verkoopcatalogi (1861 en 1865), Local Studies Dept, Reading Central Library.

84 Een maand later kwam Thom in betrekking [...]: Brief IHR aan GC, 25 september 1854. Thom 'vindt de betrekking interessant en bevredigend,' zei Isabella tegen Combe. Informatie over Duleep Singh (1838–93) uit de aantekening over Amandeep Singh Madra in de ODNB.

84 [...] hij 'heeft een gevoelige snaar geraakt' [...] beeld bevrijden': Aangehaald in Cockburns oordeel in de zaak, 2 maart 1859.

84 In de zomer van 1854 nam Henry Isabella's huishoudboekje door [...]: HOR's antwoord op IHR's akte van beschuldiging bij de kanselarij, 17 april 1858, NA, C15/550/R24.

84 Ze kregen ruzie [...]: HOR's antwoord van 1 februari 1862, dossier echtscheidingshof, NA, J77/44/R4; IHR's antwoord van 4 maart 1862 en brief IHR aan GC, 26 februari 1858.

84 Hoewel Thom de 15 pond [...]: HOR's antwoord op IHR's akte van beschuldiging bij de kanselarij, 17 april 1858, NA, C15/550/R24.

84 Albert woonde nu in Westminster [...]: Volkstelling van 1851, *The Daily News* van 2 december 1852 (over de uitgifte van aandelen in de Eastern Steam Navigation Company) en *The Morning Chronicle* van 27 juni 1853 (over de reis van de schoener *Dolphin* naar Groenland).

85 Albert weigerde Henry te betalen [...]: Zie *The Daily News*, 3 augustus 1854.

5 En ik wist dat er op me werd gelet

86 In de herfst van 1854 bezochten Isabella [...]: dossier echtscheidingshof, NA, J77/44/R4.

86 Elizabeth Drysdale [...] van de hele onderneming': In Henrietta Litchfield, *Emma Darwin, Wife of Charles Darwin*: deel II (1904).

86 'Dokter Lane & zijn vrouw [...]: Brief CD aan J.D. Hooker, 25 juni 1857.

87 Edward nam afstand [...] kunnen uitleggen': Brief CD aan W.D. Fox, 30 april 1857.

87 George Combe vond ook [...] genereuze karakter & openhartigheid': Brief GC aan M.B. Sampson, 11 januari 1858.

87 Combe merkte op [...] hing af van vrouwen': Brief GC aan sir James Clark, 19 december 1857.

87 'Welwillendheid en Liefde voor Goedkeuring [...] worden toevertrouwd': Brief GC aan M.B. Sampson, 11 januari 1858.

87 Goed gezelschap [...] gaat zitten tobben': Lane, *Hydropathy* (1857).

87 'Er zijn maar weinig dingen [...] medeschepselen': Brief EWL aan GC, 23 augustus 1857.

88 een 'zeer intelligent, levendig en aangenaam gezelschap': GC's journaal, 28 augustus 1856.

88 [...] 'vriendelijkheid en de aandacht' van zijn gastheer en -vrouwen: Alexander Bain, *Autobiography* (1904); hij was degene die Darwin het kuuroord aanbeval.

88 Alle inwonenden [...] om zeven uur): EWL's getuigenis, 23 november 1858.

88 'Ik heb behoorlijk veel biljart gespeeld [...] prachtige stoten gegeven!': Brief CD aan W.E. Darwin, 3 mei 1858.

89 'De arts houdt zijn patiënten [...]: Lanes *Hydropathy* (1857).

89 'Ik kuierde tot een eindje [...] of vogels waren ontstaan': Brief CD aan Emma Darwin, 28 april 1858.

89 [...] 'wat een krachtenspel [...] uitsterft': Brief CD aan J.D. Hooker, 3 juni 1857.

90 'Ik had een buitenkansje [...] nesten van hun meesters.': Brief CD aan J.D. Hooker, 6 mei 1858. De slavenhouders waren Formica sanguinea en hun slaven Formica nigra.

90 'der ware een hoop eieren [...]: Brief van J. Burmingham aan CD, 10 september 1858.

90 Darwin nam [...] het lichaam werd gericht): Brief CD aan W.D. Fox, 30 april 1857.

90 Bij mensen als Darwin [...] op het bekken: Zie Rachel P. Maines, *The Technology of Orgasm* (1999).

90 Edwards heteluchtbad hield in [...]: GC's journaal, 29 augustus 1856.

91 Een andere liefhebber [...] als een struisvogel': Zie Captain J.K. Lukis, *The Common Sense of the Water Cure* (1862). Het zitbad –

dat leek op een wasteil met een doorsnede van vijf meter – werd aanbevolen door Lanes voorganger Smethurst als behandeling voor aandoeningen van de baarmoeder en constipatie: de patiënt moest in de kuip zitten en zijn of haar buik gedurende tien tot vijftien minuten per dag wrijven, zei hij. William Temple, *Of Health and Long Life* (1701, onder redactie van Jonathan Swift) beval eveneens hete baden aan: het 'opent de poriën, zet aan tot Zweten, en vermindert daardoor driften; het versoepelt de gewrichten en de zenuwen'. Wrijving, schreef Temple, 'is de beste manier van allemaal voor opgewekte uitwaseming (...) Ik heb gehoord over Mensen bij wie meerdere Ziekten door strijken zouden zijn genezen'.

91 Als je de waterkuur ondergaat [...] van het heden': Zie Edward Bulwer-Lytton, *Confessions of a Water-Patient* (1845).

91 De ziekten [...] hypochondrie en hysterie, [...]: Volgens Lanes voorganger op Moor Park, Thomas Smethurst, in zijn *Hydrotherapia* (1843).

91 [...] aandoeningen waarvan gedacht werd [...] lichaam en geest: Zie Jane Wood, *Passion and Pathology in Victorian Fiction* (2001).

91 De romanschrijfster Dinah Mulock [...] en een kalme geest': Zie haar roman *A Life for a Life* (1860). Voor hypochondrie, een verslag van Darwins ziekte inbegrepen, zie Brian Dillon, *Tormented Hope: Nine Hypochondriac Lives* (2009).

91 In een invloedrijk boek [...] deze te verbergen': Zie Robert Brudenell Carter, *On the Pathology and Treatment of Hysteria* (1853).

92 'ik vrees [...] een monomanie': Dinah Mulock in *Chambers's Edinburgh Journal*, deel 7 (1857), herdrukt in *A Woman's Thoughts About Women* (1858).

92 'Het is mijn bedoeling [...] & veel boeken te lezen': Brief CD aan Charles Lyell, 26 april 1858.

92 'Mevrouw Lane is het met me eens [...] door een man!': Brief CD aan Emma Darwin, 25 april 1858. 'Beneath' the surface is een vergissing van Darwin, de juiste titel is *Below the surface*.

92 [...] romancière en dichteres Marguerite Agnes Power: Zie Adrian Room, *Dictionary of Pseudonyms: 13,000 Assumed Names and their Origins* (vijfde druk, 2010).

92 'Ik vind juffrouw Craik erg sympathiek [...] & het nergens over eens zijn': Brief CD aan Emma Darwin, 28 april 1858, en voetnoot.

92 'ik heb nog nooit zo'n vriendelijke [...] en bezield': Brief van 1882, EWL aan dr. B.W. Richardson, voorgelezen bij een lezing in St George's Hall, Langham Place, 22 oktober 1882.

92 Een kuuroord [...]: In een volkstelling die ook de gasten van Lanes waterkuuroord vastlegde (die van 1861, toen de zaak verhuisd was naar Richmond), staan acht ongehuwde mannen en vier ongehuwde vrouwen tussen de twintig en eenenveertig vermeld, benevens drie adolescente meisjes (van wie twee zonder begeleiding) en een gehuwd stel met twee dochters. Zij en het gezin Lane werden verzorgd door ongeveer twaalf bedienden, inclusief badpersoneel.

93 Een enkele keer [...] 'die haar tegen de borst stuitte': Aangehaald in een brief van GC aan EWL, 23 februari 1858.

93 In 1855 publiceerde juffrouw Mulock [...]: Dinah Mulock's *The Water-Cure* verscheen in het *Dublin University Magazine* in april 1855 en werd opgenomen in *Nothing New: Tales* (1857).

94 Een advocaat van Lincoln's Inn [...] Ik noem het goddelijk.': Zie 'Moor Park, As It Was and Is', *New Monthly Magazine*, mei 1855.

95 In deze grot [...] Temples huishoudster: Victoriaanse verslagleggers waren niet te spreken over Swifts promiscuïteit en zijn meedogenloze behandeling van Esther en de andere vrouwen die hij het hof maakte: zie bijvoorbeeld William Howitt, *Homes and Haunts of the Most Eminent British Poets* (1857), waarin Swift ervan werd beschuldigd de harten van vrouwen te 'slopen en martelen'.

95 'De weiden doorweven [...] de hogere bomen': Swift, 'A Description of Mother Ludwell's Cave' (1692–93), in *Collected Poems by Jonathan Swift* (1958), red. Joseph Horrell.

96 Goethes beroemdste roman [...]: De dringende intimiteit waarmee Isabella haar dagboek aansprak – de uitroepen en afkappingen – waren in stijl vergelijkbaar met die van de introspectieve, wanhopige en verliefde Werther: 'Mijn enige troost is: Zij kan zich hebben omgedraaid om naar mij te zien! Misschien! Goedenacht! Ach welk een kind ben ik!', *Die leiden des jungen Werthers* (1787).

102 'we praatten over zijn leeftijd – eenendertig pas [...]: Isabella vermeldde niet dat Edward jarig was, hoewel de verwijzing naar zijn leeftijd daardoor kan zijn opgeroepen. Als hij eenendertig was werd hij geboren in 1823; later zou hij echter beweren dat zijn geboortedatum 10 oktober 1822 was. In februari 1844 was hij dan dus eenentwintig, oud genoeg om een deel van zijn vaders landgoederen toegewezen te krijgen. In 1864 was dit doorslaggevend toen het goed na Elisha's dood werd verdeeld en de kinderen van diens tweede vrouw (met wie hij in 1848 in Montreal was getrouwd) probeerden alles op te eisen als hun eigendom; zie *The Lower Canada Jurist*, deel VIII (1864).

103 In het laatachttiende-eeuwse handboek [...]: Harris' List werd uitgegeven in 1788; aangehaald in Stone, *Road to Divorce* (1990), p.
110.

6 De toekomst een schrikbeeld

104 In de haven van Boulogne [...]: Voor Boulogne, zie Charles Dickens,
'Our French Watering-place', *Household Words*, 4 november 1854,
A.C.G. Jobert, *The French-Pronouncing Hand-Book for Tourists
and Travellers* (1853) en John Murray, *Hand-Book for Travellers in
France* (1854).

104 'We hebben ons [...] van de stad': Brief IHR aan GC, 17 november
1854.

104 Nu voegden ze zich [...]: De school was ongewoon vanwege de ab-
stinentie van het gebruik van lijfstraffen, volgens Henry Melville
Merridew, *Visitor's Guide to Boulogne* (1864).

105 Er woonden meer dan zevenduizend Engelsen [...]: Murray, *Hand-
Book for Travellers in France* (1854).

105 'Het is een stralende, luchtige, plezierige [...] *bonnes* met sneeuwwitte kapjes': Dickens, 'Our French Watering-place'.

106 Een reeks stormen die in november [...]: Zie *The Life and Correspondence of Thomas Slingsby Duncombe: late MP for Finsbury*,
deel 2 (1868).

106 Toen Henry in februari 1855 [...]: Brief IHR aan GC, 28 februari
1855.

106 'onfortuinlijke neiging [...] wanen': Aangehaald in Cockburns oordeel, 2 maart 1859.

106 ze had 'niets van enige schittering [...] lering, of verwijten'. Brief
IHR aan GC, 17 november 1854.

107 Combe schreef per omgaande terug [...] onze liefde betuigen met
goede daden': Brief GC aan IHR, 7 december 1854.

107 'Alleen de natuur geneest [...] haar werk kan doen.' Florence Nightingale, *Notes on Nursing* (1860).

107 Op 10 oktober [...] begin november: Ondanks haar nieuwe roeping
bleef Nightingale geplaagd worden door een slechte gezondheid en
nerveuze aandoeningen, waarvoor ze in 1857 en 1858 hulp zocht in
de hydrotherapeutische kliniek in Malvern. Ze spotte mild met de
hydrotherapie – 'het is een zeer populair tijdverdrijf (...) onder atle-
tische invaliden die de taedium vitae hebben gevoeld en die onge-
wisse ziekten hebben opgelopen die zo goed berekend zijn op een
hoog inkomen en een onbeperkte vrije tijd' –, maar ze gaf toe dat

haar verblijf in Malvern haar goed had gedaan. Zie Bostridge, *Florence Nightingale*, p. 125.

108 Combe was 'ten diepste gekrenkt [...] door hun pragmatisch optreden': Brief GC aan Charles Bray, 15 november 1854.

109 [...] 'bijbel van het bordeel' [...]: Aangehaald in William H. Johnson, *Life of Charles Bradlaugh, MP* (1888).

110 Onder de neomalthusianen [...]: Zie Tomoko Sato, 'E.W. Lane's Hydropathic Establishment at Moor Park' in *Hitotsubashi Journal of Social Studies*, deel 10 (1978).

112 Ze was 'een schat [...] opmerkelijk bescheiden': Zie *The Letters of William and Dorothy Wordsworth*, deel IV (1967), red. Ernest de Selincourt, p. 495.

112 Ze vroeg haar man [...] hun toekomstige kinderen zou nalaten: Verslag van John Wordsworths gedrag in een brief van Henry Curwen aan zijn zoon Edward, gedateerd 30 januari 1846; Curwenarchief, Whitehaven, DCu/3/31. 'De oude Dichter, zo weet ik, heeft zijn testament veranderd,' schreef Curwen, '& laat alles na aan Isabella's kinderen, buiten zijn JW macht, en ik heb hetzelfde gedaan.'

112 In een brief aan zijn schoonzoon [...]: In *William Wordsworth: a Biography* (1965) neemt Mary Trevelyan Moorman een cryptische verwijzing op naar deze brief: 'Er bestaat een brief van de oude heer Curwen,' schrijft ze, 'waarin John er ongenadig van langs krijgt' (p. 598). Ze had overduidelijk de brief gelezen, maar ze gaf geen aanwijzingen omtrent de vindplaats, noch enig detail van de inhoud. Zelfs een eeuw later, zo lijkt het, voelt een biograaf van Wordsworth zich geroepen de eer van de familie te beschermen.

113 Isabella bleef corresponderen [...]: Brief IHR aan GC, 28 februari 1855.

113 [...] 'lief, somber briefje' [...] ze elkaar misten. IHR's journaal, 27 april 1855.

113 'Ik zie nu actiever toe [...] voor te bereiden': Brief IHR aan GC, 28 februari 1855.

114 Zonder dat Henry het wist [...]: HOR's antwoord op IHR's akte van beschuldiging bij de kanselarij, 17 april 1858, NA, C15/550/R24.

114 Henry's huis was in Italiaanse stijl gebouwd [...] een keuken: Details uit Balmore House verkoopcatalogi (1861 en 1865), Reading Central Library.

115 Zodra Isabella was aangekomen [...] twee weken watertherapie te geven: EWL's getuigenis voor het echtscheidingshof, 23 november 1858.

119 [...] was het spoelen van de vagina met een spuit: De spuit wordt bijvoorbeeld aanbevolen in Charles Knowltons bestseller *Fruits of Philosophy; or, The Private Companion of Young Married People* (1832). Zie ook Angus Maclaren, *Birth Control in Nineteenth-Century England* (1978).

119 'Het is nog verre van voltooid [...]: Brief IHR aan GC, 4 november 1855.

119 Alfred [...] Queenwood School [...]: Zie D. Thompson, 'A Mid-Nineteenth-Century Experiment in Science Teaching' in *Annals of Science*, deel 2 (1955).

121 [...] 'hadden al heel lang de slechtst denkbare verstandhouding' [...] gezond kunt noemen': Brief IHR aan GC, 21 februari 1858.

121 [...] waarin ze de huwelijksband beschreef als 'bijgeloof': Brief GC aan sir James Clark, 19 december 1857.

121 Mevrouw Norton zette in 1855 de onrechtvaardigheden [...] te vernietigen': Zie Caroline Norton, *A Letter to the Queen on Lord Chancellor Cranworth's Marriage and Divorce Bill* (1855).

122 [...] 'een van de belangrijkste instrumenten voor de vernedering van vrouwen' [...]: Zie *Physical, Sexual, and Natural Religion* (1854).

122 [...] de langste en ernstigste difterie-epidemie [...]: Zie Ernest Abraham Hart, 'On Diphtheria' (1859), een pamflet dat eerder verscheen in *The Lancet*.

122 [...] 'zere keel van Boulogne' [...]: Een Franse arts gaf de ziekte in 1855 de naam 'diphtheria'; de term was afgeleid van het Griekse woord diphthera, dat leer betekent; een verwijzing naar de dikke, droge slijmvliezen in de keel die kenmerkend zijn voor de aandoening. Zie Charles Creighton, *A History of Epidemics in Britain* (1891).

122 Terwijl ze onrustig en raaskallend in bed lag [...]: HOR's antwoord van 1 februari 1862 in NA, J77/44/R4.

BOEK 2: *WEG VLOOG HET WEB*

7 Onkuise handelingen

127 'De Robinsons trouwden in 1844,' [...]: Details van het proces Robinson vs Robinson & Lane zijn afkomstig uit verslagen in *The Times, Morning Chronicle, Liverpool Mercury, Manchester Times, Reynolds Newspaper, The Era, Daily News, Daily Telegraph, Ob-*

server, Caledonian Mercury en *The Morning Post*, verschenen van 15 t/m 22 juni 1858, 5 t/m 6 juli 1858, 27 t/m 30 november 1858 en 3 maart 1859; tevens uit Swabey en Tristrams *Reports*. De meeste citaten van de raadslieden zijn pogingen tot terugvertalen in de directe rede van het onafgebroken proza van de wettelijke verslagen en de kranten. De zin die in *Reports* staat als: 'Hij stelde voor bepaalde dagboeken, geschreven door mevrouw Robinson, als bewijsmateriaal op te voeren', luidt hier: 'Ik stel voor bepaalde dagboeken, geschreven door mevrouw Robinson, als bewijsmateriaal op te voeren'.

127 De drie rechters [...]: Zie aantekeningen in de ODNB (Michael Lobban over Cockburn, Joshua S. Getzler over Cresswell); Edward Foss, *Biographia Juridica: A Biographical Dictionary of the Judges of England from the Conquest to the Present Time* (1870); Mr Serjeant Robinson, *Bench and Bar, Reminiscences of One of the Last of an Ancient Race* (1894); Justin McCarthy, *Reminiscences:* deel II (1899); en de memoires van John Duke Coleridge.

128 De rechters hadden besloten [...]: Dit was een van tweeëntwintig zaken – met betrekking tot echtscheiding of scheiding van tafel en bed – die in 1858 zonder jury voor een volledige rechtbank zouden dienen.

128 De lange bureaus en zitbanken werden verlicht door de zon [...]: De beschrijving van architectuur, rechterstoel en toeschouwers is gebaseerd op een gravure van het nieuwe echtscheidingshof in Westminster Hall, die gepubliceerd werd in de *Illustrated London News*, 22 mei 1858, en in de serie 'Divorce a Vinculo', *Once a Week;* delen I & II (1860).

128 De temperatuur [...]: Zie *The Annual Register 1858* (1859) en verslagen in *The Times*.

129 Mr Chambers [...]: Voor Montagu Chambers, zie zijn necrologie in *The Law Times*, 1885, en de lithografie naar Robert Samuel Ennis Gallon, 1852 of daarna, gedrukt door M. en N. Hanhart, NPG.

131 Als hij ongeduldig was [...]: 'Divorce a Vinculo', *Once a Week*.

133 Het echtscheidingshof onderzocht overspel [...]: Barbara Leckie beweert in *Culture and Adultery: the Novel, the Newspaper and the Law, 1857–1914* (1999) dat de partijdige standpunten van de verslagen van het echtscheidingshof de opkomst van de onbetrouwbare verteller in de Engelse literatuur hebben beïnvloed; haar boek bevat een hoofdstuk over de zaak Robinson.

134 De wet eiste [...] zulks verklaard: Zie Richard Thomas Tidswell en

Ralph Daniel Makinson Littler, *The Practice and Evidence in Cases of Divorce and other Matrimonial Causes* (1860).

136 Onder de 'proximatieve handelingen' [...]: Ibid.

139 'De getuigenis van afgedankt [...] en ontsteltenis': John J.J.S. Wharton, 'An Exposition of the Laws Relating to the Women of England, showing their Rights, Remedies and Responsibilities' (1853), geciteerd in Stone, *Road to Divorce* (1990).

139 De meeste verzoeken [...]: *Parliamentary Papers: Accounts & Papers 1859*, deel 19, paper 131, zegt dat de vroegste van de 365 voor de rechtbank beweerde gevallen van overspel (door mannen en vrouwen) in de eerste achttien maanden plaatsvonden vanaf 1833; de meeste vonden echter plaats in de jaren 1850: 30 in 1853, 27 in 1854 (inclusief dat van Isabella en Edward), 32 in 1855, 41 in 1856, 53 in 1857 en 53 in 1858.

139 De nieuwe wet bepaalde [...] de burgermaatschappij: Zie David M. Turner, *Fashioning Adultery: Gender, Sex and Civility in England 1660–1740* (2002), Ann Sumner Holmes, 'The Double Standard in the English Divorce Laws, 1857–1923' in *Law and Social Inquiry*, deel 20 (1995), en Lynda Nead, *Myths of Sexuality: Representations of Women in Victorian England* (1998). De vraag of mannen en vrouwen gelijk moesten zijn voor de echtscheidingswet was onderwerp van debat geweest in het Lagerhuis en het Hogerhuis. Bij een stemming in het Hogerhuis op 25 mei 1857 werd de motie tot het maken van onderscheid tussen mannen en vrouwen in echtscheidingswetten aangenomen met 71 tegen 20 stemmen; in het Lagerhuis werd de motie op 7 augustus gedragen door 126 tegen 65 stemmen. George Drysdale had bezwaar tegen de dubbele standaard volgens welke 'Een man die ongewettigd toegeeft aan zijn seksuele behoeften, voor of na de huwelijksbelofte, gezien wordt als te vergoelijken; maar als een vrouw dat doet is het de afschuwelijkste misdaad.' In 1923 kregen vrouwen gelijke rechten bij echtscheiding, kort nadat ze de stemming wonnen.

140 [...] 'een lichte literatuur die geheel stoelt [...]: *Saturday Review*, juli 1857.

140 [...] een beruchte verblijfplaats van prostituees en zelfmoordenaars: Na en door Thomas Hoods gedicht 'The Bridge of Sighs' (1844) werd deze plaats in verband gebracht met seksuele uitspattingen en zelfvernietiging. Het gedicht gedenkt de zelfmoord van een prostituee die is aangespoeld aan de oever van de rivier: 'Still for all slips of hers,/ One of Eve's family – / Wipe those poor lips of her/

Oozing so clammily.' (Ondanks alle feilen,/ van deze dochter van Eva − / Veeg haar lippen af/ Zo klam van het vocht). De gevallen vrouw werd verlost en gezuiverd door haar berouw en haar dood, maar ze werd tevens in stand gehouden als een object van huiveringwekkende erotische fascinatie. John Everett Millais maakte in 1858 een ets waarvoor hij door dit gedicht was geïnspireerd.

8   Ik ben alles kwijtgeraakt

142 Henry weigerde haar onderdak te verlenen [...]: HOR's antwoord op IHR's akte van beschuldiging bij de kanselarij, 17 april 1858, NA, C15/550/R24.

142 [...] later verhuisden ze naar een cottage [...]: Brief IHR aan GC, 26 februari 1858.

142 In de 'somberte & eenzaamheid' [...] en uitgeput te bed lag: Brief IHR aan GC, 21 februari 1858.

143 'Ik ben alles kwijtgeraakt' [...]: Ibid.

143 Eerst was hij van plan [...]: Ibid. 'In de herfst van '56 deed hij een poging tot een directe juridische aanval; die mislukte natuurlijk'.

144 [...] een advocaat die Gregg heette [...]: Dit kan dezelfde William Gregg zijn geweest die samen met Edward rechten studeerde aan de universiteit van Edinburgh en die afstudeerde met een MA in 1844.

144 Edward en Isabella vermoedden [...]: Zie brieven IHR aan GC, 21 en 26 februari 1858.

144 De kosten konden [...]: De kosten werden geschat op elk bedrag tussen de 200 en 5000 pond, volgens Gail L. Savage, 'The Operation of the 1857 Divorce Act, 1860–1910: A Research Note' in *Journal of Social History* (1983). De kosten van een scheiding van tafel en bed waren veel lager: Stephen Lushington, een rechter aan het kerkelijk hof, schatte in 1844 dat de minimale kosten voor een onbestreden zaak 50 pond bedroegen, met een maximum van 800 pond indien de aanvraag werd aangevochten. Zie Stone, *Road to Divorce* (1990), p. 188.

144 [...] 'antiek, suf, slaperig [...]: Charles Dickens, *David Copperfield* (1850).

145 'Lady Drysdale heeft een flink verstoord spijsverteringsstelsel [...]: Dit en volgende citaten uit GC's journaal, 3 juli t/m 3 augustus 1857.

145 George leed aan spijsverteringsproblemen [...] angsten: Zie Stack, *Queen Victoria's Skull*, p. 156.

146 In die brieven scheen juffrouw Smith [...]: Uit F. Tennyson Jesse, *The Trial of Madeline Smith* (1927), geciteerd in Leckie, *Culture and Adultery* (1999).

146 Binnen een paar dagen [...] wakker werd gehouden.': RC's journaal, RC-documenten, NLS.

147 Hoewel Henry [...] kennissen in Edinburgh: Dossier echtscheidingshof, NA, J77/44/R4.

147 In de tussentijd [...] voor de rechter kwam: Zie register van Tonbridge School (1893).

147 Otway was geselecteerd [...] of pootje gehaakt'. Zie *The Tonbridgian* van oktober 1861 en D.C. Somervell, *A History of Tonbridge School* (1947).

147 Henry's aanvraag [...] werden gehoord: Voor de werkwijze van de kerkelijke rechtbanken, zie Stone, *Road to Divorce* (1990).

148 [...] *The Times* wijdde er de volgende dag een paar regels aan [...]: *The Times*, 4 december 1857.

148 [...] hield ze daarvan 'nauwelijks genoeg over om als een beschaafde dame te leven': IHR's aanvraag bij de commissie van beroep van het Hogerhuis, 6 juni 1861, HLA. Haar broer Frederick belegde haar toelage in Drie Procents Consols (overheidsobligaties). Hoewel ze hem vroeg te investeren in aandelen die iets meer zouden kunnen opleveren, weigerde hij dat. Na een internationale crisis in de handel in 1857 kan hij zich verplicht hebben gevoeld voorzichtig te zijn namens haar. Zie antwoord IHR van 4 maart 1862 in NA, J77/44/R4.

148 300 pond per jaar werd beschouwd als het minimum [...]: Volgens R.D. Baxter, *National Income* (1868).

148 Henry verbleef [...] beau monde van Reading: Brief IHR aan GC, 21 februari 1858.

148 [...] Isabella's 'hartstochtelijke en weerzinwekkende' escapades [...]: Brief GC aan mevrouw Tennant, de halfzuster van Mary Lane, 28 december 1857.

149 [...] 'de huwelijksbelofte niet eerbiedigde' [...]: Brief GC aan sir James Clark, 19 december 1857.

149 [...] 'niet geheel bij haar verstand' [...] zo'n schandaal' [...]: Brief EWL aan GC, 29 december 1857.

149 'U zult mijn ernstige woorden geloven [...]: Brief Lady D aan GC, 1 januari 1858.

149 Edward ging naar Edinburgh [...]: Brief EWL aan GC, 31 december 1857.

149 Hij beweerde dat hij niet met Isabella had geflirt in Edinburgh [...]: Brief GC aan sir James Clark, 4 januari 1858.

150 'Ik heb mevrouw R. nooit een regel geschreven' [...]: Brief EWL aan GC, 11 januari 1858.

150 Ze was 'een dweepzieke & hoogdravende dwaas' [...]: Brieven EWL aan GC, 5 februari en 17 mei 1858.

150 [...] 'door tijd te besteden [...] als slachtoffer': Brief EWL aan GC, 17 mei 1858.

151 [...] 'te ontsnappen, tegen bijna elke prijs [...]: Brief EWL aan GC, 29 december 1857.

151 [...] voelde Combe zich persoonlijk verantwoordelijk voor de eer van de dokter: Brief GC aan HOR, 12 januari 1858.

151 Ze 'deed alsof ze zeer geïnteresseerd was [...] elke belangstelling voor ons': Brieven GC aan sir James Clark, 19 december 1857 en 4 januari 1858.

151 [...] 'een opmerkelijke vrouw,' [...] haar eigen schande': Brief sir James Clark aan GC, 22 januari 1858.

151 [...] 'door tijd te besteden [...] een slachtoffer': Brief van M.B. Sampson aan GC, 9 januari 1858.

151 Onoprecht beweerde hij [...] persoonlijk en vertrouwelijk': Brief HOR aan GC, 4 januari 1858.

152 'Welnu, uw aanbod [...] zijn verdediging te hebben gehoord': Brief GC aan HOR, 18 januari 1858.

152 [...] 'je hebt je tegenover mij niet alleen opgesteld [...] kwaadaardige' manier: Brief EWL aan GC, 5 februari 1858.

152 'Ik spreek tot u,' [...] zo veel gewicht maakt': Ibid.

153 'Mag ik... [...] enige zekerheid is': Brief van lady D aan GC, 2 maart 1858.

153 Toen het Gerechtshof voor echtscheiding en huwelijkse zaken [...]: Zie *Parliamentary Papers: Accounts and Papers 1859*, deel 22, papier 106.

153 De nieuwe rechtbank [...] kunnen veroorloven: Tidswell en Littler, *Practice and Evidence* (1860).

154 In februari 1858 diende Henry zijn verzoek tegen Edward en Isabella in [...]: HOR's antwoord van 1 februari 1862 in NA, J77/44/R4.

154 Op 22 april ontkende Isabella [...] deed Edward hetzelfde: Isabella's advocaat was Francis Hart Dyke, Queen's Proctor (ambtenaar die optreedt als bij echtscheidingsprocessen e.d. heimelijke verstandhouding v.d. betrokken partijen aan het licht komt of feiten verzwegen zijn) en een voormalige advocaat aan Doctors' Commons;

die van Edward was John Young van Desborough, Young & Desborough, in de City van Londen.

155 Hij zorgde dat het dagboek werd overgeschreven [...]: Brief EWL aan GC, 26 mei 1858.

155 In de eerste vijf maanden [...]: recent verslag in *The Birmingham Daily Post* over parlementaire verkiezingsuitslagen, 25 juni 1858. Volgens *Parliamentary Papers: Accounts and Papers 1859*, deel 22, werden er in de eerste vijftien maanden 302 aanvragen voor een volledige echtscheiding bij de rechtbank ingediend. 244 daarvan werden ingediend in 1858, volgens deel XXVI: *Return of Proceedings (zitting 1)*.

155 Op 12 mei beschuldigde een advocaat [...]: Zie *Daily News*, 13 en 14 mei 1858, en Swabey en Tristrams *Reports*.

156 'Iedereen met wie [...]: Zie *Daily News*, 28 mei 1858.

156 Zelfs koningin Victoria [...]: Zie Roger Fulford, *Dereast Child: Letters Between Queen Victoria and the Princess Royal Previously Unpublished* (1964), p. 99.

9 Verbrand dat boek en wees gelukkig!

157 Lord Brougham kan op de hoogte zijn geweest [...]: Brougham beschikte ook over kennis uit de eerste hand over geesteziekten – hij werd gekweld door aanvallen van hypochondrische depressies en wanen; zijn zuster was krankzinnig en zijn vrouw leed aan zenuwziekten sinds ze in 1822 hun tweede dochter had gebaard. Henry Brougham had meerdere affaires en betaalde in 1826 de courtisane Harriette Wilson, opdat ze zijn naam niet in haar memoires zou vermelden (zie Michael Lobbans aantekening in de ODNB).

157 Laatstgenoemde stond graag in de schijnwerpers [...] hof tot nu toe: In *The Daily Telegraph* van 17 juni 1858 werd opgemerkt dat dit de eerste zaak was die voor het nieuwe hof zou dienen en waarvan gedetailleerd verslag zou worden gedaan in de krant.

160 Forsyth riep Caroline Suckling op [...] van lord Nelson: Zie William R. O'Byrne, *A Naval Biographical Dictionary* (1849).

160 Combe beschreef [...] advies diende': GC's dagboek, 28 augustus 1856.

164 Phillimore was er waarschijnlijk [...] boetvaardige zelfkastijding: Zie H.C.G. Matthew, *Gladstone* (1997), pp. 90–95.

165 Ik zou bijvoorbeeld [...] dat hij masturbeerde: William Acton zinspeelde hierop in zijn *Functions and Disorder of the Reproductive Organs, in Childhood, Youth, Adult Age, and Advanced Life, Con-*

sidered in the Physiological, Social, and Moral Relations (1857), toen hij schreef dat Rousseau 'rondsnuffelt in zijn mentale en morele aard met een verachtelijke, ziekelijke precisie', een 'afschuwelijke openhartigheid' die de aandoening bestendigde die zij beschreef. Geciteerd in Stephen Marcus, *The Other Victorians: a Study of Sexuality and Pornography in Mid-Nineteenth-Century England* (1966), p. 24.

165 In de uitgave van 1848 [...] verlies zal betreuren': Uit een recensie van de derde druk van het dagboek in *Blackwood's Magazine*, die opmerkte dat 'de grote charme van het boek is de volkomen vrijheid van maskering'. 'Diary of Samuel Pepys', *Blackwood's*, deel 66 (1849).

165 Pepys was niet gekuist [...] oprechtheid: Eveneens uit de annalen geschrapt – door Pepys zelf – waren de persoonlijke bekentenissen van mevrouw Pepys, zoals hij op 9 januari 1663 in zijn dagboek schreef. Die dag pakte Elizabeth Pepys uit een afgesloten koffer een kopie van een schrijven dat ze haar man al eerder wilde laten zien. Ze begon het hardop voor te lezen. Ze had geschreven over 'de teloorgang van het leven en hoe onplezierig het was'. Hij was ontzet toen hij merkte dat het in gewoon Engels was geschreven (zijn eigen dagboek was vercijferd) en aldus 'gevaar liep door anderen te worden gevonden en gelezen'. 'Ik was erdoor geërgerd en verlangde en beval haar toen het te verscheuren – wat zij verlangde het te besparen; ik nam het haar af en verscheurde het, en nam haar tevens de andere bundel papieren af en sprong uit bed en in hemdsmouwen stak ik ze in mijn achterzakken, zodat ze ze me niet kon afpakken; en nadat ik mijn kousen en broek en mantel had aangedaan, haalde ik ze een voor een tevoorschijn en verscheurde ze voor haar ogen, hoewel het me door de ziel ging, terwijl ze huilde en mij smeekte het niet te doen.' Pepys' paniek en woede werden veroorzaakt door het feit dat zijn vrouw iets had geschreven wat anderen zouden kunnen lezen, waarmee ze haar persoonlijke gedachten in de openbaarheid zou brengen.

167 In het voorwoord [...] 'verschuldigd aan zijn nagedachtenis': Volgens Kathryn Carters analyse van de *English Catalogue of Books* in deze periode, in 'The Cultural Work of Diaries in Mid-Century Victorian Britain', *Victorian Review*, deel 23 (1997).

168 *The Diary of an Ennuyée* [...]: Jameson was een goede vriend van Cecy Combes nicht Fanny Kemble en een kennis van de Combes.

169 Door het succes van haar pastiche: Bijvoorbeeld Anne Manning,

The Maiden and Married Life of Mary Powell: afterwards Mistress Milton (1849); Holme Lee (Harriet Parr), *Passages from the Diary of Margaret Arden* (1856); *The Diary and Houres of the Ladye Adolie, a Faythfulle Childe, 1552* (1853), 'samengesteld' door lady Charlotte Pepys, en het anonieme *Ephemeris: or Leaves from ye Journall of Marian Drayton* (1853), *The Diary of Martha Bethune Baliol, from 1753 to 1754* (1853) en het *Diary of Mistress Kate Dalrymple, 1685–1735* (1856).

169 Dinah Mulock [...] van een gouvernante [...]: Mulock, *Bread upon the Waters* (1852).

169 [...] twee verhalen, vermomd als journalen van vrouwen: Wilkie Collins, 'Leaves from Leah's Diary', het raamwerk van zijn verzamelbundel *After Dark*; en zijn proto-detectiveverhaal *The Diary of Anne Rodway*.

169 [...] gebonden in een linnen band of in rood Russisch kalfsleer [...]: Zie advertenties voor Letts dagboeken in David Morier Evans, *The Commercial Crisis* 1847–48 (1849).

169 'Gebruik uw dagboek [...]: Advertentie uit de jaren 1820, aangehaald in David Amigoni, *Life Writing and Victorian Culture* (2006), p. 27. De essayist Isaac D'Israeli legde de doelen van een dagboek vast in zijn *Curiosities of Literature* (1793): 'Wij spreken met afwezigen middels brieven en met onszelf middels dagboeken... [zij] bieden een man een verslag van hemzelf voor hemzelf.'

169 Het woord 'dagboekschrijver' [...]: Zie John Craig, *A New Universal Etymological, Technological, and Pronouncing Dictionary of the English Language* (1859).

170 [...] ze verschenen na haar dood in 1840 in drie delen: Zie Carter, 'The Cultural Work of Diaries in Mid-Century Victorian Britain'.

171 'Alle gevoelens in je journaal [...]': Zie *Letters and Memorials of Jane Welsh Carlyle*, deel II (1913), red. James Anthony Froude.

171 In *Mr Nightingale's Diary* [...] aanwakkeren: Zie Charles Dickens en Mark Lemon, *Mr Nightingale's Diary: a Farce in One Act* (1877). Het stuk is een parodie op de mode van zelfdiagnostische 'gezondheidsdagboeken': Deze waren toegenomen in populariteit na de uitgave in 1820 van Henry Matthews, *The Diary of an Invalid; Being the Journal of a Tour in Pursuit of Health; in Portugal, Italy, Switzerland, and France, in the Years 1817, 1818, and 1819*. Darwin hield van 1849 tot 1855 een dagboek van zijn symptomen bij.

172 'Verbrand dat boek en wees gelukkig!': Dickens en Lemon, *Mr Nightingale's Diary*. In *My Wife's Diary: a Farce in One Act*, een

stuk van Thomas William Robertson dat in 1854 in het Royal Olympic Theatre in Londen in première ging, verlustigt een man zich wanneer hij de schrijftafel van zijn vrouw openmaakt met een duplicaatsleutel: 'dagboeken zijn een verduiveld goede uitvinding'. Zie Carter, 'The Cultural Work of Diaries in Mid-Century Victorian Britain'.

10 Een waanzinnige tederheid

173 Rond het middaguur [...]: 'Divorce a Vinculo', *Once a Week*.

173 [...] slecht functioneren van de uterus zelf: De term 'aandoening van de uterus' ging de meeste kranten al te ver: *The Times* (16 juni 1858) vertaalde hem voor haar lezers als 'een typisch vrouwelijke ziekte'.

173 Hij was een Ierse quaker [...]: Zie Walter Kidd, *Joseph Kidd 1824–1918: Limerick, London, Blackheath: A Memoir* (gedrukt in privébeheer, 1920, herziene druk 1983). Kidd zou later huisarts van William Gladstone worden en vanaf 1877 van Benjamin Disraeli, wiens gezondheid erop vooruitging nadat Kidd hem had geadviseerd bordeaux te drinken in plaats van port. Disraeli stierf terwijl Kidd zijn hand vasthield.

174 Zij dienden te bevestigen [...]: Artsen die voor de rechtbank getuigden inzake krankzinnigheid, merkte de psycholoog John Charles Bucknill op, 'kan men meestal in twee groepen indelen: degenen die iets van de gevangene weten en niets van krankzinnigheid, en degenen die iets van krankzinnigheid weten en niets van de gevangene'. De artsen die die dag voor het echtscheidingshof getuigden, pasten in deze categorieën: Kidd wist wel iets van Isabella, maar weinig van seksuele wanen; de anderen waren wel thuis in vrouwenziekten, maar hadden Isabella niet onderzocht.

174 De eerste specialist [...]: Zie portret van James Henry Bennet door Ferdinand Jean de la Ferté Joubert, naar een mezzotint van Édouard Louis Dubufe, 1852, NPG.

174 [...] de moderne leerschool der gynaecologie: De term gynaecologie werd in 1849 voor het eerst in het woordenboek vermeld.

174 Hij was een autoriteit [...]: Necrologie van James Henry Bennet, *British Medical Journal*, 12 september 1891.

175 Het speculum was controversieel [...]: In *On the Pathology of Hysteria* (1853) schreef Robert Brudenell Carter dat hij 'meer dan eens jonge, ongetrouwde vrouwen uit de middenklasse had gezien die, door het voortdurend gebruik van het speculum, waren vervallen

tot de mentale en morele toestand van prostituees; zij poogden door de praktijk van de solitaire ondeugd hetzelfde genot te bereiken, en vroegen iedere beoefenaar van de medische wetenschap, aan wiens zorg zij zich toevertrouwden, een onderzoek naar hun seksuele organen in te stellen'. Stephen Smith, *Doctor in Medicine: and Other Papers on Professional Subjects* (1872) besprak het gevaar dat vrouwen werden aangestoken door 'speculum-manie', een aandoening die kon leiden tot ontaarding en krankzinnigheid.

175 De tweede arts was sir Charles Locock [...]: Zie G.T. Bettany's aantekening in de ODNB en Lococks necrologie in het *British Medical Journal*, 31 juli 1875. Als jonge man was Locock 'duivels verliefd' geworden op een knappe vrouw van goede familie, maar ze wekte zijn weerzin toen ze 'al te vrijpostig en teder bleek... Ik kijk altijd met een vervloekt jaloerse blik naar die zeer aanvallige instelling bij jongedames.' Uit een brief uit 1823 aan een vriend, aangehaald in Russell C. Maulitz, 'Metropolitan Medicine and the Man-Midwife: the Early Life and Letters of Sir Charles Locock', *Medical History* 26 (1982).

175 Hij was de auteur [...]: Zijn onderzoek deed het voorkomen dat jonge vrouwen die zich overgaven aan gemeenschap of masturbatie terwijl zij menstrueerden aanvallen van kramp konden krijgen; en hij experimenteerde met de behandeling van seksuele wanen door kaliumbromide te gebruiken (dat zeer effectief bleek te zijn in de behandeling van epilepsie).

175 Dr. Forbes Winslow was een zelfverzekerde man, zo kaal als een biljartbal [...]: Fotografie van Forbes Winslow uit 1864 door Ernest Edwards in NPG en Jonathan Andrews' aantekening in de ODNB.

176 Hoewel de pers zuinig was met haar verslag [...]: De aandoening van *furor uterinus* of buitensporige seksuele gevoelens bij vrouwen, werd vastgesteld tijdens de Renaissance. Zie Carol Groneman, 'Nymphomania: the Historical Construction of Female Sexuality' in *Signs: Journal of Women in Culture and Society*, deel 19 (1994).

176 [...] van ongeveer tien procent van de vrouwen [...]: Volgens Charles Bucknill en Daniel H. Tuke, *A Manual of Psychological Medicine* (1858), geciteerd in Shuttleworth, *Charlotte Brontë and Victorian Psychology* (1996).

176 Na een bevalling [...] plaatselijke irritatie': Bennet, *A Practical Treatise on Inflammation of the Uterus, Its Cervix, and Appendages, and on Its Connection with Uterine Disease* (derde druk, 1853). In een latere druk, uitgegeven in 1864, herzag Bennet deze zin om duide-

lijk te maken dat nymfomanie kon leiden tot 'zelfbevlekking'. W. Tyler Smith, *Manual of Obstetrics* (1858) legde eveneens een verband tussen het baren van kinderen en seksuele manieën: 'seksuele opwinding blijkt soms tijdens of na het baren in een zeer hoge mate; gevallen zoals deze zouden na het baren inderdaad kunnen overgaan in erotomanie'.

176 Overigens kon hysterische nymfomanie [...]: Zie E.J. Tilt, *The Change of Life in Health and Disease* (1857).

176 Ook Forbes Winslow [...]: In zijn *Journal of Psychological Medicine and Mental Pathology* (1854) schreef Forbes Winslow: 'Somtijds ontplooit een erotisch karakter zich ten tijde van het onderdrukken van de catamenie [menstruatie], en het staat dus vanzelfsprekend in verband met een speciale toestand van de seksuele organen.'

177 Tilt beweerde dat een 'subacute ovaritis' [...]: Tilt, *The Change of Life*.

177 Toen Euphemia Ruskin haar verzoek [...]: Informatie over de scheiding van de Ruskins in Phyllis Rose, *Parallel Lives: Five Victorian Marriages* (1983). Euphemia verzocht om een scheiding omdat ze verliefd was geworden op de kunstenaar John Millais, die het portret van haar echtgenoot schilderde.

177 [...] waren dit twee verschillende ziekten [...]: Het boek van Esquirol werd in 1838 in Frankrijk uitgegeven en in 1845 vertaald in het Engels. Zijn ideeën waren een tiental jaren eerder in Engeland geïntroduceerd in James Cowles Prichard, *A Treatise on Insanity and Other Disorders Affecting the Mind* (1835). Monomanie kon iedereen treffen, hoe gezond van geest men ook mocht lijken, schreef Esquirol, en het kon even makkelijk weer verdwijnen als het was opgedoken. Vooral slimme en onderzoekende mensen waren vatbaar: 'Hoe verder het begrip is ontwikkeld, en hoe actiever de geest wordt, hoe meer men voor monomanie moet vrezen.'

177 [...] erotomanie was een stoornis [...]: 'Erotomanie is het resultaat van een geprikkelde verbeelding,' verklaarde James Copland in *A Dictionary of Practical Medicine* (1858), 'die niet wordt beperkt door de krachten van het begrip; satyriasis en nymfomanie komen voort uit de plaatselijke irritatie van de seksuele organen, hetgeen terugwerkt op de hersenen en hartstocht wekt voorbij de beperkingen van de rede.' Volgens de Schotse psycholoog sir Alexander Morison openbaarde erotomanie zich in 'rusteloosheid, melancholie en zwijgzaamheid'; hij zag dat een lijdster 'voortdurend de naam van haar object van liefde schreef op papier, op de muren van de

kamer of op de grond'. Zie Morison, *Outlines of Lectures on the Nature, Causes, and Treatment of Insanity* (1848).

177 Nymfomane vrouwen [...] overmand door verlangen: Horatio Storer, 'Cases of Nymphomania' in *American Journal of Medical Science*, deel 32 (1856), aangehaald in Groneman, 'Nymphomania: the Historical Construction of Female Sexuality'.

178 'Ze kunnen naast elkaar bestaan, [...] in het hoofd': Zie Daniel H. Tuke, 'On the Various Forms of Mental Disorder' in *The Asylum Journal of Mental Science*, deel 19 (1857).

178 Vooral oudere vrouwen [...]: Zie Mary Poovey, *Uneven Developments: the Ideological Work of Gender in Mid-Victorian England* (1988). De zinsnede 'overtollige vrouwen' stamt uit W.R. Greg, 'Why are Women Redundant?' in de *National Review*, april 1862.

178 De 'overtollige vrouwen' [...]: Zie Tilt, *The Change of Life*.

178 Hoewel dr. William Acton in 1857 zijn beroemde uitspraak deed [...]: In Acton, *Functions and Disorders of the Reproductive Organs*. In een latere druk, die werd uitgegeven in 1862, leek Acton zijn standpunten ten aanzien van de basis van deze en andere echtscheidingszaken (enigszins) te hebben gewijzigd. Hij voegde toe: 'Het is al te waar, geef ik toe, zoals aan de echtscheidingshoven valt waar te nemen, dat er enkele vrouwen zijn die zodanig sterke seksuele verlangens hebben dat ze die van mannen overstijgen, en aanstoot geven wanneer zij zich in het openbaar voordoen. Ik geef natuurlijk het bestaan toe van seksuele prikkeling die uitmondt in nymfomanie, een vorm van krankzinnigheid waar degenen die gewend zijn gestichten te bezoeken volkomen vertrouwd mee zullen zijn; deze trieste uitzonderingen daargelaten, kan men er echter niet aan twijfelen dat seksuele gevoelens bij de vrouw latent zijn en dat het opzettelijke en aanzienlijke prikkeling vereist om ze zelfs maar op te wekken; en áls zij gewekt worden (wat in veel gevallen niet kan) zijn zij zeer bescheiden vergeleken met die van de man.'

179 [...] de achterkant van haar schedel met koud water te douchen: Zie Alexander Morison, *The Physiognomy of Mental Diseases* (1840). Ook de broer van George Combe beweerde stellig dat seksuele stoornissen uit de hersenen voortkwamen: 'de aandoening van de voortplantingsorganen,' schreef Andrew Combe, 'is in het algemeen het effect, en niet de oorzaak van een cerebrale stoornis'. Andrew Combe bestudeerde het werk van Esquirol in Frankrijk in de jaren 1840. 'Remarks on the Nature and Causes of Insanity', in *The Phrenological Journal*, deel 15 (1842).

179 [...] zitbaden, ligbaden en douches: In *A Practical Treatise on Inflammation of the Uterus* merkte Bennet op dat ontsteking van de uterus zich in het bijzonder direct na het baren deed gelden – toen Isabella voor het eerst Kidd raadpleegde. De symptomen, schreef Bennet, omvatten 'zware hoofdpijn, diepe neerslachtigheid van geest en ongegronde verschrikkingen', vaak 'begeleid door waandenkbeelden of hallucinaties, en angst voor krankzinnigheid'.

179 Locock adviseerde het gebruik [...]: In zijn aantekening over amenorroe in de *Cyclopaedia of Practical Medicine* (1833).

179 Een chirurg in Londen [...]: *The Lancet*, 5 juni 1853. In de vroege jaren 1850 voerde de arts Isaac Baker Brown zijn eerste succesvolle clitoridectomie uit op zijn zuster; hij zou in de jaren 1860 berucht worden om deze handelwijze. Zie Ornella Mosucci, 'Clitoridectomy, Circumcision and the Politics of Sexual Pleasure in Mid-Victorian Britain' in *Sexualities in Victorian Britain* (1996), red. Andrew H. Miller en James Eli Adams.

181 'Lieve mevrouw Drysdale,' [...]: Brief IHR aan Lady D, 14 februari 1858.

181 De toon was 'te licht [...] werkelijke gebeurtenissen': Brief GC aan Lady D, 3 maart 1858.

181 Ze smeekte hem: 'sta me bij [...] behouden bleven': Brief IHR aan GC, 21 februari 1858.

182 In zijn antwoord [...] jou & dr. Lane van alle blaam zal zuiveren': Brief GC aan IHR, 23 februari 1858.

183 Dezelfde dag [...] is krankzinnigheid': Brief GC aan EWL, 23 februari 1858.

183 'Het ziet eruit als krankzinnigheid': Brief GC aan HOR, 6 januari 1858.

183 'De vrouw was niet gek [...] als feitelijk gebeurd.': Brief GC aan sir James Clark, 4 januari 1858.

184 'Ik zal mijn antwoord [...] die van de schrijver.': Brief IHR aan GC, 26 februari 1858.

185 Gustave Freytags *Soll und Haben* [...]: De vertaling van mevrouw Malcolm werd gerecenseerd in *The Times* op 31 december 1857.

185 'Hoe had ik ooit kunnen dromen [...] niet hoe dat zou kunnen': Brief IHR aan GC, 26 februari 1858.

187 'Ik heb uw brief, & mijn antwoord daarop [...] & kan dat ook niet': Brief IHR aan GC, 28 februari 1858.

187 Isabella's laatste brief [...] op de rand van waanzin': Brief GC aan EWL, 2 maart 1858.

187 In een brief [...] een 'waanzinnig verslag': Brief GC aan lady D, 3 maart 1858.

187 George Combe geloofde [...]: Combe putte hier uit het werk van zijn broer dr. Andrew Combe, die in *Observations of Mental Derangement* (1831) had gewaarschuwd voor wat er kon gebeuren met vrouwen uit de midden- en hogere klasse die hun energieën niet kwijt konden: 'hun eigen gevoelens en persoonlijke verhoudingen [met anderen] vormen vanzelf de voornaamste objecten van hun overpeinzingen: er wordt over gepiekerd tot alle geestelijke energieën zijn aangetast, verkeerde ideeën over het bestaan en de voorzienigheid komen bij hen op, de fantasie wordt geplaagd door vreemde indrukken, en iedere kleinigheid die in verband staat met het ik wordt opgeblazen tot een object van enorm belang'.

188 [...] zijn vriend William Ivory, een advocaat [...]: Ivory had met George Drysdale op de academie van Edinburgh in de klas gezeten van 1834 tot 1841. Zie *Edinburgh Academy Register 1824–1914* (1914).

188 [...] professor John Hughes Bennett [...]: Brief GC aan EWL, 29 februari 1858. Er is ruimte voor verwarring tussen de Bennett van wie Combe hoopte dat hij in de rechtszaal zou verschijnen, en de Bennet die verscheen als getuige-deskundige. De juridische verslagen spellen de naam van de getuige als 'Bennet' en beschrijven hem slechts als MD, niet als hoogleraar, zodat hij geïdentificeerd kan worden als James Henry Bennet, de Londense arts die gespecialiseerd was in vrouwenziekten, en niet als John Hughes Bennett, de dokter en lector uit Edinburgh op wie Combe zinspeelde. De twee mannen kenden elkaar waarschijnlijk wel – in zijn boek over ontstekingen van de uterus verwijst J.H. Bennet met bewondering naar het werk van J.H. Bennett over kanker van de baarmoeder.

188 'een bizar, ijdel wezen [...] alsof het feiten waren': Brief EWL aan GC, 13 april 1858.

188 [...] (ze waren alle drie *speculumisers*) [...]: In *The Elements of Social Science* (1861) prees George 'Bennetts [sic]' werk over ontsteking van de baarmoeder en beval hij diens gebruik van het speculum aan.

188 [...] patiënt van de homeopaat John Drysdale: Kidds necrologie in *British Medical Journal*. John Drysdale behandelde Kidd in de vroege jaren 1850 in Liverpool en raadde hem aan regelmatig vrij te nemen van zijn werk.

189 [...] 'lezen als een verslag van gebeurtenissen [...] onschuldige persoon': Brief RC aan Cecilia Combe, 26 februari 1858.

189 'Als je dat Journaal had gelezen' [...]: Brief RC aan GC, 2 maart 1858. Hij maakt een toespeling op de waarschuwing van Christus in het Evangelie naar Mattheus: 'Wie met begeerte naar een vrouw ziet, heeft reeds overspel met haar gepleegd in zijn hart'.

189 'of vrede [...] een zee van onzekerheid': Brief EWL aan GC, 16 maart 1858.

189 [...] 'volstrekt ontoegankelijk was & vastbesloten' [...]: Brief EWL aan GC, 25 maart 1858.

189 [...] 'overduidelijk dat hij niet [...] volslagen fanaticus': Brief EWL aan GC, 28 maart 1858.

11 Een diepe poel vol gif

190 [...] de hitte in Londen [...]: Details van het weer uit *The Annual Register 1858* (1859).

190 Hij was 'verpestend [...]: Zie *The Morning Post*, 20 juni 1858.

190 [...] 'een diepe poel vol gif [...]: Zie *Illustrated London News*, 19 juni 1858.

190 In de rechtszalen van Westminster [...]: Zie *Annual Register* 1858. Een advocaat in de belastingrechtbank vroeg de rechter of men van het dragen van zijn pruik kon worden ontheven.

191 Wanneer een vrouw een scheiding aanvroeg [...] achter haar rug om': Zie John Fraser Macqueen, *A Practical Treatise on Divorce and Matrimonial Jurisdiction* (1858).

194 Bij het formuleren van de nieuwe wet [...]: Zie Stone, *Road to Divorce* (1990), p. 322.

195 Op 21 juni [...]: Verslag van Curtis vs Curtis uit echtscheidingspapieren in NA, J77/8/4, Swabey en Tristram, *Reports* en, met betrekking tot de procesgang op de kanselarij, uit de *Law Times*, 24 september 1859.

195 Fanny's vader [...]: Toen hij later procureur-generaal was in Gibraltar bracht Fanny's vader, Frederick Solly Flood, de complottheorieën over de *Mary Celeste* in de wereld, een verlaten koopvaardijschip dat in 1872 duizend kilometer ten westen van Portugal op zee was gevonden. In het viceadmiraliteitshof van Gibraltar weigerde Solly Flood een onschuldige verklaring voor het verlaten van het schip te steunen. In plaats daarvan opperde hij dat de bemanning had gemuit en de kapitein en diens gezin had vermoord; of dat de kapitein de bemanning had vermoord en het schip in handen van een medesamenzweerder had gespeeld om de beloning voor het terugvinden van een verlaten vaartuig op te strijken; of

dat de bemanning van een ander schip iedereen aan boord had vermoord om de bergingspremie op te kunnen eisen. De rechtbank vond voor geen van deze ideeën bewijs en concludeerde dat het schip was verlaten omdat het zinkende was en dat de bemanning vervolgens op zee was omgekomen. Niettemin werden de theorieen van Solly Flood legendarisch, met name door Arthur Conan Doyles korte verhaal 'J. Habakuk Jephson's Statement' (1884). Zie Bob Solly's 'Solly-Flood Family Notes' in *Soul Search*, het periodiek van The Sole Society, november 1999.

195 [...] voerde John Curtis onder meer Forbes Winslow op als getuige [...]: Volgens *The Times*, 21 mei 1858.

198 De wet op de voogdij over minderjarigen [...]: Zie Ann Sumner Holmes, 'The Double Standard in the English Divorce Laws, 1857–1923', in *Law and Social Inquiry*, deel 20 (1995).

199 Kindersley verwierp Fanny's verzoek [...]: Ondanks deze uitspraak woonden alle drie de kinderen Curtis volgens de volkstelling van 1861 met hun moeder in Lyme Regis in Dorset, terwijl hun vader alleen woonde in een huis achter de National Portrait Gallery in Londen. Twintig jaar later was mevrouw Curtis verhuisd naar een huis onder de rots in Dover, dat zij deelde met haar twee dochters, die op de kunstacademie zaten en nu zevenentwintig en tweeëndertig waren. Fanny Curtis stierf in 1896 in Dover, eenenzeventig jaar oud.

199 In mei 1858 [...] de onsterfelijkheid van de ziel [...]: Brief EWL aan GC, 17 mei 1858.

199 [...] 'mijn reputatie verwoesten [...] onzedelijk uit naar voren?: Brieven GC aan EWL, 17 en 22 mei 1858.

200 [...] 'vanaf het begin sterk doordrongen waren' [...]: Brief EWL aan GC, 30 juni 1858.

201 De *Examiner* [...] geen spreekrecht had toegekend: Zie *Examiner*, 26 juni 1858.

201 [...] dat 'Mevrouw Robinson waanzinnig was [...]: Brief van Charles Mackay aan GC, 21 juni 1858. Mackay was de auteur van *Extraordinary Popular Delusions and the Madness of Crowds* (1841), dat collectieve fantasieën verkende die alle mogelijke gevolgen konden hebben; van economische zeepbellen tot heksenjachten. 'Mensen, heeft men wel gezegd, denken in kuddes,' schreef hij; 'wij zullen zien dat zij in kuddes waanzinnig worden, waar zij slechts langzaam weer bij zinnen komen en dat een voor een'.

201 'Iedereen wie ik ernaar heb gevraagd [...]: Brief CD aan William D.

Fox, 24 juni 1854. Darwin was zelf ten prooi aan persoonlijke en professionele crises: hij had net gehoord dat er een essay bestond dat zijn theorie van natuurlijke selectie vóór dreigde te zijn; bovendien was zijn jongste zoon ernstig ziek. Op 1 juli presenteerden zijn vrienden zijn theorie voor het eerst in het openbaar op een vergadering van de Linnean Society in Londen. Darwin zelf kon er niet bij zijn omdat zijn zoontje Charles Waring Darwin de dag daarvoor gestorven was.

202 'Het doet me zeer veel leed [...]: Brief CD aan William D. Fox, 27 juni 1858.

202 Edward vroeg Combe [...]: Brief EWL aan GC, 30 juni 1858.

202 Zijn naam was 'door het slijk gehaald [...]: Brief EWL aan Thomas Jameson Torrie, 25 juni 1858, aangehaald in Benn, *Predicaments of Love*, p. 242.

202 De *Daily News* eiste [...]: Zie *Daily News*, 25 juni 1858.

202 [...] 'is niemand meer veilig [...] te gronde worden gericht': Zie *Observer*, 20 juni 1858.

202 'Dokter Lane is een onschuldige en gekwetste man': Zie *The Morning Post*, 8 juli 1858.

203 [...] 'kon iedere collega met "krullen [...]: Zie *British Medical Journal*, 10 juli 1858.

203 Zowel de briefroman van Rousseau [...]: Rousseaus moderne Héloïse verleidde haar minnaar in een *bosquet*, een prieel of een bosje, net als Isabella in haar dagboek. Popes Eloisa leek trouw te blijven aan een succubus, net als Isabella in haar dromen: 'Ik hoor u, zie u, staar naar al uw charmen, / En rond uw geestverschijning klampen zich mijn armen'.

203 'Het dagboek vonnist zichzelf [...]: Zie *Saturday Review*, 26 juni 1858.

204 'Nimmer, o nimmer zal ik die verrukkelijke extase vergeten [...]: Besproken in Marcus' *The Other Victorians*, pp. 197–216.

205 [...] gloeiden van prikkelend vuur': Zie *Fanny Hill: Memoirs of a Woman of Pleasure* (Wordsworth Editions, 2000), p. 31. Zie Peter Gays schets van de pornografie van Holywell Street in *Education of the Senses: the Bourgeois Experience, Victoria to Freud*, deel I (1984).

205 Wekenlang braakten de kranten [...]: Zie *Saturday Review*, 26 juni 1858: 'een man heeft moreel zomin als juridisch, naar wij denken, een groter recht de publieke moraal te corrumperen door de verspreiding van dergelijke geschriften te vergroten dan door ze te scheppen.' In *Novels and Novelists of the Eighteenth Century* (1871)

vergeleek William Forsyth – Edward Lanes raadsman – de 'ver-
vuilende details' in de krantenartikelen over de voortgang van de
zaak in het echtscheidingshof met de losbandige passages in acht-
tiende-eeuwse romans; hij verweet redacteuren dat ze 'deze toon
van vulgariteit, nu deze uit de fictie was verdreven, een thuis boden
op hun bladzijden'.

205 John George Phillimore [...] een druppel Engels bloed klopt': Zie
Phillimore, *The Divorce Court: Its Evils and the Remedy* (1859), p.
71, waar hij opmerkt dat Isabella een 'ziekelijke opwinding gevoel-
de in de verlustiging om de verzamelde bewijzen van haar eigen
losbandigheid'.

205 In 1857 had de regering [...]: Palmerston had al langer de reputatie
van een rokkenjager. Hij hield zijn seksuele wapenfeiten bij in een
zakboekje. Zie David Steeles aantekening in de ODNB.

206 'De algemene wet die vraag en aanbod reguleert [...]: Waarschijnlijk werden zij allebei opgesteld door de Victoriaanse essayist en advocaat James Fitzjames Stephen, die vaker tekeerging tegen de
sentimentele excessen in Dickens' verhalen. In het licht van de geruchten ter zake van Dickens' privéleven kregen Stephens aanvallen op zijn literaire onoprechtheid een scherp kantje.

206 'Blokkeer het ene kanaal [...]: 'Vadertje Theems heeft een concur-
rent,' schreef 'Ouwe vrijgezel' in een anoniem pamflet dat in 1859 of
1860 werd uitgegeven: 'de drijvende rotzooi die zich ophoopt in zijn
eerbiedwaardige boezem is niet zo verderfelijk als het gif dat dagelijks verspreid wordt met steun van onze christelijke wetgeving. En
waar hebben we dat schandaal aan te danken? Aan onszelf – aan onze inschikkelijke moraal – aan de manier waarop we onze vrouwen
opvoeden – aan de schrikwekkende losbandigheid die we hun toe-
staan.' Geciteerd in Leckie, *Culture and Adultery* (1999), p. 71.

206 'De doodsketel staat te zieden [...] Theems te zuiveren': Zie *Illustrated London News*, 26 juni 1858.

206 George en Cecy Combe [...]: Brief GC aan EWL, 2 juni 1858.

206 Tijdens hun verblijf [...]: Jane Welsh Carlyle aan Thomas Carlyle,
27 juni 1858, Carlyle-brieven, carlyleletters.dukejournals.org.

206 Nadat het proces in juli was verdaagd [...] hen had belast: GC's dagboek, 12 juli 1858.

207 Bertie was 'zeer vooruitgegaan,' [...] onze beschaving.': Brief GC
aan sir James Clark, 12 augustus 1858.

207 Als het amendement op de echtscheidingswet [...]: Brief J.B. Ste-
wart aan GC, 3 juli 1858.

207 'Mijn lieve Cecy verjaart vandaag [...] dan zijn hele familie.': GC's journaal, 25 juli–14 augustus 1858 en Charles Gibbon, *The Life of George Combe, the Author of 'The Constitution of Man'* (1878).

208 Op 15 augustus scheidden [...]: Zie Stack, *Queen Victoria's Skull*, p. 2.

12 De uitspraak

209 Bovill leek een goedmoedige [...]: Zie albuminedruk van Bovill in de NPG en *The Reminiscence of Sir Henry Hawkins, Baron Brampton*, deel II (1904), red. Richard Harris.

213 Snel en monotoon [...]: E.H. Coleridge, *The Life and Correspondence of John Duke Coleridge: Lord Chief Justice of England* (1904).

215 [...] dan had ze hem kunnen doen getuigen: De kwestie of Lane voor de kerkelijke rechtbank had kunnen verschijnen, was aanleiding tot enige verwarring. In *The Times* werd vermeld dat Cockburn zei dat hij 'kon zijn ondervraagd' uit eigen beweging, maar dat was een drukfout: Cockburn zei feitelijk dat Lane niet vrijwillig kon getuigen. Lanes advocaten wezen de krant daarop in een brief van 29 november.

218 [...] 'onzin in een opschrijfboekje' [...]: Zie *Daily Telegraph*, 17 juni 1858.

218 'Niemand die haar journaal leest [...] ': Zie *Daily Telegraph*, 24 november 1858.

219 In de krant verschenen tevens gedetailleerde verslagen [...]: Zie Nicholas Hervey, 'Advocacy or Folly: the Alleged Lunatics' Friend Society, 1845–63' in *Medical History*, deel 30 (1986). In augustus 1858 probeerde Charles Dickens zijn gehavende reputatie te herstellen middels een brief die in Engelse en Amerikaanse kranten werd afgedrukt en waarin hij over zijn vervreemde echtgenote Catherine schreef dat ze aan een 'geestelijke stoornis' leed.

219 [...] een reeks lastige zaken [...]: Verslagen van zaken uit Swabey en Tristram, *Reports* en artikelen in *The Times* en de *Daily News*.

220 De *Saturday Review* veroordeelde deze gang van zaken [...]: *Saturday Review*, 4 december 1858. Vergoelijken en door de vingers zien sloten een scheiding nog een eeuw lang uit. Om een scheiding te verkrijgen moest een 'onschuldige' man of vrouw de schuld aantonen van zijn/haar echtgeno(o)t(e); het bewijs bestond vaak uit in scène gezette rendez-vous' in hotelkamers. In 1969 opende een wet de deur naar echtscheiding met wederzijdse instemming.

221 Een week later vroeg koningin Victoria [...]: Zie *Letters of Queen Victoria: a Selection from Her Majesty's Correspondence between the*

Years 1837 and 1861 (1907), geciteerd in het *Report of Royal Commission on Divorce and Matrimonial Causes* (1912).

222 In een uitspraak die de kranten kenschetsten [...]: John Thom wees *The Times* er op 5 maart 1859 op dat Cockburn verkeerd was geciteerd: 'men doet het voorkomen alsof de edelachtbare heer heeft gezegd dat mevrouw Robinson "aan" mij schreef in de meest hartstochtelijke bewoordingen, en dat "hij een gevoelige snaar heeft geraakt" &c. Dit is een vergissing. Mevrouw Robinson heeft mij nooit op die wijze aangesproken. Wellicht heeft zij in die termen "over" mij in haar dagboek geschreven, wat iets anders is.'

223 De rechters achtten niet bewezen [...]: Forbes Winslow bracht in het *Journal of Psychological Medicine and Mental Pathology*, deel 12 (1859), zijn irritatie onder woorden over het feit dat Cockburn alle medische getuigenissen had verworpen en de ongegronde bewering had gedaan dat van seks bezetenen altijd anderen vertelden over hun obsessies.

224 Dergelijke aantekeningen konden moeilijk worden opgevat [...]: Na de uitgave van anonieme erotische memoires in de jaren 1880, getiteld *My Secret Life*, vroegen velen zich af of het om feiten ging of om fantasieën. Degenen die beweerden dat het authentiek was, wezen op de herhaalde wereldse details in het boek en op scènes waarin de auteur zijn seksuele feilen en teleurstellingen te boek stelde. Zie Marcus, *The Other Victorians*.

225 Nadat Cockburn zijn vonnis had uitgesproken [...] vergoedingen voor de getuigen: IHR's verzoek aan de commissie van beroep van het Hogerhuis, 6 juni 1861, HLA. Voor de vergoedingen, zie *A Handy Book on the New Law of Divorce and Matrimonial Causes* (1860).

226 'het volstaat om te stellen [...] het gesprek van de dag was': Zie de *Examiner*, 5 maart 1859.

226 De *Medical Times & Gazette* [...]: In het nummer van 12 maart 1859.

226 'niets kon zo duidelijk zijn [...] geheel krankzinnig was': Opgenomen in John Paget, *Paradoxes and Puzzles* (1874). Zelfs in 1910 schreef advocaat H.E. Fenn in zijn memoires dat het echtscheidingshof de bekentenis van overspel van een vrouw altijd 'met ernstige achterdocht bekeek, en er in geen geval naar handelde zonder volledige bevestiging, en met recht, want wie zou anders veilig zijn voor de uitingen van een hysterische vrouw? (...) Er is geen twijfel aan dat sommige vrouwen "romantiseren", in het bijzonder wanneer zij een zenuwachtige instelling hebben en zich gebeurtenissen

voorstellen waar zij bepaald geen bezwaar tegen zouden hebben indien zij zich werkelijk voordeden.'

229 [...] haar Zittingen achter gesloten Deuren houden': In 1860 werden vrouwen hoe dan ook gewoonlijk buiten de rechtszaal gehouden, tenzij zij als getuige verschenen: 'Divorce a Vinculo', *Once a Week*.

13 In dromen die zich niet laten bezweren

230 'Tot mijn genoegen kan ik zeggen [...] regelmatig nieuwe bij': Brief CD aan William Fox, 12 februari 1859.

230 *Hydropathy; or, the Natural System of Medical Treatment: an Explanatory Essay*: In het gevestigde medische tijdschrift *The Lancet* werd het afgedaan als 'niet bijzonder nieuw of knap', en louter een voorbeeld van een hydrotherapeut 'die zijn waren aanprijst'; in de *Living Age* werd het verwelkomd als 'verlicht en geschikt (...) beslist het helderste en meest rationele exposé [over de waterkuur] tot nu toe'. Combe en Darwin bevalen hun vrienden het boek aan: Combe vond het 'rationeel & wetenschappelijk'; Darwin constateerde dat het 'zeer goed [was] & de moeite van het lezen waard'. Lane stuurde ook een exemplaar naar Dickens. Die was iets minder enthousiast en antwoordde met een bedankbriefje voor 'je boekje'.

231 'de Liefde van mijn jeugd [...] wat hij verstaat onder lichamelijk' [...]: Brief van Catherine Crowe aan Helen Brown, 25 januari 1861, Crowe Collection, F191822.

231 [...] besloot hij zelf echter eveneens te emigreren: Brief van Mary Butler aan CD, december 1862.

231 [...] ging in 1863 scheep naar Queensland: Brief van J.P. Thom aan CD, 14 januari 1863.

232 [...] vanwege 'bepaalde familieomstandigheden': Afschrift van het testament van Elizabeth Drysdale (gedateerd 14 mei 1887), Edward Wickstead Lane (30 oktober 1889) en Margaret Mary Lane, geboren Drysdale (15 augustus 1891). Lady Drysdale stierf in Harley Street, Edward in Boulogne en Mary in Connaught Square, vlak bij Hyde Park.

232 Charles werd woordvoerder [...]: Hij was getuige à décharge toen Annie Besant en Charles Bradlaugh werden vervolgd wegens obsceniteit na de publicatie van een boek over geboortebeperking in 1877. Ondanks zijn pogingen werden de twee veroordeeld wegens verspreiding van materialen 'in staat tot ontaarding en besmet-

ting', een methode ter vaststelling van obsceniteit die in 1868 bedacht werd door sir Alexander Cockburn en nog steeds wordt toegepast.

232 Charles kreeg twee zoons met Alice Vickery [...]: Hun zoons heetten Charles Vickery Drysdale en George Vickery Drysdale.

232 George deelde in Bournemouth [...] Charles overleed drie jaar later: Testamenten van George Drysdale (echtheid vastgesteld 10 december 1904) en George Drysdale (idem 21 december 1907). Ze stierven allebei in hetzelfde huis in West Dulwich in Surrey. Susannah Hamilton Spring komt voor in de volkstellingen van 1891 en 1901.

232 Toen hij in juli 1863 na een val van zijn paard overleed [...]: Zie aantekening van Joshua S. Getzler in de ODNB.

233 [...] 'een van de grootste sociale omwentelingen [...]': *The Times*, 28 mei 1867.

233 Koningin Victoria was ervan overtuigd [...] een actrice in Ierland: Zie Christopher Hibbert, *Queen Victoria: a Personal History* (2000), p. 299.

234 [...] dat de oorzaak [...] toch fysiologisch was: In 1854 beschreef de Franse zenuwarts Jean-Pierre Falret een vorm van manie die hij 'la folie circulaire' noemde; dit was de eerste keer dat de ziekte die nu bekendstaat als manisch-depressiviteit of bipolaire stoornis werd vastgesteld. In manische tijden konden de lijders een verhoogde seksuele drift ervaren, schreef Falret, in combinatie met de waan dat het object van hun begeerte dezelfde gevoelens koesterde; somtijds zochten zij seks met roekeloze ongedwongenheid. In een toestand van depressie waren zij onderworpen aan diep melancholieke, of zelfs suïcidale gevoelens. Falret liet zien dat slachtoffers van deze zich herhalende waanzin vaak normale mensen leken: ze leden niet aan storingen in hun gedachtegangen en hun extreme buien werden vaak onderbroken door lucide tussenpozen. Deze symptomen kwamen overeen met de gewaarwordingen 'waanzinnig' en vervolgens 'verpletterd' te zijn, die Isabella in haar dagboek beschreef. Hoewel de artsen die getuigden in het proces Robinson waarschijnlijk van Falrets ontdekkingen op de hoogte waren (er werd in 1854 door de Engelse medische pers over geschreven), vormde zijn theorie geen ondersteuning voor Isabella's krankzinnigheid: een slachtoffer van 'la folie circulaire' zou seksuele bedoelingen verkeerd kunnen begrijpen, maar het was onwaarschijnlijk dat ze hallucinaties had van seksuele handelingen.

235 Dinah Mulock [...] *A Life for a Life* [...]: Volgens Sally Mitchells *Dinah Mulock Craik* (1983) waren *A Life for a Life* en George Eliots *Adam Bede* in 1859 de meest uitgeleende bibliotheekboeken. Dinah Mulock trouwde in 1865 met George Lillie Craik, de neef van Georgiana Craik; zij was toen veertig en hij vijfentwintig.

235 [...] *sensation novels* uit de jaren 1860: De verteller van *The Serpent on the Hearth: a Mystery of the New Divorce Court* (1860), bijvoorbeeld, kon er niets aan doen dat hij 'stil bleef staan bij het verleden (...) zelfs al ligt er een kwelling in dat verleden, er zit voor mij toch een heerlijke verrukking in, en een genot dat ik steeds opnieuw kan oproepen, uitsluitend door dit mysterie op te schrijven'.

235 'Het is vreemd,' [...] meest onvrouwelijk is': Zie E.S. Dallas, *The Gay Science* (1866).

235 [...] boeken over 'verloren vrouwen' [...] worden gelegd': Dinah Mulocks 'To Novelists – and a Novelist', een beschouwing van George Eliots *The Mill on the Floss* in *Macmillan's Magazine*, 1861.

236 [...] 'overspelig in de geest': HOR's antwoord van 1 februari 1862 in NA, J77/44/R4.

236 [...] tekende in 1859 bij het Hogerhuis beroep aan [...]: Notulen van de commissie van beroep van het Hogerhuis, 25 juni 1860, en HOR's verzoek tot intrekking van het beroep, 3 juni 1861, HLA.

237 Toen hem werd gelast [...] in Noord-Amerika: HOR's dupliek van 14 april 1862, in NA, J77/44/R4.

237 [...] 'kleine Kinderen & hun goede Leraren [...]': Brief van Bridget Curwen Walker aan haar kleinzoon Thomas Walker, 3 januari 1859, privécollectie (Ruth Walker).

237 Toen Bridget in mei van datzelfde jaar stierf [...]: Testament van Bridget Christian Walker, echtheid vastgesteld op 28 mei 1859.

237 [...] viel het landgoed Ashford Court toe aan Frederick: Toen Frederick in 1880 op zijn zevenenvijftigste stierf, werd de waarde van het goed geschat op 41.000 pond. Het ging over op John Walker, Isabella's oudste broer, en zijn zoon, die het vervolgens vervreemdde en verkocht. Frederick liet een weduwe achter, Henrietta. Hun twee kinderen, Isabella en Frederick, waren al gestorven voor hij zelf overleed.

237 Henry bleef erbij [...]: HOR's antwoord van 17 april 1858 aan de kanselarij en zijn antwoord van 1 februari 1862 in NA, J77/44/R4.

237 Ze bleef Alfred onderhouden [...]: Papieren in NA, J77/44/R4, en volkstelling van 1861.

238 [...] onder voorwaarde dat hij haar de dividenden zou betalen [...]:

HOR's antwoord van 1 februari 1862 en IHR's antwoord van 4 maart 1862 in NA, J77/44/R4.

238 [...] in 1861 had ze pas 100 pond weten te betalen [...]: IHR's verzoek aan de commissie van beroep van het Hogerhuis, 6 juni 1861, HLA.

238 [...] verkocht Henry Balmore House [...]: HOR's dupliek van 14 april 1862, in NA, J77/44/R4. Henry beschreef het pand aan Talbot Square – een herenhuis van vier verdiepingen – als een 'klein huis' dat hij moest opgeven vanwege zijn zakelijke verliezen. In de herfst van 1861 woonde hij er volgens de volkstelling met Otway, Stanley, drie bedienden en twee van zijn nichten. Volgens de dupliek kostte het huis in Park Street 84 pond per jaar.

238 Otway kwam [...] van Tonbridge School [...]: Zie *Register of Tonbridge School* (1893).

238 [...] 'niettegenstaande en in weerwil' [...]: HOR's dupliek van 14 april 1862, in NA, J77/44/R4.

238 In 1863, zeven jaar [...] in het Grosvenor Hotel: HOR's verzoek aan het Hof voor echtscheiding en huwelijkse zaken, 2 november 1863, bezworen in Parijs bij de Engelse consul en een week later opnieuw bezworen in Londen alvorens te worden ingediend op 10 november, processen-verbaal Robinson vs Robinson & Le Petit. Beide documenten in NA, J77/44/R4.

238 Het prachtige Victoria Hotel [...]: Zie John Henry Sherburne, *The Tourist's Guide; or Pencillings in England and on the Continent* (1847).

238 [...] 'stijgende kamer' [...]: T.C. Barker en M. Robbins, *A History of London Transport* (1963).

238 [...] op 3 november 1864 ontbonden: Proces-verbaal, Robinson vs Robinson & Le Petit, NA, J77/44/R4.

239 De minnaar met wie [...]: HOR's verzoek aan het Hof voor echtscheiding en huwelijkse zaken, 2 november 1863, in NA, J77/44/R4.

239 [...] de zoon van een Ierse edelman [...]: Lord Rossmore, *Things I Can Tell* (1912).

239 [...] een inspectie van plaatselijke lagere scholen: Zie *Memoires de la Société académique de l'arrondissement de Boulogne-sur-Mer* (1880).

239 In mei 1865 huwde hij [...]: Huwelijksbericht in de *Belfast Newsletter*, 4 mei 1865. De ceremonie had plaats in St Stephen's Church.

239 [...] mannen die dat jaar hertrouwden: Zie *Annual Reports of the Register-General of the Births, Deaths and Marriages in England* (HMSO, 1878–1902).

239 Nadat hij begin jaren 1860 een bedrijf had opgericht [...]: Details van de pakketbotenonderneming in J. Forbes Munro, *Maritime Enterprise and Empire* (2003).

239 Henry brak zijn belofte [...]: In een brief van Tom Waters' zuster Amy aan hun zuster Lucy van 19 juni 1864, waarin Henry's gedrag wordt beschreven als 'uiterst beschamend', WG 9/6. Deze brief en alle volgende correspondentie tussen leden van de familie Waters uit Williams/Gray Papers, Tairawhiti Museum and Art Gallery, Gisborne, Nieuw-Zeeland.

239 Anders dan de zachtmoedige Albert [...]: Toen de volkstelling van 1871 werd gehouden, verbleef Albert in Westbourne Park met zijn negenentachtigjarige vader, nu weduwnaar. In 1881 kuurde Alberts vrouw Julia met haar kinderen Alice en Hubert in Great Malvern.

239 [...] 'zal HOR zich geen enkele moeite geven [...]: Brief van Helena Waters (geboren Robinson) aan haar dochter Lucy, 19 juni 1864, WG 9/6.

239 Onder elkaar [...] 'de Turk': In brieven van Helena aan haar dochter Lucy Waters, 31 december 1868, en uit Carry Cowan aan haar zuster Lucy Waters, begin 1864. Carry voegde toe dat Henry juist was teruggekeerd van een reisje naar de Oost, 'zeer zalvend (...) & zeer grijze & geheimzinnige oude ezel', WG 9/6. Over Albert daarentegen spraken diens nichtjes met sympathie: 'lieve Albert'. Zijn zuster Helena en hij waren lid van Plymouth Brethren, een evangelische christelijke sekte die in de jaren 1820 in Dublin was opgericht; en Albert was hoofdonderhandelaar toen de firma Robinson overeenkwam tegen kostprijs een graanmolen te bouwen voor de armelui van Hereford (zie Jean O'Donnell, *John Venn and the Friends of the Hereford Poor*, 2007).

239 [...] Stanley 'heel graag weer bij ons [schijnt] te komen [...]: Brief van Helena Waters aan Lucy Waters, 23 november 1863, WG 9/6.

240 'Stanley is naar zijn ouwe heer [...] onhandelbaar': Brief van Helena Waters aan Lucy Waters, 25 december 1863, WG 9/6.

240 Henry haalde Stanley [...]: Zie *Register of Tonbridge School* (1893) en het *Edinburgh Academy Register*, waarin vermeld wordt dat Stanley de school bezocht van 1864 tot 1866.

240 Rond 1868 verhuisde Henry [...]: Volgens de *Scottish Commercial List* is HOR in 1869 in Glasgow.

240 In 1869 patenteerde hij [...]: Het patent wordt vermeld in *Chronological Index of Patents* (1869).

240 [...] 'ze schrijft prachtige brieven! [...] interessant vinden': Waters gezinsdagboek, 13 april 1870, WG 10/7.

240 'Mevrouw Robinson [...] naar het Station gebracht': Waters gezinsdagboek, 4 april 1870, WG 10/7.

240 Op een tegenbezoek in Frant [...]: Waters gezinsdagboek, 7 april 1870, WG 10/7.

241 In 1874 trouwde Alfred, toen drieëndertig [...]: Volgens de trouwakte woonden bruid en bruidegom allebei in Rupert Street, Westminster toen ze op 21 september 1874 trouwden.

241 [...] die in de jaren 1860 in de katoen had gerommeld [...]: Volgens de *London Gazette*, 24 augustus 1867, trekt Otway zich terug uit een katoenhandel in Liverpool.

241 [...] bij de koopvaardij zat: Otway ontving op 19 februari 1873 in Londen zijn kapiteinsdiploma, volgens Lloyd's Captains' Registers 1851–1947, NA, ref BT 122/86.

241 Alfred als eerste machinist: Zie bijvoorbeeld de volkstelling van 1871, waarin Otway vermeld staat als kapitein van een schip dat in Cardiff in dok ligt, en Hamilton als eerste machinist. Otway is kapitein van de *Frascati* wanneer die in 1875 in Bute in dok ligt, volgens de *The Western Mail* van 15 juni van dat jaar.

241 'Hij is een nogal afgeleefde oude man [...] zijn geheugen kwijt': Brief van Lucy Gray (geboren Waters) aan haar man Charles, 12 maart 1876, WG 9/3.

241 'Hij kon diens idiote [...] ': Brief van Lucy Gray aan haar zuster Adelaide, ongeveer mei 1877, WG 10/2.

241 [...] 'arme "Marietje"' [...]: Brief van Helena Waters aan Lucy Waters, 31 december 1868, WG 9/6.

241 [...] schonk haar echtgenoot drie zoons: Oliver, geboren in 1867, werd scheepsarts; Arthur, geboren in 1871, werd scheepstimmerman, en Ernest, geboren in 1877, werd scheepsbouwkundig ingenieur. Zie de volkstellingen van 1871, 1881 en 1891.

241 [...] een huis in Bromley in Kent dat Fairlight heette: Volgens akten in de openbare bibliotheek van Bromley kocht Isabella begin jaren 1870 van Dorothea Tweedy of Belvedere een huis en land op de hoek van Newman Road en Tweedy Road in Bromley; begin jaren 1880 verkocht ze delen van het land.

241 Flauberts Emma Bovary [...]: De citaten uit *Madame Bovary* in dit boek zijn afkomstig uit de eerste Engelse vertaling van Karl Marx' dochter Eleanor, die verscheen in 1886, een jaar voor de dood van Isabella Robinson. In 1898 pleegde Eleanor zelfmoord met cyaan-

kali toen ze had ontdekt dat haar minnaar, de atheïst Edward Aveling, getrouwd was met een jonge actrice.

241 Op 20 september 1887 [...]: Volgens haar overlijdensakte stierf Isabella aan algemene pyaemia, een vaak dodelijke vorm van bloedvergiftiging, drie dagen nadat een etterend abces op haar duim was aangetroffen.

241 In december daarop [...]: Henry stierf op 12 december 1887 op 84 Upper Leeson Street in Dublin. Zie 'Calendars of Probate and Administration', Dublin.

242 [...] 'Engeland zat was' [...]: *Time magazine*, 14 april 1930. Otways testament werd tevergeefs aangevochten door zijn broer Alfred; zie NA, TS27/794.

Epiloog – Gunt u zich tijd voor mededogen?

244 'Verzoek [...] alleen al volstaan': Brief EWL aan GC, 13 april 1858.

BEKNOPTE BIBLIOGRAFIE

Ongepubliceerde bronnen

Hof voor echtscheiding en huwelijkse zaken, dossier J77/44/R4, bevattende papieren van de Robinson-scheiding, NA:

Kanselarij, dossier C15/550/R24, Robinson vs Robinson, NA

George Combes dagboeken over 1856, 1857 en 1858 (MS 7431), NLS

Dagboek van Robert Chambers (Deps 341/30 en 341/33), kasboek van de auteur (Dep 341/289), NLS

Dagboeken en brieven van Henry Robinsons zuster Helena Waters en haar gezin, WG-documenten

Brieven van Mary Drysdale aan Jane Williams, in documenten van de Clyde Company in de Staatsbibliotheek van Tasmanië, Hobart, Tasmanië, Australië

Brieven van Charles en Bridget Walker en Henry Curwen in de Curwen-familiearchieven (nummers DCu/3/31, DCu/3/81 en 3/7), Cumbria-rijksarchief en bibliotheek, Whitehaven, Cumbria

Brieven van William Copland en Mary Drysdale aan John Murray, John Murrayarchief, NLS

Brieven aan en afschriftenboek van George Combe tussen 1850 en 1858: brieven van GC van 1850 tot april 1854 in MS 7392; van april 1854 tot juni 1858 in MS 7393. Brieven aan GC, geciteerd in dit boek, in MS 7350, MS 7365 en MSS 7369–7374, Combe Collection, NLS

Brieven van en aan Catherine Crowe in de Catherine Crowe Collection, Templeman Library, Kent University, Canterbury, Kent

Parochie-archieven van Ashford Carbonel, Hereford-rijksarchief, Hereford, Herefordshire

Parochie-archieven van Ludlow, Salop-rijksarchief, Shrewsbury, Shropshire

Parochie-archieven van St Pancras, London Metropolitan Archives, Londen

Verslagen van het Hogerhuis, HO/PO/JO/9/9/382–448 (17 juni 1859 tot 13 juni 1861); documenten verband houdend met het beroep tegen de uitspraak van het echtscheidingshof, HLA

Gepubliceerde bronnen

Krantenberichten over het Robinson-proces en andere echtscheidingszaken, juni 1858–maart 1859: *Caledonian Mercury, Daily News, Daily Telegraph, The Era, Examiner, Liverpool Mercury, Manchester Times, Morning Chronicle, Morning Post, Nottinghamshire Guardian, Observer, Reynolds's Newspaper, The Times*

Acton, William, *The Functions and Disorders of the Reproductive Organs, in Childhood, Youth, Adult Age, and Advanced Life, Considered in the Physiological, Social, and Moral Relations* (Londen, 1857)

Allan, Janice M., 'Mrs Robinson's "Day-Book of Iniquity": Reading Bodies of/and Evidence in the Context of the 1858 Medical Reform Act', *The Female Body in Medicine and Literature*, red. Andrew Mangan en Greta Depledge (Liverpool, 2011)

The Annual Register 1858 (Londen, 1859)

Anon., *A Handy Book on the New Law of Divorce and Matrimonial Causes* (Londen en Dublin, 1860)

——————'Moor Park, As It Was and Is', *New Monthly Magazine*, deel 104 (mei 1855)

——————'Moor Park Hydropathic Establishment [a Prospectus]' (1856)

——————[Charles Dickens], 'Our French Watering-place', in *Household Words*, deel 10, Nr 12 (4 november 1854)

——————[Marianne Young], *Sketches of the Camp at Aldershot: also Farnham, Waverley Abbey, Moor Park* (Aldershot, 1858)

——————'The Working of the New Divorce Bill', *The English Woman's Journal 1* (1858); 'Act to Amend the Divorce and Matrimonial Causes Act of Last Session'; en 'Matrimonial Divorce Act', *The English Woman's Journal 2* (1859)

——————'The Divorce Court at Work', *Saturday Review* (31 december 1858); en 'A Month in the Divorce Court', *Saturday Review* (8 januari 1859)

——————'Divorce a Vinculo; or, the Terrors of Sir Cresswell Cresswell', *Once a Week* (aanvang zesdelige serie op 25 februari 1860)

Anonyma, *The Serpent on the Hearth: a Mystery of the New Divorce Court* (Londen, 1861)

Arnold, A.J., *Iron Shipbuilding on the Thames, 1832–1915: an Economic and Business History* (Aldershot, 2000)

Auerbach, Nina, 'The Rise of the Fallen Woman', *Nineteenth-Century Fiction*, deel 35, Nr 1 (juni 1980)

Baxter, R.D., *National Income* (Londen, 1868)

Beizer, Janet, *Ventriloquized Bodies: Narratives of Hysteria in Nineteenth-Century France* (Ithaca, 1994)

Bell, Acton [Anne Brontë], *The Tenant of Wildfell Hall* (Londen, 1848)

Bell, Currer [Charlotte Brontë], *Jane Eyre: an Autobiography* (Londen, 1848)

Benn, J. Miriam, *Predicaments of Love* (Londen, 1992)

Bennet, J.H., *A Practical Treatise on Inflammation of the Uterus, Its Cervix, and Appendages, and on Its Connection with Uterine Disease* (derde druk, Londen, 1853)

Berrios, G.E. en Kennedy, N., 'Erotomania: a Conceptual History', *History of Psychiatry*, deel 13, Nr 52 (december 2002)

Black, Adam en Black, Charles, *Black's Guide Through Edinburgh* (Edinburgh, 1851)

Blodgett, Harriet, *Centuries of Private Days: Englishwomen's Private Diaries* (New Brunswick, 1989)

——————'Capacious Hold-All': an Anthology of Englishwomen's Diary Writings* (Charlottesville, 1991)

Bostridge, Mark, *Florence Nightingale: the Woman and Her Legend* (Londen, 2008)

Boyle, Thomas, *Black Swine in the Sewers of Hampstead: Beneath the Surface of Victorian Sensationalism* (New York, 1989)

Braddon, Mary Elizabeth, *The Doctor's Wife* (Londen, 1864)

Bradley, James, Dupree, Margaret en Durie, Alastair, 'Taking the Water-Cure: the Hydropathic Movement in Scotland, 1840–1940', *Business and Economic History*, deel 26, Nr 2 (1997)

Bulwer-Lytton, Edward, *Confessions of a Water Patient* (Londen, 1845)

Bunkers, Suzanne L. en Huff, Cynthia A. (red.), *Inscribing the Daily: Critical Essays on Women's Diaries* (Amherst, 1996)

Carter, Kathryn, 'The Cultural Work of Diaries in Mid-Century Victorian Britain', *Victorian Review*, deel 23, Nr 2 (1997)

Carter, Robert Brudenell, *On the Pathology and Treatment of Hysteria* (Londen, 1853)

Chase, Karen en Levenson, Michael, *The Spectacle of Intimacy: a Public Life for the Victorian Family* (Princeton, 2000)

Collins, Wilkie, 'The Diary of Anne Rodway', *Household Words*, deel 14, Nrs 330–31 (19–26 juli 1856)

——————*The Woman in White* (Londen, 1860)

——————*Armadale* (Londen, 1866)

Colp Jr, Ralph, *Darwin's Illness* (Florida, 2008)

——————'Charles Darwin, dr. Edward Lane, and the "Singular Trial" of Robinson v Robinson & Lane', *Journal of the History of Medicine*, deel 36, Nr 2 (april 1981)

Combe, Andrew, *Observations on Mental Derangement: Being an Application of the Principles of Phrenology to the Elucidation of the Causes, Symptoms, Nature and Treatment of Insanity* (Edinburgh en Londen, 1831)

Combe, George, *The Constitution of Man Considered in Relation to External Objects* (Edinburgh en Londen, 1828)

——————Vertaling uit het Frans van Josef Franz Gall, *On the Functions of the Cerebellum* (Edinburgh en Londen, 1838)

——————*A System of Phrenology* (vijfde druk, Edinburgh en Londen, 1843)

——————*Life and Correspondence of Andrew Combe*, MD (Edinburgh, 1850)

——————*The Relation between Science and Religion* (Edinburgh en Londen, 1857)

Craik, Georgiana, *My First Journal* (Cambridge en Londen, 1860)

Creaton, Heather, red., *Victorian Diaries: the Daily Lives of Victorian Men and Women* (Londen, 2001)

Crowe, Catherine, *The Night Side of Nature; or, Ghosts and Ghost Seers* (Londen, 1848)

Curwen, John F., *A History of the Ancient House of Curwen of Workington in Cumberland* (Kendal, 1928)

Dallas, Eneas Sweetland, *The Gay Science* (Londen, 1866)

Darwin, Charles, *On the Origin of Species by Means of Natural Selection; or The Preservation of Favoured Races in the Struggle for Life* (Londen, 1859)

Dawson, Gowan, *Darwin, Literature, and Victorian Respectability* (Cambridge, 2007)

Delafield, Catherine, *Women's Diaries as Narrative in the Nineteenth-Century Novel* (Farnham, 2009)

Dickens, Charles en Lemon, Mark, *Mr Nightingale's Diary: a Farce in One Act* (Boston, 1877)

Dillon, Brian, *Tormented Hope: Nine Hypochondriac Lives* (Dublin, 2009)

Durie, Alastair J., "'The Drugs, the Blister and the Lancet are all Laid Aside" – Hydropathy and Medical Orthodoxy in Scotland, 1840–1900', *Repositioning Victorian Sciences: Shifting Centres in Nineteenth-Century Thinking*, red. David Clifford, Elizabeth Wadge, Alexandra Warwick en David Willis (Cambridge, 2006)

Emmerson, George, *John Scott Russell* (Londen, 1977)

Esquirol, J.E.D., *Mental Maladies: a Treatise on Insanity*, [vertaling E.K. Hunt] (New York en Londen, 1845)

Fenn, Henry Edwin, *Thirty-five Years in the Divorce Court* (Londen, 1911)

Flaubert, Gustave, *Madame Bovary: Moeurs de province* (Paris, 1857); vertaling door Eleanor Marx Aveling als *Madame Bovary: Provincial Manners* (Londen, 1886)

Flint, Kate, *The Woman Reader, 1837–1914* (Oxford, 1993)

Foss, Edward, *Biographia Juridica: a Biographical Dictionary of the Judges of England from the Conquest to the Present Time* (Londen, 1870)

Fothergill, Robert, *Private Chronicles: a Study of English Diaries* (Oxford, 1974)

Gay, Peter, *Education of the Senses: the Bourgeois Experience, Victoria to Freud*, deel I (Oxford, 1984)

General Medical Council, *The Medical Register* (Londen, 1859–95)

Gibbon, Charles, *The Life of George Combe, the Author of 'The Constitution of Man'* (Londen, 1878)

Groneman, Carol, 'Nymphomania: the Historical Construction of Female Sexuality', *Signs: Journal of Women in Culture and Society*, deel 19, Nr 2 (Winter 1994)

Hager, Kelly, *Dickens and the Rise of Divorce: the Failed-Marriage Plot and the Novel Tradition* (Farnham en Burlington, 2010)

Healy, David, *Mania: a Short History of Bipolar Disorder* (Baltimore, 2008)

Holmes, Ann Sumner, 'The Double Standard in the English Divorce Laws, 1857–1923', *Law and Social Inquiry*, deel 20, Nr 2 (spring 1995)

Hoppen, K. Theodore, *The Mid-Victorian Generation, 1846–1886* (Oxford, 1998)

Horstman, Allen, *Victorian Divorce* (Londen, 1985)

House, Madeline, Storey, Graham en Tillotson, Kathleen, red., *The Pilgrim Edition of the Letters of Charles Dickens*, delen 6–9, 1850–61 (Oxford, 1988)

Huff, Cynthia, *British Women's Diaries: a Descriptive Bibliography of Selected Nineteenth-Century Manuscripts* (New York, 1985)

Hughes, Edward, *North Country Life in the Eighteenth Century, deel II: Cumberland en Westmorland, 1700–1830* (Oxford, 1965)

Humpherys, Anne, 'Coming Apart: the British Newspaper Press and the Divorce Court', *Defining Centres: Nineteenth- Century Media and the Construction of Identities*, red. Laurel Brake, William Bell en David Finkelstein (Londen, 2000)

Jameson, Anna Brownell, *The Diary of an Ennuyée* (Londen, 1834), oorspronkelijk uitgegeven als Anoniem, *A Lady's Diary* (Londen, 1826)

Lane, Edward Wickstead, *Hydropathy; or, the Natural System of Medical Treatment: an Explanatory Essay* (Londen, 1857)

——————'Thesis: Notes on Medical Subjects, Comprising Remarks on the Constitution and Management of British Hospitals, etc.' (Edinburgh, 1853)

——————*Medicine Old and New* (Londen, 1873)

——————'Letter read by dr. B.W. Richardson FRS at his lecture on Charles Darwin FRS in St George's Hall, Langham Place, 22 oktober 1882' (uitgegeven in eigen beheer)

——————*Hygienic Medicine: the Teachings of Physiology and Common Sense* (Londen, 1885)

Laqueur, Thomas, *Solitary Sex: a Cultural History of Masturbation* (New York, 2003)

Leckie, Barbara, *Culture and Adultery: the Novel, the Newspaper and the Law, 1857–1914* (Philadelphia, 1999)

Maclaren, Angus, *Birth Control in Nineteenth-Century England* (Londen, 1978)

Macqueen, John Fraser, *A Practical Treatise on Divorce and Matrimonial Jurisdiction Under the Act of 1857 and New Orders* (Londen, 1858)

Marcus, Stephen, *The Other Victorians: a Study of Sexuality and Pornography in Mid-Nineteenth-Century England* (New York, 1966)

Martens, Lorna, *The Diary Novel* (Cambridge, 2009)

Martin, Philip W., *Mad Women in Romantic Writing* (Brighton, 1987)

Mason, Michael, *The Making of Victorian Sexuality* (Oxford, 1994)

Mulock, Dinah, 'The Water Cure', *Dublin University Magazine* (april 1855)

——————*A Woman's Thoughts about Women* (Londen, 1858)

——————*A Life for a Life* (Londen, 1859)

Munro, J. Forbes, *Maritime Enterprise and Empire* (Woodbridge, 2003)

Nead, Lynda, *Myths of Sexuality: Representations of Women in Victorian Britain* (Oxford, 1988)

Norton, Caroline, *A Letter to the Queen on Lord Chancellor Cranworth's Marriage and Divorce Bill* (Londen, 1855)

Overton, Bill, *The Novel of Female Adultery, 1830–1900* (Basingstoke en Londen, 1996)

The Oxford Dictionary of National Biography (Oxford, 2004)

Phillimore, John George, *The Divorce Court: its Evils and the Remedy* (Londen, 1859)

Poovey, Mary, *Uneven Developments: the Ideological Work of Gender in Mid-Victorian England* (Chicago, 1988)

Ray, Phyllis M., *Ashford Carbonel: a Peculiar Parish; A Brief History* (Ludlow, 1998)

Richards, Graham, *Mental Machinery: The Origins and Consequences of Psychological Ideas, Part 1: 1600–1850* (Londen, 1992)

Robertson, Thomas William, *My Wife's Diary* (Londen, circa 1854), een bewerking van een Frans toneelstuk van Adolphe d'Ennery, voor het eerst in Engeland opgevoerd onder de titel *The Wife's Journal*

Rose, Phyllis, *Parallel Lives: Five Victorian Marriages* (New York, 1983)

Rosenman, Ellen Bayuk, *Unauthorized Pleasures: Accounts of Victorian Erotic Experience* (Ithaca, 2003)

Russett, Cynthia Eagle, *Sexual Science: the Victorian Construction of Womanhood* (Harvard, 1989)

Sato, Tomoko, 'E.W. Lane's Hydropathic Establishment at Moor Park', *Hitotsubashi Journal of Social Studies*, deel 10, Nr 1 (april 1978)

───────'George and Charles Drysdale in Edinburgh', *Journal of Tsuda College Tokyo*, deel 12 (1980)

───────'Charles Robert Drysdale in 1848–69', *Journal of Tsuda College*, deel 13 (maart 1981)

───────'George Drysdale's Supposed Death and *The Elements of Social Science*' (in het Japans), Hitotsubashi Ronsu, deel 78, Nr 2 (augustus 1977)

Savage, Gail, 'The Operation of the 1857 Divorce Act, 1860–1910', *Journal of Social History* (1988)

───────'Erotic Stories and Public Decency', *The Historical Journal*, deel 41 (2 juni 1998)

Secord, James A., *Victorian Sensation: the Extraordinary Publication,*

Reception, and Secret Authorship of Vestiges of the Natural History of Creation (Chicago, 2000)

Shanley, Mary Lyndon, 'One Must Ride Behind: Married Women's Rights and the Divorce Act of 1857', *Victorian Studies*, deel 25 (spring 1982)

Shortland, Michael, 'Courting the Cerebellum: Early Organological and Phrenological Views of Sexuality', *British Journal for the History of Science*, deel 20 (1987)

Shuttleworth, Sally, *Charlotte Brontë and Victorian Psychology* (Cambridge, 1996)

Smethurst, Thomas, *Hydrotherapia; or, The Water Cure* (Londen, 1843)

Smith, Roger, *Trial by Medicine: Insanity and Responsibility in Victorian Trials* (Edinburgh, 1981)

Smith, W. Tyler, *Manual of Obstetrics* (Londen, 1858)

Spencer, Herbert, *Social Statics; or, The Conditions Essential to Happiness Specified, and the First of Them Developed* (Londen, 1851)

Stack, David, *Queen Victoria's Skull: George Combe and the Mid-Victorian Mind* (Londen, 2007)

'A Student of Medicine' [George Drysdale], *Physical, Sexual, and Natural Religion* (Londen, 1854), herdrukt onder de titel *The Elements of Social Science* (in de vijfendertigste druk, uitgegeven in 1905, is een biografie van George opgenomen, geschreven door Charles Drysdale)

Stone, Lawrence, *Road to Divorce: England 1530–1987* (Oxford, 1990)

——————*Broken Lives: Separation and Divorce in England, 1660–1857* (Oxford, 1993)

Swabey DCL, M.C. Merttins en Tristram DCL, Thomas Hutchinson, red., *Reports of Cases Decided in the Court of Probate and in the Court for Divorce and Matrimonial Causes*: deel I (Londen, 1860)

Tallent-Bateman, Charles T., *A Home Historical: Moor Park, Surrey* (privé-uitgave, 1885)

Tanner, Tony, *Adultery in the Novel: Contract and Transgression* (Baltimore en Londen, 1979)

Taylor, Jenny Bourne, 'Obscure Recesses: Locating the Victorian Unconscious', *Writing and Victorianism*, red. J.B. Bullen (Londen, 1997)

——————met Sally Shuttleworth, red., *Embodied Selves: an Anthology of Psychological Texts, 1830–1890* (Londen, 1988)

Tennyson, Alfred, *The Idylls of the King* (Londen, 1859)

Thomas, Keith, 'The Double Standard', *Journal of the History of Ideas*, deel 20, Nr 2 (april 1959)

Tidswell, Richard Thomas en Littler, Ralph Daniel Makinson, *The Practice and Evidence in Cases of Divorce and other Matrimonial Causes* (Londen, 1860)

Tilt, E.J., *On Diseases of Menstruation and Ovarian Inflammation* (Londen, 1850)

——————*The Change of Life in Health and Disease* (Londen, 1857)

Turner, E.S., *Taking the Cure* (Londen, 1967)

Vicinus, Martha, red., *Suffer and be Still: Women in the Victorian Age* (Bloomington, 1972)

Wood, Ellen, *East Lynne* (Londen, 1861)

Wood, Jane, *Passion and Pathology in Victorian Fiction* (Oxford, 2001)

Wyhe, John van, *Phrenology and the Origins of Victorian Scientific Naturalism* (Aldershot en Burlington, 2004)

Young, Marianne, *Aldershot and All About It, with Gossip, Literary, Military and Pictorial* (Londen, 1857)

Correspondentie van Charles Darwin is te vinden op:
www.darwinproject.ac.uk

DANKWOORD

Mijn dank gaat uit naar de staf van de British Library, de London Library, de National Archives en de Wellcome Library in Londen; naar de staf van de plaatselijke archieven in Hereford, Reading, Shrewsbury en Whitehaven; naar Pauline Dunne van de National Archives in Dublin en Alison Metcalfe van de National Library of Scotland in Edinburgh. Dank aan de beheerders van de National Library of Scotland voor hun toestemming om te mogen citeren uit hun archieven, aan het Cumbria Archive & Local Studies Centre (Whitehaven) en het Tairawhiti Museum in Gisborne, Nieuw-Zeeland. Veel dank aan Meg Vivers voor het delen van haar uitstekende onderzoek naar de familie Robinson; aan Mark Robinson voor de informatie over zijn betovergrootvader; en aan Phyllis Ray en Ruth Walker voor het doorgeven van hun kennis van de familie Walker. Mijn dank gaat uit naar Clynt Wellington in Surrey, die het mogelijk maakte dat ik een kijkje kon nemen in enkele van de huizen waar Isabella Robinson en haar vrienden woonden; naar Ann en Freddy Johnston in Ludlow; en naar Florence Shanks en Lucinda Miller in Edinburgh.

Dank ook aan alle vrienden en familieleden die mij met dit boek hebben geholpen: Lorna Bradbury, Alex Clark, Toby Clements, Will Cohu, Tamsin Currey, Robert Douglas-Fairhurst, Claudia FitzHerbert, Miranda Fricker, Stephen Grosz, Victoria Lane, Ruth Metzstein, Sinclair McKay, Daniel Nogués, Marina Nogués, Tasio Nogués, Stephen O'Connell, Kathy O'Shaughnessy, Robert Randall, John Ridding, Wycliffe Stutchbury, Ben Summerscale, Juliet Summerscale, wijlen Peter Summerscale, Lydia Syson, Frances Wilson, Keith Wilson, de moeders die elkaar treffen in de Coffee Cup in Hampstead en de schrijvers die elkaar treffen in de Novel History Salon in Bloomsbury. Dank je wel, vooral jou, mijn zoon Sam.

Heel veel dank aan mijn agent, David Miller, zoals altijd; aan zijn collega's van Rogers, Coleridge & White, onder wie Stephen Edwards, Alex Goodwin en Laurence Laluyaux; en aan Julia Kreitman van The Agency in Londen en Melanie Jackson in New York. Mijn dank aan Richard Rose voor zijn uitstekende suggesties en adviezen. Dank je wel, iedereen bij Bloomsbury in Londen, omdat jullie het uitgeefproces tot zo'n plezier hebben gemaakt: Geraldine Beare, Richard Charkin, Jude Drake, Sarah-Jane Forder, Alexa von Hirschberg, Nick Humphrey, Kate Johnson, David Mann, Paul Nash, Anya Rosenberg, Alice Shortland, Anna Simpson en – vooral – mijn redacteur Alexandra Pringle, wiens sturende hand van onschatbare waarde is geweest. Veel dank ook aan de andere uitgevers die dit project hebben gesteund: George Gibson en anderen van Bloomsbury in New York, Ann-Catherine Geuder in Berlijn, Dominique Bourgois in Parijs, Ludmila Kuznetsova in Moskou, Andrea Canobbio in Turijn, Sofia Ribeiro in Lissabon en Henk ter Borg in Amsterdam.

INDEX